जेल का रहस्य

जेल का रहस्य

जितेन्द्र सिंह बिष्ट

GenNext Publication

जेल का रहस्य

ISBN : 978-93-8022-329-2

भारत सन् 2018 में प्रकाशित

जेन्नेकस्ट पब्लिकेशन

5, अंसारी रोड, दरियागंज,

नई दिल्ली-110002

Phone : 9811692060

ई-मेल: gennextpublication@hotmail.com

मुद्रित: जी. प्रिंट प्रोसेस, दिल्ली

जेल का रहस्य

मेरे जीवन में वो अन्धेरी काल कोठरी की शुरूआत हो चुकी थी। एक ऐसे समाज की स्थापना हो चुकी थी जो मानसिक प्रताणना से भरा था। मैं वो दिन कभी नहीं भूल सकता। 02/06/2007 के पिथौरागढ़ कोर्ट में जहाँ चारों तरफ खाकी वर्दी में पुलिस और हमारे भारत के न्यायपालिका के सदस्य एवं हमारे देश के काली पोशाक में वकील थे। उन्होंने हमारी तरफ देखकर पूछा कि क्या ये ही तस्कर हैं। जो कल पकड़े गये थे। मैं मायूस डरा और खामोश था, मेरे हाथों को जंजीरों से बाँधा गया था। मैं बहुत शर्मिन्दगी महसूस कर रहा था, क्योंकि वहाँ बैठी भीड़ में हर आदमी की नजर हम पर ही टिकी थी। सीढ़ियों से चलते हुए दुमंजिले में जहाँ पर डी. जे. साहिबा थी, हमें 5 मिनट खड़ा करवाया गया अब दिल में एक कशमकश चल रही थी कि जब लोहे की जंजीरें हाथों में आ ही गयीं तो अब मुँह छिपाने का क्या फायदा एक इन्सपेक्टर कोर्ट के अन्दर जहाँ पर डी. जे. बैठी थी, वहाँ पर हम गये, चारों तरफ मीडिया जो अपने काम में लगी थी हम कोर्ट के अन्दर गये इन्सपेक्टर ने डी. जे. साहिबा को कुछ कहा, क्या पता? उन्होंने अन्दर जा के क्या कहा होगा मुझे नहीं पता, हाँ कहा होगा कि दो मुजरिम ले आये हैं, जिन्हें चरस बेचने के जुर्म में गिरफ्तार किया गया है और ये तस्कर नेपाल से भारत ले आये थे जिसका मास्टर माइंड मुझे बनाया गया था। थोड़ी देर बाद कुछ वकील हमारी तरफ आ रहे थे। यह सोचकर कि

माल मोटा है कुछ वकीलों ने मुझसे बात की और मैंने भी। लेकिन अब मुझे नहीं पता था कि आगे क्या होगा कुछ तो पता था कि आगे कितनी गहरी खाई है कि अगर गिर गये तो संभल पाना मुश्किल है लेकिन गिर तो चुके थे। अब इस खाई से निकल पाना बहुत मुश्किल था। इस खाई में तरह-तरह के जानवर थे। ये एक ऐसा दलदल था जहाँ से निकल पाना हाथ पैर हिलाना मौत को बुलावा देना था। थोड़ा समझ में आ गया था लेकिन उतना नहीं जितना मुझे इन काल-कोठरी के अन्दर संघर्ष करना था। थोड़ी देर बाद एक आदमी आया जो सफेद कपड़े पहने था और सफेद टोपी भी जिसे पेशकार कहा जाता है। उसने पुलिस वालों को बोला कि इन्हें जज साहिबा ने बुलाया है। पुलिस वालों ने मुझसे कहा, जूते उतार दो मैंने घबराते हुए जूते उतारे और अन्दर प्रवेश किया। प्रवेश करते ही सामने ऊपर जज साहिबा बैठी थीं और अन्दर काफी कुर्सियाँ लगी थीं। जिनमें काले कोट पहने हुए लोग बैठे थे, शायद वो वकील थे। हमें कटघरे के अन्दर ले जाया गया जहाँ जज साहिबा ने अपना चश्मा हल्का नीचे करते हुए गौर से देखा और पूछा कहाँ से ले आए थे, क्या ये चरस तुम्हारे पास से ही मिला था? हम मौन खड़े थे, कोई शब्द मुँह से नहीं निकल रहा था डरे से और मायूस खड़े दोनो हाथों में जंजीरों से जकड़ा गया ये शरीर। जज साहिबा ने आदेश दिया कि (कड़े तेवर में) जितेन्द्र सिंह को और कल्याण सिंह जो मेरा साथी था इन दोनों को अलग-अलग जेलों मे रखा जाये ताकि ये दोनो आपस में मिल न सकें। प्रशासन से लड़ पाना मुश्किल था लेकिन अब आदेश दिया गया कि जितेन्द्र को डीडीहाट में और कल्याण को पिथौरागढ़ रखा जाए। वो आखिरी दिन था जब मैं बाहर की दुनिया में था और लोगों को देख सकता था, इस जहाँ को महसूस कर सकता था। अब तो आदेश था कि जितेन्द्र को ऐसी जगह डाल दिया जाए जहाँ उसे कोई मिल न सके लेकिन हमारे भारत में हर इन्सान को अपना एक अधिकार दिया

गया है। चाहे वो कितना बड़ा अपराधी क्यों न हो लेकिन ये मानवाधिकार समाज में चाहे अच्छा हो चाहे बुरा सबको अपना एक दायरे के अन्दर अधिकार प्राप्त है। मैं चाहे जेल जाने वाला था मुझे जंजीरों से जकड़ा था लेकिन अभी भी मेरे पास कुछ अपने अधिकार तो थे ही। खैर मेरे साथ पाँच पुलिस गार्ड थे अब मुझे गाड़ी में बिठाया गया और डीडीहाट ले जाया गया। किसका खाना-किसका पीना, पुलिस को तो अपनी ड्यूटी करनी थी वो इतनी जल्दी में थे कि पानी भी नसीब नहीं हो पाया। खैर अभी जीवन के मायने खत्म हो चुके थे, मैं अपने आप को खत्म सा महसूस कर रहा था मानों जीवन खत्म हो चुका था, गाड़ी रुकी मुझे गाड़ी से उतारा गया। सभी पुलिस गार्ड गाड़ी से उतरे और मुझे लॉकअप के कार्यालय में ले गये जहाँ पर मेरे नाम का वारंट जमा किया गया और एक रजिस्टर में मेरा नाम लिखा गया। फिर गार्ड कमांडर एक चाभी लेकर आया मेरी तलाशी ली गयी उसके बाद मुझे लॉकअप की तरफ ले जाया गया। वो पहली काली रात की शुरूआत, काले कम्बलों की गंध, धूल मिट्टी और बीड़ी के धुएँ के साथ हुई यह लॉकअप की दो छोटी-छोटी कोठरी किसी भी इन्सानी कैदी को मृत्यु लोक पहुँचाने को काफी थीं। जहाँ पर एक कोठरी में पाँच कैदी सो सकते थे वहाँ पर पन्द्रह-पन्द्रह कैदियों को ठूंस-ठंस कर भरा गया था। मैं भी इसी कैद में एक तरफ जिंदगी और मौत के बीच झूल रहा था। कुछ चुनिन्दा कैदियों के पास साफ-सुथरे कम्बल दिखाई पड़ रहे थे लेकिन मैं देख रहा था कि उन साफ कम्बलों को ओढ़ने का कोई फायदा नहीं था क्योंकि वह अन्य बारह कैदियों ने लॉकअप से मिले काले कम्बलों को ओढ़ा था जिसमे से गंध के साथ धूल-मिट्टी उड़ती हुई हमारे फेफड़ों के अन्दर प्रवेश कर रही थी। जिस प्रकार से मैं इस कैद में कैद था मेरी नजर उस काल कोठरी की चारों दीवारों पर दौड़ रही थी, ऐसा प्रतीत हो रहा था कि यहाँ पर कोई भी इन्सान मामूली रूप से कैसे

मानसिक सन्तुलित रह सकता है। मेरे लिए अब यहाँ पर एक घण्टा निकाल पाना सबसे बड़ी चुनौती हो गयी थी जो कि मेरा अभी-अभी का अनुभव था। लॉकअप की लाइट बंद हो चुकी थी, बाहर का मौसम शायद सुहावना हो क्योंकि चिड़ियों की चहचहाहट मेरे कानों तक स्पर्श कर रही थी, वैसे मैं आपको बता दूँ कि मैं एक कोठरी के अन्दर कैद था, बाहर से ताला लगा था और उस कोठरी के बाहर एक बाउंड्री, जो किसी भी कैदी को नजर बंद रखने को काफी थी। मेरे बगल वाली कोठरी में एक कैदी जिसकी मधुर आवाज हम सभी कैदियों के कानों में गूँज रही थी, वह पहाड़ का रहने वाला है और अपनी साँस्कृतिक भाषा में लोकगीत गा रहा था। उसकी आवाज हम सभी कैदियों को भावुक कर रही थी। यहाँ पर हर कैदी अपने घर-परिवार से दूर, समाज से दूर हैं। ऐसी परिस्थिति में इस कैद में रह रहे सभी कैदी अपने दिल ही दिल में भावुक हो रहे थे। मैं भी काफी भावुक हो गया था, आँखों में आँसू तो सूख चुके थे, लेकिन एक दर्द की लहर दौड़ रही थी, फिर भी आँखों से आँसू निकल पड़े। ये सलाखें मुझे ही नहीं बल्कि सभी कैदियों को काटने को दौड़ रही थी। मजबूर कैदी अपने जीवन को जी रहे थे और तो और अपनी मर्जी से यहाँ हँस भी नहीं सकते और वो अपनों का प्यार, वो खुलापन आजादी अब यहाँ पर जीना अपने बस में नहीं था आँखें बन्द थीं। जमीन में काले कम्बल बिछे थे, बाहर की दीवारें दिखाई नहीं दे रही थी चारों तरफ अन्धेरा था लेकिन चूने से पुती दीवारों पर कई कैदियों ने बीड़ी के जले हुए हिस्से से गन्दी-गन्दी चीजें उकेर रखी थीं मानो कोई खण्डहर या भूत बंगला हो। जैसे-तैसे मैंने अपने को शांत किया और आँखे बन्द की। दूसरे दिन सुबह अचानक कानों में लोहे का गेट खुलने की आवाज आयी। इस भयंकर आवाज ने मेरे दिल को कँपकँपा दिया था मेरी आँखे खुली। एक होमगार्ड दिखने में ऐसा प्रतीत होता था मानो किसी टी.बी. के पेशेन्ट को पुलिस की वर्दी

पहना दी हो। वह बिना दाढ़ी बनाये एक फटी जैकेट पहने हमारे सामने खड़ा था। जिस तरह से वह दिख रहा था, उसके बोलने से लग रहा था मानो वह बहुत बड़ा पहलवान होगा वह गिनती कर रहा था। कैंदियों को गिन रहा था मात्र बारह–पन्द्रह ही तो कैदी थे। कुछ उठे तो कुछ कम्बल के अन्दर सिर घुसाकर लेट गये क्योंकि अभी कुछ–कुछ अंधेरा था लेकिन यह तो पुलिस का लॉकअप है यहाँ समय–समय पर नियमों का पालन करना है। अजीबों–गरीब नियम है समझ में नहीं आ रहा है यह कैसी जगह है, यहाँ पर मनोरंजन का कोई साधन नहीं है न ही टेलीविजन और न ही अखबार। बाहर की कोई खबर नहीं बस कुछ ऐसे कैदी होते थे जो ताश के पत्तों का सहारा लेकर कई सारे गेम खेलते थे। जैसे फ्लश, काटपत्ती, जोड़पत्ती, दहलापकड़, रम्मी आदि कई गेम चलते थे मैंने पहली बार ही यह नाम सुना था इससे पहले कुछ लोगों को खेलते हुए देखा था क्या करें? इस विकराल एक छोटे से कमरे में रहना बड़ा ही विडम्बना पूर्ण था खैर इसी का नाम तो जेल है जहाँ पर एक इन्सान की सारी मर्जी, सारी इच्छा को खत्म कर दिया जाता है। सुबह–सुबह का समय था, बाहर गेट में आवाज आयी चाय... चाय... चाय... कुछ कैदी अपना–अपना गिलास लेकर गेट की तरफ को बढ़ रहे थे, मैं भी एक गिलास लेकर गया, देखा, वहाँ पर दो–चार कैदियों ने एक लाइन लगा रखी थी मैंने देखा वो कैदी पैसे देकर चाय ले रहे थे वह चाय दिखने में चाय नहीं बल्कि गर्म काला पानी जिसमें से भाप निकल रही थी। लेकिन वह इन्सान इस काले पानी को चाय बता रहा था। मेरे पास चाय पीने को पैसे नहीं थे मैं बिना कुछ कहे वापस लौट पड़ा... यहाँ पर कोई कैदी ऐसा नहीं था कि जो कहे! भाई, आप भी चाय पी लो। खैर मैंने किसी से कुछ नहीं कहा, मैं वापस आकर कोठरी के एक किनारे में बैठ गया। कुछ कैदी चाय की चुस्कियाँ लगा रहे थे तो कुछ कैदी आसमान की तरफ देख रहे थे। यानि जिनके पास पैसे

थे वो चाय पी रहे थे बाकी एक दूसरे का मुँह देख रहे थे। यहाँ पर सरकार की तरफ से या प्रशासन की तरफ से चाय की कोई व्यवस्था नहीं है। शायद जेल लॉकअप के अपने अलग-अलग कायदे नियम हैं। जो एक दूसरे से थोड़ा भिन्न है। इसीलिए तो जो कैदी यहाँ पर हैं वे भूखे प्यासे नजर आ रहे थे। मेरी आँखों से आँसू की बूँद टपक पड़ी ये सजा बेरोजगारी की थी। दिन का समय, 11 बज चुके हैं दोपहर का खाना आ चुका है। यहाँ पर जैसे ही वह व्यक्ति खाना देने आया तो उसने दाल वाले हण्डे को बजाया। सभी कैदी अपनी-अपनी थाली लेकर दौड़ पड़े। खाने मे एक मुट्ठी चावल और दाल......। दाल में दाल के दाने नजर नहीं आ रहे थे और चावल में कीड़े ही कीड़े थे। दाल मानो हल्दी और नमक का घोल होगा। यहाँ दाल के नाम पर नमक-पानी का ये सूप किसी भी इन्सानी कैदी को खत्म करने को काफी था। न अच्छा भोजन और न ही भरपेट। इतना भयानक जीवन। इस लॉकअप/कोठरी को देखकर मैं दिल ही दिल में रो रहा था घबरा गया था। मैंने अपने 18 वर्ष की उम्र में ऐसा कभी नहीं देखा था। मैंने अपनी थाली को जमीन पर रखा, चावल से कीड़े हटाए और उस भोजन को खाने लग गया क्योंकि सुबह से कुछ खाया नहीं था। खाना तो खाया लेकिन मेरा पेट नहीं भरा था। आधा पेट भोजन और ऐसे ही रात को चार छोटी-पतली रोटी मानो कोई अखबार का पृष्ठ हो पतली और कच्ची आटे से सनी रोटी देखकर भूख से ऐसा दिल करता था कि अभी बीस रोटी हो तो मैं खा लेता। एक तो मैं खण्डहर में ऊपर से आधा पेट खाना साथ में जवानी जितना खाओ उतनी भूख और पीने का ये मटमैला पानी पीकर दिन गुजारते हुए एक-एक दिन इस कैद में काटे। अगर पैसा होता तो शायद भूख से बच जाता लेकिन काम ऐसे किये थे कि किसी भी परिन्दे ने मुड़कर नहीं देखा। मुझे याद है कुछ मेरे चुनिन्दा रिश्तेदार थे, जो मुझसे मिलने इस लॉकअप में आए थे। गरीबी हालत में क्या हो

सकता था। अन्ततः कुछ माह पूर्व मेरा बड़ा भाई मुझसे मिलने आया उस समय उसकी उम्र भी कम थी मेरी उम्र अट्ठारह तो उसकी उन्नीस वर्ष। पहाड़ के रहने वाले कोई व्यवसाय नहीं, गरीबी में थे शायद मुझे अभी भी ज्ञात है कुछ बिस्किट, कपड़े आदि चीजें लेकर वो मेरे पास पहुँचे थे। आँखो में आँसुओं की बूँदे और चेहरे पर उदासी लिए दोनों खड़े थे, बीच में लोहे का गेट था। उन्हें पता था कि एक बेरोजगार लड़का अपना पेट पालने के लिए और कर भी क्या सकता था। फिर भी मेरे भाई ने मुझे समझाया तुझे छुड़ा लेंगे लेकिन आइन्दा से ऐसे काम मत करना। यह कहकर वापस चले गये। मैं भी बिना कुछ कहे आँसुओं की धार लिए अपने कदम पीछे की तरफ बढ़ा लिये। शायद मुझसे ज्यादा पीड़ित मेरा भाई था। कैसे कोई भी इन्सान अपने भाई को, अपने खून को, कैद में रहते हुए देख सकता है यह भाव मैं उसके चेहरे पर देख सकता था लेकिन अब मैं समझ चुका था। अन्त बुरे का बुरा ही होता है। क्योंकि मैं गलत था। मैं यह भी समझ गया था कि मैंने भी तो गलत काम किया था उसकी सजा तो मिलनी ही थी। यह लॉकअप उस समय का सबसे भयानक लॉकअप था जो कि मैंने पहले कभी नहीं देखा था फिर रहना तो दूर की बात थी लेकिन अभी तो यह ससुराल ही था। आगे तो इससे भी खतरनाक जगह अभी और देखनी थी क्योंकि दस वर्ष कैद में रहना है। तरह-तरह के कैदियों के साथ मुलाकात होनी है। यह मेरे दिल में विचार आए दिन मुझे परेशान करते थे। भूख से पीड़ित ये कैदी उन कैदियों को परेशान करते थे जो जेल में नये-नये आते थे। कोई भी कैदी जब नया-नया आता था उसे जूते-चप्पलों से पीटा जाता था और उससे पैसे लिए जाते थे। उन पैसों से यहाँ पर कैदी अपना पेट भरते थे। यह उस समय रोज का काम था मात्र भूख से बचने का ये तरीका एक नये कैदी को परेशान करता था और जलील करता था। अन्ततः उस कैदी से शौचालय साफ करवाया जाता था यह रोज का

नियम इस कैदखाने का था जिनके पास पैसे होते थे तो वह कैदी इन चीजों से बच जाते थे और जिनके पास पैसे नहीं वह इस कैद में झाड़ू से शौचालय तक साफ करते थे। मैं समझ सकता हूँ कि इतनी परेशानी झेलने के बाद कोई कैदी आवाज नहीं उठाता, यह भी अपने आप में एक बड़ा रहस्य था। जब किसी कैदी के ऊपर कोई इल्जाम लग जाता है तो फिर उसकी कोई नहीं सुनता क्योंकि जब एक न्यायधीश भी इस कैद में कैंदियों को देखने और समस्या पूछने आते हैं तो वो भी एक कान से सुनते हैं और दूसरे कान से निकाल देते हैं। बल्कि वह समस्या पूछने नहीं, वह तो जेल मे कैदी कैसे होते हैं कैदी कैसे रहते है यह देखने आते हैं वास्तव में यह सच है कैदी को कोई भी इन्सान अच्छी निगाहों से नहीं देखता। जो मैंने इन दस वर्षों में अपनी अन्तरात्मा से महसूस किया है। किसी भी अनजान व्यक्ति को सच्चाई पता नहीं होती है कि आखिर सच क्या है। बुरे का तो अन्त बुरा ही होता है शायद यह कम लोग जानते हैं। इसी तरह कई हफ्ते इस लॉकअप में अपनी किस्मत पे रोते और तड़पता रहा। अन्ततः एक दिन मुझे इस लॉकअप से पिथौरागढ़ की जिला लॉकअप में तबादला कर दिया गया। मैं तैयार हुआ मैंने पूरे क्षेत्र को देखा और अपने दिल ही दिल में सोचा अब तो दस साल बाद ही देख पाऊँगा। हो सकता है, नहीं भी देखूँ क्योंकि कल किसने देखा है। मैं तो अभी भी लॉकअप में और जा भी लॉकअप में रहा हूँ लेकिन फर्क है। जगह में, कैदियों में और वहाँ के वातावरण में। आँखों में आँसू लिए आगे बढ़ा सोच रहा था, आगे का सफर कैसा रहेगा। इस कैद खाने में चिन्तन... सोच... दुःख लिए आगे बढ़ा। आज मैं पुलिस फोर्स के अन्दर पुलिस लॉकअप पिथौरागढ़ में पहुँचा। मेरा प्रवेश लॉकअप के बाहर हो चुका था जहाँ पर एक नाममात्र चेक पोस्ट दिखाई पड़ रहा था और वहाँ पर एक बिना वर्दी पहने जो हेड क्वाटर बैठा था और इस लाकअप के गेट में एक पुलिस वाला जो बन्दूक लिए

[illegible] ुझे लोहे की जंजीरों से बाँधा गया था। मेरे साथ आए गाड [illegible] ह कागज (जिसमें मेरे द्वारा किये गये अपराध की घटना लिखे कागज) जिसे वारन्ट कहा जाता है वह उस हेड वार्डन को दिये। उस हेड वार्डन ने मेरा नाम और कागजों का ब्यौरा लिखा जिसमें एक कोर्ट का आदेश था। लिखा गया था कि हवालाती कैदी जितेन्द्र सिंह को धारा 20/22 एन डी पी एस एक्ट को अग्रिम आदेश तक रखा जाए और अगली पेशी को कोर्ट के समक्ष पेश किया जाए। ऐसा करने में कोई त्रुटि न हो यह आदेश कोर्ट का था। कुछ देर बाद मुझे लॉकअप के गेट के अन्दर डाला गया। मेरे हाथों को चैन और हथकड़ी से बाँधा गया था। अभी हथकड़ी मेरे हाथों में लगी थी जैसे ही मैं पहले गेट के अन्दर गया तो मेरे सामने एक लोहे का गेट था जहाँ से मैं अन्दर बन्द कैदियों को देख पा रहा था। कई सारे कैदियों की भीड़ लग चुकी थी सभी कैदी मुझे देख रहे थे कोई भी कैदी जब नया आता है तो इस कैद में वह कौतूहल का विषय बन जाता है। शायद ये कैदियों की भीड़ कुछ जानना चाहती थी। वह कोई खास नहीं बस यूँ ही कौन से केस में है कहाँ का रहने वाला है, घर में कौन है, और अन्ततः फिर इधर ही कैदियों के बीच में केस की बहस होती है। कुछ देर बाद केस का निर्णय। क्योंकि यहाँ हर कैदी हर परिस्थितियों से गुजर चुका होता है, वह सब जानता है कि फलाने केस में कब तक जमानत होगी या नहीं। फिर यह सजा कितनी होगी केस की हर एक पंक्ति का यहाँ पर विस्तार से उसका निर्णय होता है। इतनी सारी परेशानियों में भी यहाँ पर सारे कैदी मजबूरन अपने जीवन को जीते हैं। फिलहाल मेरे हाथों से हथकड़ी अलग कर दी गई थी। अब मैं इस कैद में रहकर भी एक प्रकार से स्वतंत्र महसूस कर रहा था। हथकड़ी और लोहे की ये जंजीरें मुझे पल-पल तड़पा रही थीं, रुला रही थीं और परेशान कर रही थीं अब मेरे सामने लोहे के गेट से लगा ताला खुल चुका था और भयानक कैदियों की भीड़ में मैं अन्दर

चला गया एक छोटी सी बाउंड्री में बना ये लॉकअप मानो मौत का कुआँ हो मेरी नजर चारो तरफ दौड़ पड़ी। छोटे-छोटे चार लॉकअप, एक लॉकअप जिसमें महिला कैदियों को रखा गया है। बड़ा ही अजीब लग रहा था क्योंकि यह सब मैं क्या देख रहा हूँ करीब सात-आठ महिलाएँ जिसमें तीन 18-25 वर्ष की नवयुवतियाँ थीं और बाकी 40-50 वर्ष की महिला कैदी हैं। कई दिनों तक मैं सब देखता गया। आखिरकार यहाँ की प्रशासनिक व्यवस्था को चलाने वाले कर्मचारी बहुत ही जल्लाद किस्म के हैं। खैर मैं बहुत बोल नहीं पा रहा था, बस सहमा सा देख रहा था कि इस जेल में क्या-क्या रहस्य हैं। जिसे मैं नजदीक से महसूस कर रहा था। बस यूँ ही दिन-रात गुजरे। एक दिन मैंने देखा एक महिला कैदी के साथ बर्बरता जिसे देख मेरी रूह काँप उठी महिला कैदी इस कैद में अनेक परेशानियों में रहती हैं। इन्हें इस कैद की परेशानी तो है ही साथ ही जिस तरह से यहाँ पर आए दिन अन्दरूनी तरीके से महिला कैदियों के साथ यौन शोषण होता है जो दुर्भाग्यपूर्ण है। ऐसा यौन शोषण जो तीसरे को पता भी नहीं चलता अब जो मैं लिखने जा रहा हूँ आपको आश्चर्य होगा और आप लोगों को लगेगा कि यह कैसे सम्भव हो सकता है। यहाँ के हालात यहाँ की परिस्थितियों में यहाँ पर जो महिला कैदी रहती हैं। यह बहुत विडम्बना पूर्ण है यहाँ पर महिला कैदी बिना महिला सुरक्षा के रहती हैं। इनकी सुरक्षा के लिए पुरुष पुलिस कर्मी तैनात रहता है। आप स्वयं अपने मन में कल्पना कर सकते है जहाँ पर नवजवान महिला कैदियों के साथ चौबीस घंटे पुरुष सिपाही तैनात होते है, वहाँ पर उन कैदियों के साथ क्या होगा। जरा सोचिए! मैं यह भी बताना चाहता हूँ हमारे देश की हर खाकी वर्दी गलत नहीं होती लेकिन कुछ खाकी वर्दी पहन कर गुंडे बदमाश बनकर आए दिन जबरन यौन शोषण में लिप्त रहते हैं और कुछ इज्जतदार ईमानदार व मेहनती पुलिसकर्मी होते है जो अपनी ड्यूटी पर तत्पर रहते हैं। ईमानदारी से देश की सेवा

करते हैं। वह पुलिसकर्मी एक औरत में भी अपनी माँ-बहन को भी देखता है और कई ऐसे है जो एक औरत में माँ लक्ष्मी भी देखते हैं लेकिन चंद दागियों की वजह से वह पुलिसकर्मी भी बदनाम होते है। आज ऐसा ही मेरे आँखों के सामने हुआ। रात के 12 बज चुके थे ड्यूटी वाला सिपाही शराब पीकर ड्यूटी में आया था एक महिला जो लड़ाई-झगड़े के केस में अपने बेटे के साथ बंद थी। इत्तिफाक से उस रात को सभी कैदी अपनी-अपनी बातों में व्यस्त थे। अचानक ही पता चला, सामने वाली महिला कोठरी में एक महिला के साथ बहला-फुसलाकर यौन सम्बन्ध बनाया जा रहा है चूँकि वहाँ पर अन्य महिला कैदी भी थीं महिलाओं ने हल्ला करना शुरू कर दिया। जैसे ही वहाँ से चिल्लाने की आवाज आयी ड्यूटी का सिपाही एक महिला के साथ अभद्रता कर रहा है। वैसे ही पूरे लॉकअप में हल्ला हो गया। उस महिला के बेटे ने अपनी माँ को आवाज देना शुरू किया माँ... माँ... क्या हो गया ऐसी घड़ी में उस माँ के मुँह से एक शब्द नहीं निकल पाया। यह हुआ कैसे? यह भी अपने में एक रहस्य है जो मैं बयाँ नहीं कर पा रहा हूँ। उस माँ के बेटे को पता है जिसके साथ यह घटना घटित हुई अन्ततः दूसरे दिन प्रातः वह सिपाही बिना वर्दी पहने अन्दर लॉकअप में आया और कहने लगा मैं माफी माँगता हूँ मुझसे गलती हो गयी शायद उसके सामने अब ये शब्द आ रहे थे मैंने इस खाकी वर्दी के सहारे एक कैदी औरत के साथ शारीरिक सम्बन्ध बनाये हैं। क्या पता? मुझे अब इन सलाखों मे कैद होना पड़े। वह आकर उस बेटे के पैर पड़ गया और अपने किये की सजा पर माफी माँगने लगा। कई कैदी ऐसे थे जिन्होंने गुपचुप तरीके से मामले को मात्र एक चाय और बिस्किट में खत्म कर दिया। जिसका मैं प्रत्यक्ष गवाह था। मैं यह सब देखकर अपने आप में गहरी सोच और शोक में डूब गया था। मैं क्या कर सकता था? जिसकी माँ के साथ यह हुआ जब उसने समझौता कर लिया तो मैं कौन हो सकता था बीच में कुछ कहने वाला। जब हमारा तंत्र ही खराब है तो कुछ भी कहो अगर

आपके पास पैसा और पावर नहीं हैं तो कुछ भी नहीं हो सकता? अन्ततः यह मामला यहीं पर समाप्त हो गया इस तरह से आए दिन मामले होते रहते थे जो चिंता का विषय है। साथ ही इसी लॉकअप से लगी कोठरी 2 नम्बर, 3 नम्बर, और 4 नम्बर इन संख्याओं मे पुरुष कैदी रहते हैं। आपको मैं बता दूँ, इस कैद में कई बुरे तो कई उससे भी बुरे कैदी हैं तो कुछ अच्छे भी। कई कैदी ऐसे होते हैं जिन्हें नहीं पता होता है कि हमारे साथ हमारी माँ समान महिलाएँ भी हैं या हमारी बहन समान कैदी हैं जो आए दिन छेड़छाड़ की घटनाएं होती रहती हैं मैं इस कैद में हर कैदी की गतिविधि देखता रहता था और सोचता था आखिर हमारे तंत्र में इतने भ्रष्ट और लापरवाह लोगों की वजह से इस तरह की समस्याओं का सामना करना पड़ता है जो आए दिन आम है। दूसरे दिन सुबह होते ही कहीं शंख बज रहा था। वह आवाज मेरे कानों तक आयी जो मुझे शान्ति और सद्मार्ग की तरफ जाने को प्रेरित कर रही थी। वहीं दूसरी तरफ मुसलमान अपने अल्लाह को याद कर रहे थे जो आवाज मेरे कानों तक पहुँच रही थी। धर्म अलग-अलग हैं लेकिन हैं तो सभी इन्सान और इन सभी धर्मों के इन्सानों का मकसद एक ही है जो मुझे अहसास करा रहा था और इसका मकसद था इन्सानियत, शान्ति, प्रेम और उस मालिक के प्रति श्रद्धा, मैं इस आवाज को सुनकर खड़ा हो गया लेकिन अभी इन कोठियों के ताले खुले नहीं हैं क्योंकि समय नहीं हुआ है। यह लॉकअप अंग्रेजों के जमाने का बना लॉकअप है। सुनने में आया है कि यहाँ पर अंग्रेज अपने घोडे खच्चरों को रखा करते थे और आज हमारे जैसे कैदियों को रखा गया है। लेकिन जिस तरह का अपराध मैंने किया है इस अपराध में इससे भी खतरनाक जगह पर रखते तो भी कम था। ऐसा मुझे अहसास हो रहा था कि इस कैद में कई ऐसे कैदी भी हैं जो बिना अपराध किये ही इस कैद में पहुँचे है। मुझे बहुत दुःख होता है। यह कैदी या तो गरीबी के कारण

जेल में है या फिर इन्हें जबरन अन्दर डाल दिया है। इसलिए कि इनका आगे-पीछे रोने वाला, बोलने वाला नहीं है अभी एक सिपाही जिसके कंधे में लंबी चाकू लगी राइफल लिए और हाथों में चाभी का गुच्छा लिए लॉकअप के अन्दर आया। मैं उठा यह देख रहा था वह सबसे पहले उस कोठरी में आया जिस कोठरी में मैं था। उसने दोनों तरफ से गेट को अन्दर की तरफ धक्का मारा वह लोहे का दरवाजा हल्का अन्दर की तरफ हुआ और उसने अपने हाथ में रखी चाभियों के एक गुच्छे से एक चाभी निकाली और ताला खोला फिर दूसरा फिर तीसरा खोलकर दूसरा पुलिसकर्मी सभी कैदियों को गिनने लग गया वह सिपाही ऐसे आवाज मार रहा था मानो कोई भेड़-बकरियों को खदेड़ रहा हो। इस कैद के अन्दर रहना यहाँ के कायदे-कानून से गुजरना अपने आप में महाभारत का युद्ध है, ऐसा मुझे प्रतीत हो रहा था उस पुलिसकर्मी ने सभी की गिनती ली और वापस चला गया मैं उठकर उस कोठरी में बाहर आया लेकिन चारों तरफ दीवारें ही दीवारें थी उस कोठरी से थोड़ा सुकून है अभी ठण्डी हवा चल रही है उस कोठरी में साँस तक नहीं ली जा रही थी मैं उस लॉकअप के चारों ओर टहलने लगा। अभी महिला कैदी नहीं खुलेंगी क्योंकि अभी पुरुष कैदियों के खुलने का समय है। जिस प्रकार से वह लॉकअप बना था मैं भी उसी प्रकार से चक्कर मार रहा था घूमने के लिए जगह नहीं थी मात्र छोटी गली थी जिसके सहारे मैं सुबह की सैर कर रहा था। इस लॉकअप में मात्र छोटी-छोटी चार कोठरी और उसके बाहर मात्र दो फिट की गली, सामने लगी लम्बी दीवार। बस मैं चले जा रहा था। अचानक मेरी नजर उस लॉकअप की तरफ गयी जहाँ एक महिला कैदी जिसकी उम्र 22 वर्ष की थी दिखने में गोरी नैन-नक्श खूबसूरत गले मे काला दुपट्टा लटकाये खड़ी थी। जैसे ही मेरी निगाह उस पर पड़ी उसकी आँखों से आँसुओं की बूँदे टपक पड़ी। शायद ये अभी कैद मे नहीं होती तो एक सुन्दर

जीवन जी रही होती लेकिन इस कैद के अन्दर रहना कोई मामूली बात नहीं है, यह बहुत बड़ी बात है। फिर ऊपर से एक ऐसी उम्र जिस उम्र मे खेलना–कूदना मौज–मस्ती करना ऐसी उम्र में जेल की सलाखों के अन्दर रहना जहाँ पर कैदी आसमान के तारे देखने को तरस जाएं और खुली दुनियाँ को देखने के लिए तरस जाए, अपनों को देखने को तरस जाता है, ऐसी जगह पर रहना कितना कष्टदायक है। शायद पीड़ा मैं उसकी आँखों से गिरते आँसू की बूँदों को मैं देख रहा था। मैं एक बेसहारा कैदी वापस मुड़ा और फिर दोबारा उस कोठरी की तरफ वापस नहीं लौटा। क्योंकि उसकी आँखों से आने वाला आँसू जो दर्द बयाँ कर रहा था उसे मैं समझ सकता था लेकिन मैं कुछ नहीं कर सकता था क्योंकि मैं भी अपनों से दूर इस कैद में कैद था।, मेरे भी यहाँ पर दोनों हाथ–पैर बंधे थे और इस कैद में रोने से कुछ हासिल नहीं होना था वापस मैं अपनी कोठरी में आया। हर कोठरी से एक कैदी एक पर्चा बना रहा था जो कह रहा था भईया अपना–अपना नाम लिखवा दो... बाद में मत कहना... जिसे चाय पीना हो अपना नाम लिखवा दो... सभी कैदी पैसे देकर अपना नाम लिखा रहे थे। पर मेरे पास तो चाय पीने के लिए भी पैसे नहीं थे, क्योंकि मेरा तो कोई था ही नहीं जो मुझसे मिलने इस काल–कोठरी में आता। खामोश इस कोठरी के एक किनारे में बैठा सोच में डूबा था कि आगे क्या होगा। ड्यूटी वाला होमगार्ड चाय लेने गया। लॉकअप का गेट जो कि बाहर से बन्द था अन्दर से कैदी ने आवाज मारी हैड साहब कोई है.... (ऊँचे स्वर में) बाहर से ड्यूटी पर तैनात सिपाही बन्दूक कंधे में लटकाया हुआ आया और कहने लगा क्या है बे... (रौब से) चैन से नौकरी नहीं करने दोगे क्या? होमगार्ड बोला साहब ये कैदी चाय पीने को कह रहे हैं। सिपाही– अबे चल, नौकरी कर ले, आ गये चाय पीने वाले, चल अभी चाय नहीं आएगी। उस होमगार्ड ने पैसे वापस कैदियों को लौटा दिये और तुरन्त ही एक कैदी

ने उस सिपाही से अनुरोध किया कि साहब चाहे आप अपनी चाय-पानी का खर्चा रख लो लेकिन चाय मँगवा दो- सिपाही- अच्छा ठीक है... ठीक है ला, सौ रुपये मेरी चाय-पानी के। उस कैदी ने सौ रुपये उस पुलिस वाले को दिये और पुलिसवाले ने होमगार्ड से कहा, चल भाई लादे चाय इन कैदी सालों को और हाँ एक चाय मुझे भी पिला देना। उस होमगार्ड ने कैदियों से पैसे लिए और चाय लेने चला गया। यहाँ पर कैदियों को सरकारी चाय नहीं मिलती है जिस कैदी के पास पैसा होता था वो कैदी जुगाड़ से चिकन और दारू का आनन्द ले लेते थे लेकिन निर्धन कैदी की तो क्या कहूँ। कहते हैं कि गरीबी सबसे बड़ी शत्रु होती है। कुछ देर बाद होमगार्ड चाय लेकर आया जिन कैदियों ने चाय मँगाई थी उन्होंने चाय पी। बाकी अन्य कैदी माथा पकड़े बैठे थे। करीब सुबह दस बजे दिन का खाना आया खाने में चावल था बहुत गीला चावल मानों चावल नहीं खिचड़ी प्रतीत हो रही थी सभी कैदी अपनी-अपनी थाली जमीन में रख रहे थे उसी प्रकार मैंने भी अपनी थाली जमीन में रखी और साथ में एक लोहे का लोटा भी जिसमें जंग लगा था दाल में दाल का एक भी दाना नहीं दिख रहा था बल्कि उबले हुए चावल का पानी जिसे माड़ कहते हैं वो दिख रहा था। मेरी थाली में खाना डाल दिया गया था। मैं अपनी थाली लिए इस लॉकअप के एक किनारे गया और टूटी हुई फर्श पर बैठ गया। सभी कैदी अपनी-अपनी थाली में कुछ देख रहे थे। मैंने भी उन्ही की तरह गौर से देखा तो चावल में छोटे-छोटे काले कीड़े नजर आ रहे थे लेकिन भूख की वजह से मैंने बिना देखे सारी गीले व कीड़ों से भरी थाली आँखे बंद करके खा गया क्योंकि भूख बहुत जोर से लग रही थी कि कुछ भी मिले तो खा जाए। खाना खाने के तत्पश्चात् जब मेरे जहन मे आई वो थाली जिसमें कीड़े थे उसे याद करके मुझे उल्टियाँ होने लगी। मेरे सामने पानी की बोतल थी मैंने दो घूँट पानी के पिये और उसी जगह पर बैठ गया। ऐसा दिल

भर आया आँख से आँसू निकल आए। सोचा अगर मैंने यह काम नहीं किया होता तो इस कैद में नहीं आना पड़ता ऐसे कष्टों का सामना नहीं करना पड़ता। जहाँ पर इन्सान को इन्सान नहीं जानवर समझा जाता है। एक घंटे बाद हम सभी कैदियों को वापस कोठरियों में बंद कर दिया गया। उसी के तुरन्त बाद महिला कैदियों को खोल दिया गया महिलाओं के चेहरे ऐसे प्रतीत हो रहे थे मानों कुछ खो गया हो। सब खत्म हो गया हो। चेहरों का रंग भी उड़ा-उड़ा था कुछ घंटे बंद होने के बाद फिर पुरुष कैदियों को खोल दिया गया समझ में कुछ नहीं आ रहा था कि क्या होगा शाम को 4 बजे रात का खाना आ गया था जिसमें रोटी और सब्जी थी जहाँ पर एक कैदी को छोटी-छोटी छः रोटी और एक कटोरी सब्जी दी जाती थी। रोटी दिखने में मोटी हुआ करती थी उसमें इतना आटा लगा रहता था अगर उसे हाथ से साफ कर दिया जाए तो वह रोटी इतनी पतली हो जाती थी मानों किसी किताब का पन्ना हो साथ में वो अधपकी रोटी होती। इस तरह जीवनयापन करके इस कैद में रहना बहुत भयानक और कष्ट दायक होता था। इसी तरह से एक-एक दिन गुजारे हालाँकि इस लॉकअप के खाने से एक कैदी अपना पेट भर सकता था चाहे वो अधपकी रोटी हो या फिर कीड़े वाले चावल या फिर चावल के माड़ से सुसज्जित दाल ही क्यों न हो। फिर शाम को सभी कैदियों को तालों के अन्दर बंद कर दिया जाता था ऐसे ही रोज का सिलसिला यहाँ पर चलता रहा। वाकई यह सच है कि इस कैद में रहने के बाद यहाँ का माहौल तब गमगीन हो पड़ता था। जब पिछले कमरे से एक महिला कैदी गाना गुनगुनाया करती थी। जिसकी आवाज में ऐसी मिठास थी कि सभी कैदियों का दिल भर आता था। ईश्वर ने हर इन्सान के अन्दर एक कला दी अगर इन्सान उस कला को पहचान कर आगे बढ़े तो वह अपने जीवन में बहुत ऊपर पहुँच सकता है इस दुनिया में रहकर हर इन्सान कुछ न कुछ सीखता है ऐसे ही यहाँ पर कैद में हर दिन की

शुरूआत होती है आँखों में आँसू होते है दिल में पछतावा और घर से दूर समाज से दूर रहने का ये गम, हर पल सताता है यही तो जेल है इसी का नाम कैद है। मैं तो कहता हूँ जीवन में अच्छा कार्य करें जिससे आपको जीवन में ऐसे पलों का सामना न करना पड़े। करीब सात-आठ माह इस कैद में तड़पने के बाद आज फिर कुछ होने जा रहा है पता नहीं क्या होगा ये तो मुझे भी नहीं पता। शाम का समय था धूप की किरणें अस्त होने जा रही थीं सूरज की लाल किरण दीवार से स्पर्श होते मैं देख रहा था। दिल उदास, बेचैनी बढ़ रही थी। जैसे ही सूरज की किरणे धुँधली होती जा रही थी उसी तरह और बेचैनी बढ़ती जा रही थी अचानक ही एक कोठरी का मेन गेट खुला और एक पुलिसकर्मी जिसकी ड्यूटी इस माह इस लॉकअप के इन्चार्ज के रूप में हुई थी वह पुलिसकर्मी शराब के नशे में इतना धुत था उसकी एक टाँग बायें और दूसरी दायें को जा रही थी ऐसा लग रहा था कि वह सही चलना चाह रहा था किन्तु वह चल नहीं पा रहा था और वह शराब के नशे में इतना धुत होकर आया कि उसने इस लॉकअप में साथी महिला कैदी के साथ बत्तमीजी कर दी। यहाँ पर हमें यह देखने को मिला। आज भी हमारे कानून के कुछ रक्षक अपने को रक्षक नहीं बल्कि भक्षक के रूप में देखते हैं और वही बाहरी रूप से वह इतने ईमानदार दिखायी पड़ते हैं मानों ऐसा लगता है जैसे इनसे ईमानदार और इज्जतदार व्यक्ति कोई नहीं होगा। हमें सबसे पहले तो महिला का सम्मान करना पड़ेगा चाहे वो महिला कैदी ही क्यों न हो। किसी का अधिकार नहीं बनता कि किसी महिला कैदी या पुरुष कैदी को बेवजह परेशान किया जाए, जलील किया जाए। न्यायपालिका के आदेशानुसार किसी भी कैदी को जबरन परेशान करना अपराध है और साथ ही बेवजह मारपीट करना भी अपराध है। आज इस लॉकअप में हम सभी कैदियों ने भूख हड़ताल कर दी है सभी कैदियों को कैद के अन्दर बंद कर दिया गया था लोहे

के गेटों पर बड़े-बड़े ताले लगा दिये गये थे क्योंकि यहाँ पर हमारी माँ समान महिला के साथ अभद्रता कर दी थी। कुछ देर बाद इस हंगामे के तत्पश्चात् कैदियों का रात का खाना आया अभी सभी कैदखानों के ताले खोल दिये गये थे खाने को कैदियों के ऊपर दबाव बनाया जा रहा था कि खाना खा लो किन्तु किसी भी कैदी ने खाना नहीं खाया। मेरे द्वारा कहा गया हम कोई भी कैदी आज खाना नहीं खायेंगे और इसी के चलते किसी भी कैदी ने खाना नहीं लिया इस विषय को लेकर पूरे प्रशासन में हड़कम्प मच गया करीब दस मिनट बाद पुलिस इन्सपेक्टर मौके पर पहुंचे पुलिस इन्सपेक्टर ने मामले की जाँच पड़ताल की तो महिला कैदी ने रोते-रोते अपने दर्द को बयाँ किया साहब ये दरोगा साहब ने मुझे जबरन मारा है मेरी कोई गलती नहीं थी ये शराब पीकर आये थे आखिर हमारे ऊपर ऐसा अत्याचार क्यों हो रहा है, हमारी गलती क्या है बताइये? इन्सपेक्टर ने उस दरोगा को बुलाया जो अभी भी दारू के नशे में धुत था वो कह रहा था सर, ये कैदी है इनकी मेरे सामने क्या औकात है इन्सपेक्टर साहब ने तुरन्त दरोगा साहब को लाइन हाजिर कर दिया और हाथ जोड़कर कहने लगे आप लोग खाना खा लो मैं इनके खिलाफ कार्यवाही करुँगा। मैं आप लोगों से इसकी गलती की माफी माँगता हूँ। देखिये, आज हमारी यह भी समझ में आया कि हमारी पुलिस प्रशासन में कितने अच्छे संस्कारी ऑफिसर भी हैं लेकिन उन पुलिस इन्सपेक्टर की किसी भी कैदी ने एक न सुनी कुछ देर बाद पुलिस लॉकअप में सी ओ सिटी पहुँच गये उनकी भी किसी ने नहीं सुनी हम सभी कैदियों की माँग थी कि हमारे सामने एस डी एम साहब को बुलाया जाये हम अपनी समस्या उन्हें बताएंगे। सी ओ सिटी ने अपने हाथ में फोन पकड़ा था और चहल- कदमी करते हुए कैदियों से कह रहे थे कि आप खाना खा लो मैं स्वयं एस डी एम साहब से बात करूँगा। यह कहने पर भी किसी कैदी ने खाना नहीं खाया अन्ततः एस

डी एम साहब को बुलाया गया हम सभी कैदियों ने अपनी समस्या उनके समक्ष रखी एस डी एम साहब ने निर्देश दिया कि तुम सभी खाना खाओं और मैं इस मामले की उच्च स्तरीय जाँच करवाऊँगा साथ ही एस डी एम साहब ने उस दरोगा को लाइन हाजिर के आदेश दे दिये थे क्योंकि एस डी एम साहब ने उस दरोगा को दारू के नशे में देखा था। उसी वक्त दूसरा हेडक्वाटर ड्यूटी पर तैनात हो गया और सभी कैदियों ने अपना-अपना खाना लिया और उस रात की समाप्ती हुई सभी के दिल को सुकून मिला कि अब हमारे साथ न्याय जरूर होगा। कई दिनों तक पुलिस जाँच करने आती रही लेकिन प्रशासन ने कुछ दिनों के बाद हम तीनों कैदियों को इस लॉकअप से बड़ी जेलों में स्थानांतरित करने का आदेश दे दिया मुझे नैनीताल जेल भेजने के आदेश दे दिये गये थे और साथ ही दो अन्य कैदियों को अल्मोड़ा और हल्द्वानी जेल में स्थानांतरित करने का आदेश दिया गया था। वाकई कितनी दुखद न्याय प्रणाली है हमारे तंत्र में बिना गलती किये उसकी सजा मिल रही थी। यह पल मेरे लिए भयानक और डरावना था लेकिन कहते हैं, जीवन का हर एक पल इन्सान को एक अलग अनुभव सिखाता है। अचानक ही एक दिन सुबह दस बजे पन्द्रह सुरक्षाकर्मी हथियारों से लैस साथ में लोहे की चैन लिए लॉकअप के गेट मे आए और कहने लगे कैदी जितेन्द्र सिंह बिष्ट और अन्य दो कैदी पाँच मिनट के अन्दर तैयार होकर आ जाओ तुम्हें बड़ी जेल में स्थानान्तरित होने का आदेश आ चुका है अब तो जाना था क्योंकि यह फरमान ऊँचे स्तर से था यह फरमान उस आवाज के खिलाफ जो बुराई के खिलाफ और जो शारिरिक प्रताणना के खिलाफ थी। मैं खाना खा रहा था यह सुनकर मेरे दिल की धड़कनें तेज होने लगी चिन्ता के साथ घबराहट शुरू हो गयी थी क्योंकि अब बड़ी जेल में जाना था सुना था बड़ी-बड़ी जेलों में बड़े-बड़े बदमाश रहते हैं खूनी रहते हैं और बड़े-बड़े डकैत रहते हैं।

इस सोच ने मेरे मुँह से खाना ही छीन लिया था। मेरे हाथ उस खाने पर ही रुक गये एक बार के लिए ऐसा लगा जैसे पूरी दुनिया यहीं पर थम सी गयी हो मेरे हाथ पैरों में कम्पन्न छूट रही थी क्योंकि आज मुझे बड़ी जेल का सामना करना था मैं उठा, हाथ- मुँह धोकर, अपना सामान एक प्लास्टिक के थैले में डाला और एक कम्बल जिसे मैं ओढ़ता था उसे पकड़ा और चलने को तैयार हो गया साथ में दो अन्य कैदी थे जो मेरे साथ दूसरी बड़ी जेलों में जाने थे हम तीनों कैदी तैयार होकर गेट पर पहुँच गये सभी कैदी मायूस थे क्योंकि इतने महीने साथ रहे थे और इस कैद में वह अपनापन वो यादें मेरे जीने का तरीका शायद उन कैदियों को भाता था जिस तरह का मेरा उन कैदियों के साथ व्यवहार था वो उन्हें बहुत अच्छा लगता था वो सुबह उठकर टहलना, योग करना, शाम होते ही भजन गाना, प्रभु को याद करना दूसरे कैदियों का आदर भाव करना, नशा-मुक्ति की बातें करना और हँसमुख रहना वो उन्हे पसन्द आता था क्योंकि अगर हम समाज में बैठकर अच्छी बातें करते हैं तो उसका प्रभाव समाज में अच्छा ही पड़ता है। मैं जैसे ही पहले गेट से गुजर रहा था तो अचानक एक नजर मैंने पीछे की तरफ को देखा तो सभी कैदी हाथ हिला रहे थे कुछ कैदियों की आँखों में आँसू देख सकता था और उनकी पीड़ा को अहसास कर सकता था क्योंकि मैं भी एक कैदी था। एक पुलिसवाले ने मेरे हाथों में हथकड़ी डाल दी थी और दूसरी तरफ से उसे लोहे की जंजीरो से बाँध दिया था। अन्ततः मुझे यहाँ से बाहर निकाल दिया था मैं खुली हवा में खड़ा था चारों तरफ देख रहा था कुछ समय के लिए मैं इस पिंजरे से आजाद हो गया था बाहर का नजारा कितना खूबसूरत लग रहा था मेरे हाथों में हथकड़ी लगी थी जिसको देखकर शर्म महसूस कर रहा था क्योंकि लोग देख रहे थे। खैर सामने गाड़ी खड़ी है। हम तीनों कैदियों को उस जाली वाली गाड़ी में डाल दिया था यह एक पुलिस की गाड़ी है, जिसमें कैदियों को

इधर-उधर ले जाया जाता है मैं उस जगह को ध्यानपूर्वक देख रहा था मेरे दिमाग में सूनापन था कुछ नहीं चल रहा था और थोड़ी देर बाद देखा कि हम अब जा रहे हैं हमारे साथ कई सारे पुलिसकर्मी हैं। मैंने उन पुलिसकर्मी से पूछा कि मुझे कौन सी जेल में जाना है उन्होंने बताया तुम तीनों को अलग-अलग जेलों में डाला गया है मेरे दिल में अनेकों ख्वाब आ रहे थे बाहर का नजारा देखकर ऐसा प्रतीत हो रहा था काश मैं इस पिंजरे से आजाद होता तो..... इस हथकड़ी, इस कैद से आजाद होता तो..... मैं भी अपनों के साथ इस समाज में रह रहा होता घूमता-फिरता लेकिन मेरी किस्मत में यह सब नहीं था। मेरा सपना-सपना ही रह गया था क्योंकि कैद तो कैद ही है पल-पल तड़पते हर पल मैं यह सोचता कि आगे क्या होगा चिन्तन में डूबा था हम कैदी एक दूसरे से बातें कर रहे थे घबराहट इतनी थी कि बात भी नहीं कर पा रहे थे, मेरी आँखों से आँसू सूख चुके थे लेकिन दिल में दर्द लिये मानो जैसे शीशा टूटकर बिखर गया हो उसी प्रकार मेरा दिल भी बिखरा-बिखरा सा था। चलते-चलते आगे बढ़ते गये हर मोड़, हर रास्ते, हर शहर, हर कस्बा यही आवाज दे रहा था फिर कब मिलोगे उसकी पुकार यही थी कि फिर कब आओगे। मैं इस धरती माँ से प्रेम करता हूँ इस धरती माँ को नमन करता हूँ। लेकिन क्या करूँ मैं तो पिंजरे में कैद था लेकिन फिर भी ये दिल, ये जान, यह शरीर इस धरती माँ को नमन है मैं आज जिस गलती के कारण जेल की सलाखों के अन्दर कैद हूँ मैं अपने द्वारा किये गये पापों का प्राश्चित कर रहा हूँ। यह सोचकर कि मेरे द्वारा न जाने कितने घर के दीपक बुझे-बुझे हो गये है, लेकिन अब मैं समझ गया हूँ कि मेरे द्वारा जो भी अपराध हुआ उसका फैसला कोर्ट करेगी लेकिन वो मामला मेरे दिल में हमेशा रहेगा कि आखिर मेरे द्वारा ऐसा काम हुआ, वो गरीबी नादानी और पैसे कमाने की चाह ने मुझे इस अपराध में घसीटने पर विवश किया। माँ मुझे माफ करना और भारत माँ की गोद

में पल रहे हर एक व्यक्ति को नशे से मुक्त रखना। हर एक व्यक्ति के दिल दिमाग और शरीर के हर रगों में साफ-शुद्ध और भारत माँ के प्रेम का खून दौड़े, यही भावना इस कैद में मेरी है। यह कोई फर्ज नहीं ऐसा भी नहीं कि मैं इस पुस्तक के लिए ऐसी बातें बोल रहा हूँ यह मेरे दिल की बात है। चाहे कुछ भी हो जाए यह किसी को सही लगे या नहीं, यह एक कैदी की सोच है अगर इसमें कुछ अच्छाई है तो ले लीजिए नहीं तो कोई बात नहीं यही मेरे दिल की आवाज है। मेरे कहने का मतलब यह है कि थोड़ा पैसा कमाने के चक्कर में गलत कदम न उठाए, अच्छा काम करें, जिससे आपके परिवार का पेट भर सके साथ ही थोड़ा हो सकता है तो समाज का भी। आगे बढ़ते गये ये पहिये थमने का नाम नहीं ले रहे थे क्योंकि इन्हें तो अपनी मंजिल पर पहुँचना था। इस जेल में इन्सान की मानसिकता पता नहीं क्यों खराब हो जाती है। थोड़ी-थोड़ी बातों में नाराज हो जाना शायद यह चार दिवारों का प्रभाव था। मैं यह सोचकर परेशान था क्या होगा कैसे होगा अभी तक तो छोटे लॉकअप में था अब बड़ी जेल में जाना है। दिल यह सोचकर घबरा रहा था, खैर अब हम अल्मोड़ा जेल पहुँचने वाले थे मैं देख रहा था अल्मोड़ा से कितना खूबसूरत विहंगम दृश्य मेरे सामने था। पहाड़ों की गोद में बसा यह शहर प्रकृति का नजारा दिखा रहा था, खूबसूरत पहाड़ियाँ, अपनी हरियाली से इस शहर को और भी खूबसूरत बना रही थी, साथ ही दुःख भी हो रहा था। आगे बढ़ते हुए गाड़ी जेल की तरफ को मुड़ी, कुछ दूर जाकर गाड़ी रुकी और हम तीनों में से एक कैदी को गाड़ी से उतारा गया अब वह हमारा साथी यहीं तक था क्योंकि अब इसी जेल में रहना था। वह बहुत परेशान था। खैर हमने आपस में हाथ मिलाया और नमस्कार किया इसी के साथ यह सफर यहीं पर समाप्त हो गया था। जब वह गाड़ी से उतरा तो उसके हाव-भाव बदल चुके थे वह कुछ ज्यादा ही डर गया था मैं भली-भाँति उसके चेहरे को पढ़

सकता था लेकिन यह उसकी समस्या अभी खत्म नहीं होनी थी क्योंकि उसे अभी जेल में लम्बा समय गुजारना था गाड़ी आगे को बढ़ी बस शहर शुरू हो गया था मन बेचैन था साथ ही उत्साहित सा भी महसूस कर रहा था उन लोगो को देख रहा था जो इस खुले आसमान के नीचे घूम-फिर रहे थे। वह दुकानें वह बड़े-बड़े मॉल और वहाँ इतनी भीड़ और आजादी। खैर, अभी मैं काफी खुला महसूस कर रहा था इसलिए कि मैं भी चार दीवारियों से बाहर था उस अशांत माहौल से बाहर था उस अनोखी लावारिस जिंदगी से दूर था लेकिन यह ज्यादा समय के लिए नहीं बल्कि चंद घंटों के लिए था, क्योंकि मुझे नैनीताल जेल में जाना था समय कभी रूकता नहीं बस चलते जाता है, चलते जाता है। आगे बढ़ते ही मेरे दिमाग में नयी-नयी बातें चल रही थी और नये-नये कस्बें आते जा रहे थे वो नदियाँ, वो पहाड़ों से गिरते झरने, वो चिड़ियों की चहचहाती हुई आवाज और वो गाड़ियों की आवाज, समुद्र और झरने की झकझोर, वो पहाड़ों की हरियाली, बड़े-बड़े पेड़ और उनकी शुद्ध खूबसूरत हवा क्या कहने... सोच रहा था काश मैं इसी शान्त वातावरण में ही रहूँ यह समय यहीं पर रूक जाये और मैं इस खुले आसमान के नीचे जीऊँ। उस काल-कोठरी से अच्छा मुझे अभी यहाँ लग रहा था क्योंकि मैं उस चार दिवारी के अन्दर नहीं था, बाहर था। रास्ते में ही एक कस्बा भवाली पड़ता है हम अब वहाँ पहुँच चुके थे। हमारी गाड़ी वहाँ से नैनीताल की तरफ को मुड़ चुकी थी। इतना खूबसूरत नजारा यहाँ का मैं शब्दों में बयाँ नहीं कर पा रहा हूँ आगे चलते-चलते नैनीताल पहुँचा मैं आज पहली बार सरोवर नगरी में पहुँचा हूँ। शायद मेरे नसीब में ऐसा ही था मैं देख रहा था काफी पर्यटक यहाँ के मौसम और जगह का लुफ्त उठा रहे थे। यहाँ शांति और सुकून था इसीलिए शायद लोग यहाँ आना पसन्द करते हैं इतनी सुन्दर जगह बिहंगम दृश्य इस ताल के साथ ही वह यहाँ के पहाड़ी शरीफ लोग इन पहाड़ों की अनोखी छटा

जितनी तारीफ करें उतनी कम थी यह सच्चाई थी हमारी गाड़ी आगे बढ़ती जा रही थी मैं तालाब के सामने गाड़ी के अन्दर से देख रहा था कई दूरी में फैला यह शांत तालाब और उसके चारों तरफ रंग बिरंगी लाइट जो दर्पण का काम कर रही थी। लगता है पूरा नैनीताल इस खूबसूरत तालाब में समा गया हो आगे जाकर गाड़ी अचानक रुक गई सुरक्षागार्ड राइफल लिए चारों ओर खड़े हो गये मुझे गाड़ी से उतारा गया यह जगह काफी सुनसान प्रतीत हो रही थी। मेरे हाथ में लोहे की जंजीर जकड़ी हुई थी शायद वह यह सोच रहे हों कि कहीं भाग न जाए लेकिन मेरे दिल में ऐसी भावना नहीं थी मैं भी काफी डरा था कि अब जेल में जाना था। मेरे साथ का साथी कैदी गाड़ी के अन्दर बैठा था वह मायूस था क्योंकि अब वह अकेला हो चुका था मेरा साथ यहीं तक का था। उसे अभी 60 किमी0 आगे की जेल में जाना था। मेरे कैद की जगह आ चुकी थी मेरी नजर नीचे को पड़ी देखा... बड़ी बड़ी दीवारें और डरावनी जगह मानों कोई भूत बंगला हो। एक भी कैदी बाहर दिखायी नहीं दे रहा था क्योंकि सभी कैदी जेल में बंद हो चुके थे शायद.... दो मंजिली जेल अंग्रेजों की बनायी इमारत थी। मेरे एक हाथ में मेरा सामान था और नीचे पगडण्डियों से आगे को निकलने लगे। तीन पुलिसकर्मी मेरे आगे थे और तीन पीछे, एक दरोगा सभी हथियारों से लैस थे एक पुलिसवाले के हाथ में वह जंजीर थी जिस जंजीर से मुझे बाँधा गया था। सामने देखा विशाल लोहे का गेट जो पुराने जमाने के राजाओं का किला प्रतीत हो रहा था। अन्दर क्या है मुझे नहीं पता उसी प्रकार सामने दो पहरेदार बन्दूक धारी गेट के बाहर खड़े थे और दो अन्दर। जैसे ही जेल के गेट पर पहुँचा मैं डर से काँप उठा क्योंकि इतनी बड़ी जेल मैंने कभी नहीं देखी थी। जेल के बगल में जेलर की कोठी थी जेलर ने जैसे ही मुझे देखा वह गरजती आवाज में बोला इस कैदी की गहन तलाशी लो और अन्दर कर लो। खैर मैं हिम्मत बनाये

खड़ा था सामने गेट के अन्दर से ताला खुला और मुझे अन्दर ले लिया गया साथ में पुलिसकर्मी भी। पुलिसवालों ने मेरे सारे कागज जेल में दाखिल कर दिये थे और सामने रखे एक रजिस्टर में एंट्री भी कर दी गयी थी। मुझे जेल के हवाले कर वह पुलिसकर्मी अब मुझे जेल में छोड़कर चले गये थे अब मैं बिल्कुल अजनबी जगह में था मैं बहुत डरा था क्योंकि मैं जिस हिसाब से देख रहा था इतनी बड़ी लंबी दीवारें जो डरा रही थीं कि अब बच के कहीं नहीं जा पाओगे और वह बड़े-बड़े लोहे के गेट चीख-चीख कर धमका रहे थे अब मेरे पिंजरे से तुम दूर नहीं हो पाओगे मेरी तलाशी ली मेरे सारे कपड़े उतार दिये गये थे और सभी सामानों की तलाशी ली गयी थी जेलर द्वारा आदेश आया कि इसको बैरक नं0 4 में डाल दिया जाए। मेरे सामने एक विशाल गेट और खुला जहाँ से पूरी जेल को मैं देख सकता था। मैं यह दृश्य देखकर बहुत घबरा और डर गया था। न कोई यहाँ जानने वाला और न ही पहचानने वाला। मुझे ले जाया जा रहा था एक जेल का सिपाही मेरे साथ बड़ी चाभियों का गुच्छा लिए चल रहा था और दूसरा सिपाही अपने से बड़ा डण्डा हिलाते हुए चल रहा था मुझे जिस बैरक में जाना था उसका गेट खोला गया वहाँ पर मैंने देखा कि दस बारह कैदी थे लंबे चौड़े। मैं महसूस कर सकता था जहाँ का मैं रहने वाला था वहाँ से इसमें कोई नहीं था सभी दूसरे राज्य के कैदी थे। मैंने अपनी उस उम्र में इतने लंबे चौड़े आदमी नहीं देखे थे खैर उन कैदियों ने मुझसे पूछा क्या नाम है कहाँ का रहने वाला है कौन से केस में आया है कितने समय से जेल में है मानो कोई सीबीआई की जाँच हो रही हो उनमें से कुछ बदमाश किस्म के थे जिनको जेल मे कई वर्ष हो चुके थे मैं बहुत डरा और सहमा था उनकी अकड़ मानों वहाँ के जेलर वो ही होंगे। मैं भी अपने हिसाब से सवालों के जवाब दे रहा था अब पता था डर के कुछ नहीं होगा दूसरी कोठरी से आवाज आ रही थी कि वह कैदी कहाँ से आया

है। कैदियों ने बताया कि यह नया कैदी है जो अल्मोड़ा जेल से आया है वहाँ पर दूसरे सेल में पहाड़ के कुछ लड़के थे ऐसा लगता है कि थोड़ा अपनापन उनमें है शायद इसीलिए पूछा होगा मुझे नहीं पता यहाँ का माहौल कैसा है? क्या है? और आगे क्या होगा? मैं गेट के पास ही बैठा था बाहर से हेड वार्डन जेल को चेक करने आया था उसकी नजर मुझ पर पड़ी और कड़कती आवाज में बोला क्या नाम है लड़के तेरा। मैं उठा और दोनों हाथ कमर की पीछे बाँधे जवाब दिया सर मेरा नाम जितेन्द्र सिंह है। वह हेड वार्डन बहुत सख्ती से पेश आ रहा था मेरे गले में मफलर लटका हुआ था वह कह रहा था यह मफलर जेल के अन्दर कैसे ले आया मुझे गाली देने लगा। मैं खड़ा मायूस सुन रहा था दूसरा कैदी शायद वह थोड़ा प्रभावशाली था उसने बोला छोड़ो चीफ साहब इतना तो चलता है बच्चा है कोई बात नहीं उस कैदी के इतना बोलते ही वह सिपाही थोड़ा बनावटी हँसी हँसने लगा और दो बात करता हुआ आगे बढ़ गया। मैं अपनी जगह पर बैठा। मुझे दो काले कम्बल दिये गये थे मैंने उन कम्बलों को बिछाया और मेरे पास जो सामान था उसे उसी जगह पर रखा। तीसरा कैदी कह रहा था और मुझे डरा रहा था कि अपने घर से पैसे मंगा लेना यहाँ बिना पैसे के कुछ नहीं होता हमारे लिए भी मंगाना ठीक है.... थोड़ी देर बाद दूसरा कैदी बीड़ी निकाल रहा था और पाँचवा कैदी जेब से चरस का दाना निकाल कर चौथे वाले कैदी को दे रहा था वह कैदी मुझसे कह रहा था पियेगा भाई.... मैंने जवाब दिया मैं नहीं पीता हूँ वह कह रहा था कि तू चरस का व्यापारी होकर चरस नहीं पीता है। खैर मैं नया कैदी था मेरा कुछ बोलना यहाँ खतरे से खाली नहीं था। मैं अपने बिस्तर में लेट गया था मेरी निगाहे चारों तरफ दौड़ रही थी वह दीवारें काटने को आ रही थीं मैं बहुत परेशान था, एक कैदी कह रहा था कोई बात नहीं भाई आराम से सो जा। खाना खाया या नहीं तूने। मैंने खाना नहीं खाया था खाना बचा था उस कैदी

ने मुझे खाना खिलाया और आराम से सोने को कहा ऐसे भी कैदी होते है जो दूसरे की पीड़ा को समझते है मेरे पूछने पर उसने बताया वह एक वकील है दहेज हत्या के केस में आजीवन कैद की सजा काट रहा है। दिन भर गाड़ी के सफर ने मेरे शरीर को तोड़ दिया था लगातार सात-आठ घंण्टे का सफर और वो मानसिक प्रताणना, नींद भी आ रही थी अब रहना भी यहीं था। यहाँ के खूँखार कैदियों के साथ अपना समय बिताना था मैं सो गया था दूसरे दिन सुबह.... पहली सुबह की शुरूआत गाली-गलौच, हल्ला के साथ हुई। सभी कैदी उठ चुके थे कुछ कैदी ऐसे थे जो उठे नहीं थे वो कैदी पावरफुल थे जिन्हे बदमाश कहा जाता है। मुझे कुछ नहीं पता था कि अब क्या होगा खैर मैं उठा और जेल के ग्राउंड में गया, जहाँ पर सारे कैदी इकट्ठा हो रहे थे। कोई ऊपर वाली कोठरी से आ रहा था तो कोई नीचे वाली कोठरियों से निकल रहे थे ग्राउंड में आकर जोड़े से बैठ रहे थे और पाँच मिनट बाद अब गिनती शुरू दो, चार, छः, आठ, दस। मौसम काफी ठण्डा है ठण्डी हवा चल रही है चीफ साहब डण्डा लिए आ चुके है बैरक में चेक कर रहे है। शायद कोई कैदी अन्दर तो नहीं है जेल में समय-समय से गिनती बहुत जरूरी है यहाँ का सबसे महत्वपूर्ण कार्य गिनती है जैसे ही चीफ साहब अन्दर गये। गालियों की बरसात शुरू हो चुकी थी। दो-चार डण्डें बजने की आवाज आ रही थीं यह कैसी जगह है। देखा, थोड़ी देर बाद एक कोठरी से एक कमजोर कैदी जो जेल से मिला सरकारी काला कम्बल ओढ़े बाहर को आ रहा था वह शायद बीमार था लेकिन यह जेल है यहाँ गरीबों की तो और भी धुनाई होती है। उसे लाठियों से पीटा जा रहा था बड़े-बड़े आँसू गिर रहे थे और वह कैदी रो रहा था। चीफ साहब दूसरे बैरक में गये वहाँ पर एक कैदी आराम से लेटा था चीफ साहब उनसे पूछ रहे थे अरे पहलवान जी नमस्कार...... शायद वह बड़ा बदमाश था जिसका यहाँ पर अपना सिक्का चलता था। चीफ साहब बाहर को आए

और गिनती करनी शुरू कर दी। गिनती के तत्पश्चात झाड़ू परेड कल जितने भी नये कैदी इस जेल मे आए हैं सभी कैदियों को बुला लिया गया चीफ साहब अन्य तीन पुलिसकर्मी और दो नम्बरदार कैदी खड़े थे नम्बरदार कैदी पूरी अकड़ से कह रहा था किस-किस के पास पैसे हैं लाओ और जिसके पास पैसे नहीं है वो दूसरी लाइन में खड़े हो जाओ मैं उस लाइन में खड़ा हो गया जिसमें पैसे नहीं थे बाकी कैदियों से सौ-सौ रुपये कैदी के हिसाब से लिया जा रहा था मुझे नहीं पता ये पैसे किस चीज के ले रहे थे सभी पुलिसवाले और नम्बरदार कैदी बातें कर रहे थे जिन्होंने पैसे दे दिये वो जा सकता है बाकी मेरे साथ आ जाओ। मैं भी पाँच अन्य कैदियों के साथ आगे बढ़ा नम्बरदार कैदी डण्डा लिये तैनात था नम्बरदार ने कहा चलो भाई झाड़ू पकड़ो और पूरे जेल की सफाई करो मतलब यह कैसा नियम था जो जेल वालों को पैसे देगा वह काम नहीं करेगा बाकी गरीब कैदी को यहाँ पर परेशान किया जायेगा। ऐसा तो किसी भी किताब में नहीं लिखा है। सभी चार कैदियों ने झाड़ू उठाया लेकिन मैंने नहीं उठाया मैंने उस नम्बरदार कैदी से कहा भाई एक दिन की मोहलत दे दो मैं आपको पैसे दे दूँगा आपकी चाय- पानी अलग से करवा दूँगा वह मेरे चेहरे को देख कर कहने लगा ठीक है अभी सौ रुपये मैं भर रहा हूँ घर वाले आएंगे तो पाँच सौ रुपये लूँगा मैंने हाँ कह दिया था मैं वापस जेल के एक किनारे आकर खड़ा हो गया कैदी पूरे जेल की सफाई कर रहे हैं एक कैदी मेरे पास आया और कहने लगा भाई आप मेरे साथ रहो आपको कोई दिक्कत नहीं होगी महीने के पन्द्रह सौ रुपये लगेंगे खाने पीने की पूरी व्यवस्था होगी इस जेल में हर जगह पर पैसा चाहिए था। दूसरा कैदी आया वह कह रहा था कि जीतू भाई तुम मेरे साथ रहो दो हजार रुपये लगेंगे सुबह-शाम दूध भी लगाया गया है आपको फट्टे (बिस्तर) में बैठकर ही खाना मिलेगा किसी चीज की कोई परेशानी नहीं होगी। मैं समझ चुका था यहाँ के

माहौल को। शायद मेरे कपड़े और मेरे रहन-सहन को देखकर उसे ऐसा लग रहा था यह कोई धनी व्यक्ति हो सकता है लेकिन कब्र का हाल तो मुर्दा ही जानता है अचानक ही हमारे कस्बे का रहने वाला एक परिचित कैदी मेरे पास आया और मुझसे हाथ मिलाने लगा वह कह रहा था आप ने मुझे नहीं पहचाना क्या? मैंने कहा नहीं पहचाना आप कहाँ के हो। उन्होंने कहा मैं भी आपके ही यहाँ का रहने वाला हूँ। उन्होंने अपना परिचय दिया मेरे दिल को अभी बहुत सुकून मिला चलो कोई तो है जो अपना है। अब रहना इन्हीं सलाखों के अन्दर है। जेल के अन्दर के वो कायदे कानून और यहाँ के भ्रष्ट अधिकारी और कर्मचारी कैदियों को ऐसे लूट रहे थे मानों सबसे बड़े चोर और लुटेरे यही होंगे। कानून को दरकिनार करके यह अधिकारी और कर्मचारी कैदियों का खून चूस रहे थे। आखिर हमारे समाज में जब तक ऐसे कर्मचारी और अधिकारी रहेंगे तब तक हमारे समाज का भला कैसे हो सकता है। इस जेल के अन्दर इतना भ्रष्टाचार है कोई कहने वाला नहीं। यहाँ पर ऐसे ही दिन प्रतिदिन चलते रहता है और आगे भी चलता रहेगा बहुत मानसिक पीड़ा है। जितने भी कैदी इस कैद में आ रहे हैं उनमें से तो 60 प्रतिशत कैदी अपराध कर के ही आए हैं 40 प्रतिशत कैदी ऐसे हैं जो बे-वजह अन्दर हैं। आज समाज में जितना अपराध हैं उससे ज्यादा अपराध तो जेल के अन्दर हैं। हमारे समाज में भ्रष्टाचार चरम-सीमा पर व्याप्त है लेकिन जेल में तो हर एक कर्मचारी भ्रष्टाचार में लिप्त है। तो क्या यह अपराध नहीं हैं यहाँ पर कर्मचारी तो भ्रष्ट हैं ही साथ में कैदी भी गुण्डा-गर्दी, चोरी, नशा, मार-पिटाई, खुलेआम फिरौती, रंगदारी तो आम है इन्हीं वजह से आए दिन यहाँ पर दंगे-फसाद होते रहते हैं यहाँ की शिक्षा बहुत अनोखी है सीख लेने वाला सुधर सकता है और फिर या वो बहुत बड़ा मुजरिम बन सकता है, यह ही यहाँ की शिक्षा है, यहाँ पर जितने कैदी है, उनमें से कुछ कैदी जो पैसा खर्च करते है उनके

लिए खाने में जो जेल की दाल मिलती है वह दाल स्पेशल होती है यानी कि पैसे देने वाला कैदी तीन लोगों की दाल खुद खा जाता है और जिसके पास पैसा नहीं उसके हिस्से में दाल का पानी होता है। गरीब कैदी के लिए तो यहाँ खाने की व्यवस्था खराब है दाल में पानी ही पानी, मोटी रोटी, कच्चे चावल, गीले और मोटे चावल मानो चावल नहीं हलवा हो और कुछ लोगों के लिए गोल अच्छी पकी रोटी और स्पेशल दाल व बारीक चावल। खाना सिर्फ उस दिन अच्छा बनता था जिस दिन जेल में विजिटर या कोई जज साहब राउंड पर आया करते थे अन्यथा पैसा फेंको तमाशा देखो यही प्रकृति का नियम है। जेल में जिस जगह सभी कैदियों का खाना बनाया जाता था उस जगह को भण्डारा कहा जाता है और यहाँ पर हर महीने नये-नये सिपाहियों को लगाया जाता हैं बस इन सिपाहियों का काम खाना बनवाना नहीं पैसा वसूलना था। जेल के अन्दर कुछ तो ऐसे बदमाश थे जिनका खाना अन्दर कोठरी में ही था। वह भण्डारे से कोयले ले आते थे और उस कोयले से खाना बनाया जाता था। उस कोयले के भी पैसे दिये जाते थे आपको हैरानी होगी यहाँ पर रोटी को सुखाकर उसे जलाया जाता था और खाना बनाया जाता था। इसी प्रकार प्लास्टिक, कपड़े इत्यादि को जलाकर भी खाना बनाया जाता था लेकिन यह सारा काम परदे के पीछे था इसकी जानकारी जेल के उच्च अधिकारियों तक थी लेकिन पैसे देकर उनका मुँह चुप करवा दिया जाता था। इन जेलों की अनोखी दास्ताँ देखकर मैं हैरान में था यहाँ पर हर कैदी जेल नियम से उठता था और बैठता था मेरे कहने का मतलब है कि यहाँ पर कैदी समय से खुलते थे और समय से बन्द होते थे अगर आपके पास पैसे हों तो आप रात को छोड़कर दिन-भर खुले रह सकते हैं अगर पैसे नहीं है तो आपको दिन में चार घण्टे सात तालों के अन्दर बंद रहना पड़ेगा। यह सब पैसे का खेल जो हमारे देश के कानून और नियम को तार-तार कर रहा था। उन गरीब कैदियों को

देखकर दुःख होता था जो अपने घर का सामान बेचकर यहाँ पैसा मँगाते थे इन भ्रष्टाचारियों के लिए उन कैदियों के लिए आराम था जो पैसे खर्च करने में सक्षम थे लेकिन उन गरीब कैदियों को देखकर मेरी आँखें भर आती थी। यहाँ कोई किसी की सुनने वाला नहीं है और न ही हमारा प्रशासन और न ही हमारी न्यायपालिका जहाँ जाओ वहीं पैसा चाहिए, पैसा है तो हर जगह सुनवाई है अन्यथा कोई पूछने वाला नहीं। खैर हम जैसे कैदियों की फरियाद सुनता भी कौन है? क्योंकि कैदी तो कैदी हैं समाज की नजर में कैदी कलंक है और एक कैदी के मुँह से निकला हुआ हर शब्द झूठ माना जाता है। करीब 22 माह पूर्व मुझे कोर्ट से सजा होनी थी मुझे पता था अब मुझे सजा तो होनी ही है साथ ही मेरे दिमाग में कई बातें चल रही थीं शायद मैं जेल में नजरबंद नहीं होना चाह रहा था कोई भी कैदी यह नहीं चाहता है कि वह कैद के अन्दर रहे या वह एक पिंजरे मे बंद रहे कोई भी कैदी जो जेल में बंद है वह इस कैद में रहकर कोर्ट में पेशी के लिए आते-जाते रहता है तो वह कैदी समाज से जुड़ा रहता है क्योंकि हर पन्द्रह-बीस दिन में वह जेल में पेशी हेतु कोर्ट आते-जाते रहता है जिससे उसका समाज से जुड़ाव रहता है और अपने घर-परिवार से मिलते रहते हैं और प्रकृति से यह जुड़ाव एक इन्सान को स्थिर बनाये रखता है यही एक कारण था जो मैं चाह रहा था कि एक केस और अपने ऊपर लगा लूँ। यह मेरे लिए बहुत बड़ा रिस्क था। भविष्य में पुलिस मेरे ऊपर आसानी से उँगली उठा सकती थी जो मुझे उस समय यह ऐसा अहसास नहीं हो रहा था लेकिन उस रिस्क के लिए मैं तैयार था जिसके लिए मैंने कई प्रयास किये जो मैं आपके सामने बयाँ करने जा रहा हूँ। सुबह-सुबह करीब पाँच बजे जेल के मोटे-मोटे ताले बंद थे मैं समय से पहले उठ चुका था। बैरक के अन्दर सारे कैदी सोये थे मैंने हाथ मुँह धोया और तारीख पर जाने को तैयार हो गया मुझे नैनीताल से पिथौरागढ़ जाना था दिल की धड़कनें तेज

थीं और साथ ही एक उत्साह भी। उत्साह इसलिए था कि आज मैं अपने घर-परिवार वालों से बात कर सकूँगा। मैं कुर्त्ता-पजामा पहने तैयार हो गया था कुछ देर बाद छः बजने वाले थे। जेल के ताले खुलने लगे मैंने अपने हाथ में एक छोटा सा बैग लिया जिसमें मेरे कपड़े थे कुछ कैदी मुझसे मिले और कहने लगे कि भाई मेरे लिए यह सामान ले आना कोई मुझे सामान की लिस्ट दे रहा था तो कोई मुँह से बता रहा था। यह कैदखाना है मेरा सफर काफी लम्बा है मैं कोई भी सामान आराम से खरीद सकता हूँ। मैं कुछ कैदियों से मिलकर खड़ा ही था कि सामने से मेरी गार्ड आ गयी थी मैं अपना सामान पकड़े सीधे कार्यालय में पहुँच गया जहाँ पर मेरी मुलाकात उन गार्ड वालों से हुई जो मुझे पिथौरागढ़ पेशी के लिए ले जाएंगे। जिसमें से एक गार्ड जो पूर्व फौजी है वर्तमान में वह पुलिस विभाग में काम करता है वह मुझसे मिला हाथ मिलाया और शायद वह मेरे स्वभाव से प्रभावित था और मुझे जेल से रवानगी करवा कर ले गये। कितना सुहावना मौसम है दिल कर रहा था कि बस ऐसे ही मौसम हमेशा रहे लेकिन मैं आज कई दिनों में जेल से बाहर निकला हूँ बहुत सारे लोगों की भीड़ है क्योंकि जिस रास्ते से मैं गुजर रहा था उस रास्ते में आम जनमानुसों की भीड़ आ-जा रही थी मुझे बहुत शर्मिन्दगी महसूस हो रही थी क्योंकि मेरे हाथों मे हथकड़ी लगी थी। हालाँकि मैं उस हथकड़ी को छुपाने का प्रयास कर रहा था लेकिन सच्चाई को कोई नहीं छुपा सकता है। नैनीताल जैसी जगह जहाँ पर अनेकों पर्यटक घूम रहे थे कुछ की निगाहें मेरी तरफ को थी क्योंकि मैं पुलिस सुरक्षा के बीच में था और साथ में एक गार्ड कारबाइन लेकर मेरे साथ चल रहा था शायद लोग क्या सोच रहे होंगे इस प्रकार के कई विचार मेरे दिल-दिमाग में चल रहे थे। जो मुझे परेशान कर रहे थे मैं चलते-चलते तल्ली ताल बस स्टैंड पर पहुँचा जहाँ पर मेरे लिए बस की एक सीट रिजर्व थी मुझे सीधे उस बस में ले जाया गया और बिठा

दिया गया और गाड़ी के अन्दर सभी लोगों की नजर मुझ पर ही थी शायद लोग सोच रहे होंगे कि इसने कौन सा अपराध कर दिया जिसके पीछे इतने गार्ड हैं मुझे चेन से बाँधा गया था मेरे साथ दो बन्दूक धारी और एक अन्य गार्ड थी मैं बस में बैठे गहरी सोच में डूबा था शायद थोड़ी देर बाद मैं अपने घर में बात कर सकूँगा। कई सारे पहाड़ों को समाप्त कर मैं आगे बढ़ते जाऊँगा यह तीन दिन मुझे ऐसा प्रतीत होता है कि जैसे मैं घूमने गया हूँ। लेकिन कुछ ही दिनों के बाद मुझे दस वर्ष की सजा मिलनी थी। जो मुझे पता था। कई कैदियों ने मुझे अनेकों विचार दिये थे कि दस साल में तो जिंदगी खत्म हो जाएगी इससे बेहतर रहेगा कि जेल से फरार हो जा लेकिन मैं जानता था कि भागना कठिन नहीं लेकिन भागने के बाद जीना बहुत कठिन है इसलिए मैंने इस विचार को रद्द कर दिया और कुछ कैदियों ने कहा कि अगर कोई केस लगा दिया जाए तो तारीख पर पुनः आ जा सकता है। बस यही रट मेरे दिमाग में आ बैठी और मैंने फैसला लिया कि मैं अपने ऊपर एक केस और लगाऊँगा। मैं गाड़ी में बैठे सोच में डूबा था और इस खुलेपन वाले समाज को देख रहा था। काश! मैं भी इस हथकड़ी के शिकंजे से मुक्त हो जाता तो मैं भी एक खुशनसीब पक्षी की तरह जीवन जी पाता। अब गाड़ी नैनीताल से चल चुकी थी चलते-चलते पहाड़ों का आनन्द लिये आगे बढ़ रहा था। अब मैं जैसे ही अल्मोड़ा पहुँचा तो मैं एक होटल पर बैठा जहाँ पर कई यात्री चाय पी रहे थे मैं भी पूरी गार्ड के साथ उस होटल में बैठा था एक व्यक्ति जिसकी उम्र करीब चालीस वर्ष होगी वह व्यक्ति पिथौरागढ़ का रहने वाला था जिसे मैं पहले से ही जानता था लेकिन हमारी कभी बात-चीत नहीं हुई थी इत्तेफाक से उस व्यक्ति से मेरी मुलाकात हुई मैंने सोचा, शायद यह व्यक्ति मेरी मदद करे ऐसा विचार मेरे दिल में चल रहा था। मैंने उस व्यक्ति से अपनी समस्या साझा की वह कहने लगा कि वह मेरी इस विषय में जरूर मदद करेगा और

मैंने उस व्यक्ति का पूरा पता लिया और उस दिन से करीब दस पत्र मैंने उसके नाम भेजे जो इस प्रकार से था।

काल्पनिक नाम (शेखर) देख भाई मैं जीत तेरे पास पत्र भेज रहा हूँ मुझे दस लाख रुपये तुझसे चाहिए, मैं अभी नैनीताल जेल में हूँ, पन्द्रह बीस दिन में एक बार तारीख करने के लिए पिथौरगढ़ कोर्ट में आता जाता रहता हूँ शायद तू मुझे जानता होगा मैं कौन और किस पार्टी से सम्पर्क रखता हूँ। चाहे लोगों से पता कर लेना मुझे तुझसे हर हालत में दस लाख रुपये चाहिए। चाहे तो किस्तों में दे सकता है लेकिन पहली किस्त मुझे पाँच लाख रुपये चाहिए अगर मुझे पैसे नहीं मिले तो तू अपने बच्चों को देख लेना उनका मुँह देख लेना मैं तुझे कुछ नहीं करुँगा। बस तेरे सामने तेरे बच्चे के टुकड़े-टुकड़े कर डालूँगा अगर बच्चों से प्यार है तो मुझे मिल और पैसे दे। तेरा शुभचिन्तक जितेन्द्र सिंह बिष्ट। नैनीताल जेल से इस प्रकार से मैंने करीब शेखर को दस धमकी भरे पत्र दिये। एक दिन मैं तारीख पर नैनीताल से पिथौरागढ़ पहुँचा दूसरे दिन मैं कोर्ट मे पेशी हेतु गया उसके तुरन्त बाद हर तारीख की तरह लॉकअप में वापसी हुई मैंने देखा मेरे सामने कई पुलिस के अफसर मौजूद थे करीब पन्द्रह बीस की संख्या में सभी मुझसे पूछताछ करने लगे और जिस व्यक्ति को मैंने यह धमकी भरा पत्र लिखा था वह भी पाँच छः लोगों को लेकर लॉकअप के गेट पर मौजूद था और जिस तरह से प्रश्नों की बौछार मेरे ऊपर होने लगी मैं उन प्रश्नों में घूम गया। कई अधिकारी यह कहने लगे तेरी जिंदगी खराब हो जाएगी तू सच-सच बता क्या बात है किस चीज के पैसे लेने हैं तू क्या काम करता था, इतने पैसे आखिर किस तरह से यह पैसा तूने उसे दिया, एक बार में कितने पैसे दिये मेरे समझ में कुछ नहीं आ रहा था कि मैं अब क्या करूँ और क्या कहूँ मैं बस यही कह रहा था कि मुझे पैसे चाहिये बस यह कहकर मैंने अपने शब्दों को विराम दे दिया। खैर दस-पन्द्रह मिनट

की इस पूछताछ के बाद सभी पुलिस के अधिकारी मुझे छोड़कर चले गये मैंने जो-जो बयान दिये वह पुलिस ने अपने रिकार्ड मे लिख दिये मैं वापस अपने लॉकअप में बंद हो गया। कुछ दिनों के बाद कुछ अन्दरूनी सूत्रों ने पुलिस को यह बता दिया था कि यह ऐसा व्यक्ति नहीं है यह अपने ऊपर केस लगाना चाह रहा है इसलिए इसने यह कदम उठाया है खैर मेरा यह प्लान फेल हो चुका था मैं निराश होकर कैद की एक कोठरी में जाकर बैठ गया और गहरे चिन्तन में डूब गया। कहते हैं ईश्वर जो करता है वह सब अच्छा ही करता है शायद यह प्लान मेरा फेल हो गया लेकिन आज मुझे यह अहसास हो गया है कि मैं गलत कर रहा था और मैं इस गलती की पुलिस प्रशासन से माफी भी माँगता हूँ, कहते हैं गलती तो भगवान से भी हो जाती है हम तो एक साधारण मनुष्य हैं इसलिए मैं दिल से अपनी गलती की क्षमा माँगना चाहता हूँ जो मेरे द्वारा कीमती समय पुलिस प्रशासन का खराब हुआ।

जेल की इन सलाखों के अन्दर हर काली रात की समाप्ति के बाद खूबसूरत खिलती धूप की किरणों के साथ एक नयी सुबह की शुरूआत हुई। पिछली पेशी से ही पता था कि आज कोर्ट में फिर नई पेशी है हर रोज की तरह जेल की तमाम परेशानियों को पार करने कोर्ट पेशी के लिए तैयार था दिल बेचैन था मन मायूस। साथ ही दिमाग एक जगह नहीं टिक रहा था बेचैन चहलकदमी कर रहा था कई कैदी इधर-उधर टहल रहे थे मेरी निगाह सभी कैदियों के ऊपर थी और सोच में डूबे यह भी सोच रहा था कि ये जेल, ये कैदखाना किसने बनाया होगा। कुछ युवा कैदी अन्दर बैठे बीड़ी और हाथ में रखे चरस को देख रहे थे। जिसमें मेरी निगाह एक बार और गहराई से गड़ गई थी फिर मैं सोच में डूबे अपने आप से बातें करने लगा देख बेटा जीतू ये है हमारे देश का नियम आज जिस वजह से मैं इस काल कोठरी में कैद हूँ वो ही

नशीली चीज इस तंत्र के अन्दर खुल्लम खुल्ला चल रही है ऐसा प्रतीत होता है कि हमारे प्रशासन व ढीली न्याय प्रणाली और भ्रष्टाचार की वजह से आज यह नशीली चीजें इन भयानक सलाखों में भी अछूती नहीं हैं। आखिर जब हमने कानून बनाया है तो हम व हमारा प्रशासन क्यों अपनी जिम्मेदारी पर खरे नहीं उतर पाते शायद आपकी समझ में न आए एक काल-कोठरी जैसी भयानक जगह पर जब कोई कैदी जेल में प्रवेश होता है तो वह सात भयानक तलाशी वाले तालों से गुजरता है लेकिन इस भ्रष्टतंत्र के भ्रष्ट अधिकारी और भ्रष्ट कर्मचारी की वजह से आज ये थाने भी अपराध और भ्रटाचार से लिप्त है। मैं खड़े होकर देखने लगा मुझे बड़ी इज्जत के साथ कहा आओ जीतू भाई बैठो मैं जाकर सामने काले कंबलों की गठरी के ऊपर बैठ गया बस वहाँ पर फर्क इतना था मैं न तो बीड़ी पीता था और न ही चरस मैंने कुछ बातें करते हुए.... कुछ ही सेकेंण्डों बाद मैंने पूछा कि यार यह सब कहाँ से ले आते हो वो भी ऐसी जगह में (मैंने हँसते हुए पूछा) तो उन्होंने भी अपने रोमांटिक अंदाज में जवाब दिया भाई साहब, यह सब गाँधी जी का कमाल है यह खाकी वर्दी है न, बस गाँधी जी को दो कुछ भी करवा लो जीतू- अरे! यार, भाई तुम लोगों के पास इतने पैसे यहाँ, कहाँ से आते हैं। वहाँ पर खड़ा एक कैदी- अरे भाई जी घर वाले आते हैं उनसे पैसे ले लेते हैं बाकी जब गाँधी जी चले जाते है तो फिर यह जेल में आए नए-नए मुर्गे कब काम आएंगे प्यार से दिया तो ठीक है नहीं तो साइड में ले चलो दो हाथ मारो गाँधी जी खुद ब खुद आ जाते हैं। जीतू- यार दोस्तों यह सब जो तुम कर रहे हो न यह गलत है। क्यों यार गलत काम करते हो नशा इन्सान को खत्म कर देता है। सबसे पहले तुम्हारे शरीर को खत्म करेगा दूसरा तुम्हारा धन खर्च होगा साथ ही आदत व व्यवहार में असामाजिक परिवर्तन आएगा। दूसरा कैदी- भाई जी आप सही कह रहे हो लेकिन क्या करें, आदत पड़ चुकी है, करना भी है

अब क्या है हमें तों सिर्फ नशा चाहिए सिर्फ नशा, हमें नशा दे दो और कुछ भी करवा लो। नशे के लिए हम किसी की भी जान से खेल सकते हैं। जीतू- जेलर साहब को पता चलेगा तो। तीसरा कैदी- अरे भईया जेलर क्या कहेगा साला हफ्ता लेता है। दिक्कत वाली कोई बात नहीं है, खुल्ला खाओ नंगा नहाओं इन कैदियों से मेरी जान-पहचान इसी काल कोठरी में हुई यह सभी चार पाँच कैदी मेरे ही हम-उम्र थे सभी के चेहरे उड़े हुए थे बाल लंबे बिल्कुल हीरो कट में दिख रहे थे। जीन्स शर्ट जूते पहने ऐसे तैयार थे मानों कहीं घूमने निकल रहें होंगे लेकिन सच यह है कि ये इसी कैद में कैदी थे हम-उम्र साथी इनके लिए जेल मानों कोई हॉस्टल होगा। अचानक ही गेट पर जोर-जोर से आवाज आने लगीं जो पूरे लॉकअप को हिलाने जैसी थीं कुछ ही क्षणों बाद जोर-जोर से आवाज आनी शुरू हो गई थीं मेरे कानों में लोहे की जंजीरे खनन खनन...... खड़........... खनन........... न........... खटाक.......... की आवाज आ रही थीं मेरे सामने लोहे का गेट खुल चुका था बाहर की हरियाली देखकर आँखे चौंक रही थी; दिल खुश हो चुका था लेकिन तड़पन वही थी कि मैं इस कैद के अन्दर हूँ कई हथियार बन्द पुलिस वह कई लोहे की जंजीरों के साथ पुलिस का सम्पूर्ण जत्था मेरे आँखों के सामने था सभी पुलिसकर्मी आपस में गुफ्तगू कर रहे थे और साथ में कुछ पुलिसकर्मी हथकड़ियों को जाँच रहे थे। एक पुलिसकर्मी जिसके कंधों पर दो स्टार चमक रहे थे लंबी मूँछे पेट निकला हुआ वह खड़ा था उस दरोगा जी के हाथों में सभी कैदियों के वारंट थे जिन्हे कोर्ट ले जाकर मय कैदी पेश करना था उस दरोगा जी ने एक-एक कर उन कैदियों का नाम लिया जिन्हें कोर्ट जाना था उसकी गरजती आवाज किसी को भी डरा सकती थी। इत्तफाक से सबसे पहले नाम मेरा ही आया उस दरोगा की पहली आवाज में ही मैंने अपने कदम आगे को बढ़ा लिये। स्टार वाले दरोगा ने मुझे दो सिपाहियों के हवाले कर दिया।

सामने खड़ा सिपाही– ला भाई हाथ दिखा तेरे हाथों में कंगन लगा दूँ (वह हँसते हुए मुझे अहसास करा रहा था कि मैं एक कैदी हूँ। मेरी कोई पावर नहीं है) जैसा पुलिस कहेगी उसी आदेश का पालन करना होगा मेरे हाथों में हथकड़ी लगाकर उस चेन को पुलिसकर्मी ने कस कर पकड़ लिया है और मुझे साइड में खड़ा करवा दिया गया है मैं टिपटॉप बनकर खड़ा था और अपने से पूछ रहा था हाँ अच्छा लग रहा हूँ। लेकिन खुश होने की जरूरत नहीं थी अचानक ही उस हथकड़ी से लगी चेन पर मेरी निगाह पड़ी मेरा दिल बेचैन हो गया मेरे जीने की शक्ति क्षीण होने लगी और सोच में डूबे चिंतित हो रहा था साथ ही अन्दर ही अन्दर चिंतन कर रहा था मैं तो एक अपराधी हूँ जिसकी सजा मुझे मिलनी ही है उस स्टार वाले दरोगा ने फिर दूसरा नाम लिया वह दूसरा कैदी कुर्ता-पजामा बास्केट पहने सोने की चैन से सुसज्जित कमर में हाथ लगाये खड़ा है। जैसे ही वह कैदी गेट पर खड़ा हुआ। उसके अपने आदमी गेट के बाहर खड़े थे इसी जगह से उस कैदी ने अपने आदमियों का अभिनन्दन किया और उनके आदमियों ने आँखों से इशारा करते हुए कहा चिन्ता मत करो हम आ गये तुम्हें हथकड़ी नहीं लगाने देंगे हम सब देख लेंगे (लगता है कोई बड़ा आदमी है) उस दो स्टार वाले दरोगा ने अपनी निगाह उसके आदमियों की तरफ दौड़ाई और उन्होंने इशारों ही इशारों से बताया कि वहा हमारा आदमी खड़ा है जो अपना है दरोगा– हाँ....... आप इनके साथ रहोगे (सिपाहियों की तरफ इशारा करते हुए) हथकड़ी नहीं लगाना। सिपाही– सर हथकड़ी तो लगेगी। दूसरे पुलिस वाले ने हथकड़ी जैसे ही उसके पास लगाने की कोशिश की तो दरोगा उन सिपाहियों पर झल्लाने लगा और कहने लगा अरे.......... तुम्हारी समझ में नहीं आता है.......... जब मैं कह रहा हूँ हथकड़ी नहीं लगानी है तो नहीं लगानी है यह मेरे आदमी है चलो आप साइड में खड़े हो जाओ (दरोगा ने उस कैदी से कहा) उस कुर्ते पाजामे वाले कैदी ने

अपनी जेब से पैसे की गड्डी निकाली और वहाँ पर सभी मौजूद पुलिस वालों को बाँटना शुरू कर दिया कुछ पुलिसकर्मी थे जिन्होंने पैसे लेने से इन्कार किया बाकी सभी ने पैसे ले लिये उन सभी के चेहरे पैसे देखकर खिल उठे ये पैसे हथकड़ी नहीं लगाने के लिए दिए गए थे पैसे देने का यह खुल्लम-खुल्ला खेल मैं अपनी निगाहों से देख रहा था लेकिन कुछ बोल नहीं पा रहा था अगर बोलता भी तो क्या हो जाता। दो बातें उल्टी सुननी पड़ती। इस दृश्य को देखकर यह लग रहा था कि पैसे के आगे तो भूत भी नाचने लगता है यानी कि मेरे कहने का मतलब है कि पैसे के आगे अच्छे-अच्छे झुक जाते हैं, चाहे वह कितनी ही बड़ी कुर्सी पर क्यों न बैठा हो। बस यूँ ही कुछ भ्रष्ट तंत्र के अन्दर ऐसे भ्रष्ट अधिकारी व कर्मचारी हैं जिनको सही कर पाना बहुत ही असंभव है। दो-चार कैदियों को इसी प्रकार अन्दर से निकाला और लोहे की हथकड़ियों से जकड़ लिया गया और सभी कैदियों को एक घेरे में बाँधकर कोर्ट ले जाने लगे बस वह कैदी अलग गया जिसने पैसे से सभी को खरीद लिया था करीब जेल के इस लॉकअप से कोर्ट दो सौ मीटर आगे है और ये दो सौ मीटर पैदल ही जाना पड़ेगा। आज यहाँ भ्रष्टाचार चरम सीमा पर है वहीं मुझे यह भी देखने को मिला कि ऐसे भी पुलिसकर्मी हैं जो साफ-सुथरे ईमानदारी के साथ अपनी जिम्मेदारी निभा रहे है। मैं उन सिपाहियों को जय हिन्द करता हूँ वैसे एक छोटी सी गलती इन्सान के सिर को किस तरह झुका देती है, कुछ यूँ ही सभी कैदियों के साथ हो रहा था मैं सभी को पढ़ रहा था और मेरी निगाहें शर्म से नीचे की तरफ थी जो हमारे चेहरे पर साफ दिख रही थी कि आखिर हमने ये गलती क्यों की। हथियार बन्द पुलिस हमारे आगे-पीछे चल रही थी कुछ पुलिस कर्मी हथकड़ी में लगे लोहे की जंजीरों को पकड़े थे बस रौब के साथ वे आगे को बढ़ रहे थे। पुलिस का सीना चौड़ा था और हम कैदियों का सीना झुका। रोड में चलते हर मुसाफिर

की निगाह हमारे चेहरों पर थी और हमारे हाथों में लगी हथकड़ियों पर। मुझे लगता है, वो यही सोच रहे होंगे कि इतने सारे चोरों को कहाँ से पकड़ कर लाए होंगे क्योंकि हर इंसान हथकड़ी लगे बन्दी या कैदी को चोर की निगाहों से देखता है मुझे अभी भी याद है मैं कोर्ट में पेशी कर नैनीताल जेल को वापस जा रहा था रोड में कुछ बच्चे अपनी माँ के साथ घूमने निकले थे जैसे ही उन छोटे-छोटे प्यारे बच्चों ने हमें हथकड़ियों से जकड़े देखा तो वह बच्चे जोर-जोर से कहने लगे मम्मा-मम्मा......... देखो देखो चोर अंकल जा रहें है। वह बातें, वह यादें आज भी मेरे दिल में काँटे की तरह चुभती हैं और ऐसे ही शायद अभी यहाँ पर ये लोग इसी निगाह से देख रहे होंगे। हम आगे बढ़े जा रहे थे वहाँ पर चलने वाले लोग रूक-रूक कर हमें देख रहे थे और आपस में गुफ्तगू कर रहे थे। मेरे दिल में एक ही चीज इस समय चल रही थी काश मैंने भी गलत काम न किया होता तो आज इन खुले परिदों की तरह उड़ रहा होता और जी रहा होता। लेकिन मैं ख्यालों मे जी रहा था खैर अन्जाने ख्यालों को मन में लाने से कोई फायदा नहीं क्योंकि हमारी जिंदगी वैसे भी खिचड़ी की तरह बन चुकी है। हम सभी आगे-आगे बढ़ रहे थे कुछ लोगों के चेहरे पर हँसी भी दिख रही थी शायद वह ये सोचकर खुश हो रहे होंगे कि बंद करो इन गुंडो को......... इन चोरों को.... इन माफियाओं को.... अच्छा हुआ बहुत अच्छा हुआ दुनिया का क्या कसूर जब हम स्वयं ही गलत हैं तो किसी और का क्या कसूर जैसे-जैसे कोर्ट की सीढ़ियाँ हमारे पास आयीं मेरा दिल तेजी से धक-धक कर रहा था। जब मेरे पैर इन सीढ़ियों पर पड़ते हैं तो अक्सर मेरे साथ यह होना लाजमी हो जाता है अब क्या होगा.. कैसे होगा कोर्ट परिसर में काले कोर्ट वालों की भीड़ व खाकी वर्दी की भीड़ थी और अलग-अलग जगहों पर हथकड़ियों से सजाये कैदी खड़े थे और उनके परिजन इधर से उधर वकीलों के पास माथा-पच्ची कर रहे थे, गिड़गिड़ा

रहे थे, रो रहे थे, आँखों से आँसू निकल रहे थे, कह रहे थे हमारे आदमी को जल्दी से जेल से रिहा कर दो, पैसे ले लो लेकिन जिसने कभी थाना नहीं देखा उसके लिए कोर्ट के चक्कर काटना बहुत बड़ी बात थी। घरवालों को यह नहीं पता कि पैसों से ही सब चीज नहीं खरीदी जा सकती। गरीब परिवारों का कहना है कि हम घर बेच देंगे पर हमारे आदमियों को छुड़ा दीजिए वकील साहब....। जैसे कि मैं आपको बताना चाहता हूँ आज जेलों में बंद सभी कैदी वकीलों की खेती हैं उनका काम फसल काटना है जो वे भली-भाँति कार्यकुशल होते है बाकी अन्य कैदियों की तरह मुझे भी कोर्ट में लगे बैंचों पर बिठा दिया गया यह मैं क्या देख रहा हूँ यहाँ पर जितने वकील है सभी के चेहरे खिले थे कैदियों के चेहरे आस लगाये बैठे थे कि उनके घरवाले और वकील उन्हें छुड़ा लेंगे और कैदियों के घरवालों के चेहरों पर ऐसा लग रहा था जैसे बारह बज चुके होंगे। आँखों में आँसू लिए वकीलों से बात कर रहें होगे। ऐसा प्रतीत होता है कैदी घर में होंगे और घरवाले जेल में क्योंकि यह सच है कि जेल में कम से कम सरकार खाना तो देती है लेकिन बाहर वालों के जिम्मे कई काम हैं वकीलों से मिलना, घर के सारे कार्य देखना, बाहर देखना, रिश्ते-नाते देखना, लोगों के सवालों का जवाब देना हर एक छोटी से बड़ी चीज को देखना कितना मुश्किल हो सकता है यह वह लोग जान सकते हैं जिनके परिवार के सदस्य जेल के बाहर हैं। उनके लिए बाहर की यह खुली हवा एक भयानक कैद से भी बढ़कर है इन परिवारों के लिए न दिन की भूख है और न ही रात की प्यास। मैं कोर्ट में बैठा अपने परिवार के सदस्यों का इंतजार कर रहा था और अचानक ही मेरे सामने कोर्ट में जज साहब की कुर्सी के नीचे वाली कुर्सी में बैठा कोर्ट मोहरी धड़ल्ले से पैसे ले रहा था खास बात यह थी कि वह बड़ी चतुराई से पैसों को रख रहा था मैं सब देख रहा था और सोच रहा था कि यार यह आदमी किस बात के पैसे ले

रहा है काफी देर सोचा, सोचते रहा, मेरे सामने मेरा गार्ड पुलिस सिपाही हथकड़ी पकड़े खड़ा था। मैंने यह बात उस सिपाही से जानना चाहा, सर ये साहब पैसे किस बात के ले रहे हैं वह पुलिस वाला हँसा और कहने लगा भाई पैसे इसलिए ले रहे हैं कि वह अगली पेशी की तारीख लगाता है। मेरी समझ में नहीं आया मैंने उस सिपाही से पूछा, सर तारीख तो जज साहब ही देते हैं लेकिन..... वह पुलिस वाला बोला नहीं बे, तारीख कई मामलों में कोर्टमोहरी ही अपने हिसाब से देतें हैं बता अगर तुझे भी अपनी मर्जी की तारीख चाहिए तो तुझे भी दिलवा देता हूँ। बस पैसे लगेंगे चाहे लम्बी तारीख हो या नजदीकी इसी बात के पैसे ले रहा है। भाई देख सुविधा भी तो दे रहा है, पैसे ले रहा है तो क्या हुआ अब मेरी समझ में आ गया कि यह खेल क्या चल रहा है। वाह! भाई वाह!....... यह है मेरे भारत की मेरे देश की मातृभूमि की न्यायप्रणाली, सामने जज साहब बैठे हैं और नीचे बैठा कोर्टमोहरी पैसे ले रहा है क्या यह नियम में है अगर नियम में है तो यह पैसा कहाँ जाता है? साथ में यह बहुत बड़ा अपराध है जो वह कर रहा है। इतने बड़े न्याय के दरबार में घूस लेने में भी हिचक नहीं रहा। सामने ही जज साहब के दाहिने हाथ की तरफ एक स्त्री की मूर्ति है जो तराजू पकड़कर और आँखों में काली पट्टी बाँधे खड़ी है मेरे समझ में अब आया वह पैसे इसलिए ले रहा है क्योंकि कानून की आँखों में तो पट्टी बँधी है। शायद पट्टी हट जाती तो यह कोर्टमोहरी या यहाँ विराजमान कर्मचारी और अधिकारी इस तरह घूस नहीं ले पाते। इंसान इतना लालची क्यों हो सकता है वह भी तो एक इंसान है क्या उसके दिल में कही इंसानियत की लौ नहीं जल रही इंसानियत की लौ तो हर एक व्यक्ति के सीने में जलती है लेकिन ऐसा लग रहा है कि इनके सीने में इंसानियत की लौ ऐसे जल गयी कि जल-जल कर अब खत्म हो चुकी है शायद... मैंने देखा तो नहीं लेकिन इन्ही खाकी वर्दी के सिपाहियों से सुना है कि शाम को घर में जज

साहब इन्हीं पैसों की सब्जी खाते हैं। मुझे सबूत देने की आवश्यक्ता नहीं है। यह आम बात है कोई भी अपनी निगाहों से कोर्ट में जाकर देख सकता है आज हमारे देश में आए दिन नयी-नयी खबरें आया करती हैं कि एस डी एम घूस लेते पकड़े गए। ए डी एम साहब ने भ्रष्टाचार कर दिया और वह जेल में हैं। मंत्री जी ने करोड़ों का गबन कर दिया, फलाने स्टेट के जज साहब रिश्वत लेते धरे गये, सुप्रीम कोर्ट के जज ने रिश्वत ले ली और हाईकोर्ट के जजों ने भ्रष्टाचार कर दिया। आए दिन आरोप- प्रत्यारोप होते रहते हैं। बाकी तो छोटे-मोटे कोर्ट की अलग बात है। मुझे लगता है हमें अपने देश के कानून का सम्मान करना चाहिए और अपने देश पर गर्व होना चाहिए लेकिन उन लोगों को शर्म आनी चाहिए जो उस न्याय के दरबार में भ्रष्टाचार की जड़ों को जकड़े हुए हैं अगर ऐसा ही रहा तो वह दिन दूर नहीं जब सच्चे इंसान का गला रेत दिया जाएगा और पापियों का एक, छत्र राज हो जाएगा।

वो पल मेरे लिए जीवन का सबसे गमगीन दिन था वह समय मेरे लिए जीवन का सबसे गमगीन समय था जब जज साहब ने बोला, बेटा चिन्ता मत करना हाईकोर्ट से हो जायेगा यहाँ से मैं कुछ नहीं कर सकता और आप दोनों को दस-दस वर्ष का सश्रम कारावास और एक-एक लाख रुपये अर्थदण्ड की सजा से दंडित किया जाता है, इसमें आप लोगों को कुछ कहना है। मेरा चेहरा खून से भर उठा मैं खामोश खड़ा था मेरे पैर के नीचे से जमीन खिसक गई मुझे नहीं पता आगे क्या होगा, कैसे होगा? मुझे जज साहब के कटघरे से बाहर लाया गया और फिर वापस जेल सभी कैदियों ने जब यह खबर सुनी सभी मायूस हो उठे लेकिन शायद मेरे नसीब में यही था। अन्ततः प्रशासन ने मुझे नैनीताल जेल न ले जाकर अल्मोड़ा जेल में दाखिल करवा दिया। प्रातः नौ बजे मैं अल्मोड़ा जेल के विशाल लोहे से बने बड़े गेट पर पहुँच चुका था इस जेल में कई वर्ष पहले पंण्डित जवाहरलाल नेहरू रहे थे।

पंण्डित जवाहरलाल नेहरू जी आन्दोलन में आए थे वे देश के लिए लड़ कर आए थे लेकिन मैं आज चरस के केस में आया हूँ। मुझे दो दिन पहले दस वर्ष की सजा मिली यह ज्यादा बड़ी जेल नहीं है लेकिन यहाँ का माहौल बहुत ही गंदा है जेलर को पैसे चाहिए और सिपाहियों को भी चाहिए। चाहे कुछ भी हो जाए मैंने जेल में आते ही दो हजार रुपये यहाँ के पुलिसगार्ड व कैदियों को बाँटे हैं क्योंकि यहाँ पर भी झाड़ू नहीं लगानी है तो सौ रुपये देने पड़ेंगे। खाना अच्छा चाहिए तो एक हजार रुपये देने पड़ेंगे अन्य व्यवस्थाओं के लिए दो हजार से फिर पाँच हजार तक। पूरी जेल मे इतनी गंदगी है कि जिसको मैं व्यक्त नहीं कर पा रहा हूँ। मैं आठ नम्बर हाते में जा रहा हूँ। जेलर ने मुझे आठ नम्बर में किया है खैर चारों तरफ इतनी गन्दगी थी पूछो मत बीड़ी का धुँआ ही धुँआ धूल मिट्टी और लोगों के कपड़े इतने गन्दे साथ ही बैरक मे दो चार कैदी ऐसे जो नये आए उनके साथ बत्तमीजी मार-पिटाई और धमकी इनको पैसे चाहिए नहीं तो पीटे जाओगे। रात को नींद नहीं आएगी क्योंकि यहाँ पर मच्छर और खटमल इतने मोटे-मोटे कि इन्सान सपने में भी नहीं सोच सकता है। इतनी भयानक दर्दनाक स्थिति और साथ में यहाँ की गरीबी। अधिकतर लोग दहेज के केस में थे तो कुछ 302 के केस में तो कुछ चोरी में। यहाँ प्रोफेशनल अपराधी दो चार ही हैं बाकी सारे ऐसे हैं शरीफ लोग। यहाँ अन्दर जेलर दस से पन्द्रह दिनों में एक बार आता है जेलर को जेल से कम ही मतलब रहता है उसे सिर्फ पैसों से मतलब रहता है पैसे दो व्यवस्था लो नहीं तो परेशान रहो। हाँ अगर आपके पास पैसे हैं तो आप ठीक-ठाक रह सकते हैं नहीं तो....... आज हमारे सिस्टम में बहुत खराबी है खराबी कहाँ है यह तो सिस्टम वाले ही बता सकते हैं आज जिधर देखो उधर भ्रष्टाचार है पैसे फेंको तमाशा देखो बस सिर्फ पैसों का ही खेल है। इस जेल में लगातार चार महीने रहा। इन चार महीनों में हर परेशानी का सामना किया मैंने

उन पापों का भी प्रायश्चित किया जो मेरे द्वारा हुआ था और वही रोज सुबह, वही शाम कुछ नया नहीं होता था बस क्या कहूँ कुछ समझ में नहीं आ रहा। सोचता हूँ कि नशा जिस नशे के काम में मैं जेल आया आज वही नशा जेल के अन्दर चल रहा है वाह! भाई क्या कहना मतलब मजाक सा लग रहा है। जिस अपराध में मैं यहाँ आया वही अपराध यहाँ धड़ल्ले से चल रहा है यह कैसा कानून है यानि कि कानून के रक्षक ही भक्षक नजर आ रहे हैं। कानून के साथ खिलवाड़.... मैं न्यायपालिका की इज्जत करता हूँ। पर जब मैं यह सब देखता हूँ तो गुस्सा आता है किस पर, अपने पर, समाज के उन लोगों पर जो ऐसे काम करते हैं। या उन पर जो इन चीजों को सपोर्ट कर रहें है या उन पर जिसको कानून ने रक्षा के लिए रखा है। खैर जैसे ही शाम आती है वैसे ही घर की यादें सताने लग जाती हैं वो यादें जो जीवन के उन पलों को दिल में लिये बैठे हैं वो यादें जो रोम-रोम में लिए बैठें है जो अपने दिमाग में बिठाये बैठे है उन यादों को लिखकर कैसे बयाँ करूँ कुछ समझ में नहीं आ रहा है। कहते हैं आशा ही जीवन है इस आस में बैठा हूँ कोई तो दिन आएगा जब मैं इस पिंजरे से आजाद हो पाऊँगा चारों तरफ दीवारें ऊपर आसमान और ये लोहे के विशाल गेट और इनमें मोटे-मोटे ताले दिल की धड़कनें तेज करते हैं इधर दिमाग काम नहीं करता हैं हमेशा तनाव ही तनाव समाज से दूर एक किनारा जहाँ समाज के वो लोग कहते हैं कि ये असामाजिक तत्व हैं क्या यह सही है या नहीं। यहाँ अच्छे कैदी भी हैं और बुरे भी कुछ उससे भी बुरे हैं तो कुछ उससे बहुत अच्छे। ये दीवारें एक कैदी को जीना सिखाती हैं साथ ही यहाँ लड़ाई-झगड़े सिर्फ लूट-पाट और पैसे के चक्कर में होते हैं चंद ही बदमाश किस्म के कैदी ही करते है जिनका स्तर उस कैद खाने में निचले स्तर पर है। तो वह कैदी क्यों परेशान करते है अन्य कैदियों को, यह एक अन्दर का रहस्य है साथ ही आज हमारे समाज में वे बुद्धिजीवी व्यक्ति भी हैं जो भ्रष्टाचार में जेल आ रहे है खैर....

आज नई जेल में जा रहा हूँ, देहरादून। वैसे तो इतने सालों से जेलों मे घूमते हुए भटकते हुए हो चुके हैं लेकिन हर जगह का एक अपना अलग ही अनुभव होता है। उम्मीद करता हूँ कि जो भी होगा अच्छा ही होगा। कहते हैं संघर्ष ही जीवन है इसलिए तो संघर्ष कर रहा हूँ। नई जेल, नई सलाखें, नए कैदी, नए कर्मचारी, नए अधिकारी शायद मेरे लिए कठिन होगा और संघर्ष रहित होगा। आज तक मैं छोटी जेलों में रहा वहाँ उतनी व्यवस्था नहीं थी, इतनी साफ सफाई नहीं थी और पुरानी जेल थी जो अंग्रेजों के जमाने की थी। अब जिस जेल में मैं जा रहा हूँ, वह जेल नई है तो क्या हुआ, कानून नियम तो अंग्रजों के जमाने के ही हैं लेकिन इसमें भी देखना पड़ेगा कि यहाँ के अधिकारी कैसे है? जेल को चलाना कैसे चलाना किस तरीके से चलाना ये जेलर का काम है। मैं जैसे ही अल्मोड़ा जेल से देहरादून को जाने वाला था तेरह कैदी पुरूष, तीन महिला कैदी, कुछ सुरक्षा कर्मी एक ही गाड़ी जैसा कि आप लोगों ने देखा होगा कि जो पुलिस ट्रक होता है, जिसमें जाली लगी होती है वो कैदी और कुछ सुरक्षा कर्मी पूरी गाड़ी में हिलने के लिए जगह भी नहीं थी, देखो हमारे प्रशासन को। आज भी महिलाओं की कोई सुरक्षा नहीं है सोचना चाहिए हमारे प्रशासन को रात की बात, गाड़ी में कोई लाईट की व्यवस्था नहीं थी सभी पुरुष व महिला कैदी एक साथ। सभी कैदी एक सी सोच के नहीं होते हैं कुछ अच्छे तो कुछ बुरे भी जरूर होते हैं। जिनकी मानसिकता गंदी होती है अगर गाड़ी मे किसी माँ–बहन के साथ बदतमीजी हो जाती है तो उसका जिम्मेदार कौन रहेगा। इस चीज को सोचने वाला देखने वाला कोई नहीं है। आज हमें सभी चीजों के बारे में गहराई से सोचना पड़ेगा। महिला कैदियों के लिए अलग से गाड़ी की व्यवस्था होनी चाहिए। आज समाज में सुनने में आता है जिस तरह से हाल ही में निर्भया काण्ड हुआ। उसी प्रकार आए दिन होते रहते हैं जिसको मद्देनजर रखते हुए हमें महिलाओं के लिए कुछ अलग से ऐसी व्यवस्था करनी चाहिए जिससे कि समाज में हों या

समाज से अलग कोई भी माँ–बहन अपने आप को सुरक्षित महसूस कर सकें। आज सुनने में और देखने मे आता है कि हमारे समाज में महिलाओं के लिए अच्छी व्यवस्था तो होती है लेकिन बात करें जेलों की तो क्यों यहाँ महिलाओं को अनदेखा किया जाता है। आज मुझे वह समय याद आ रहा है जब मैं पिथौरागढ़ लॉकअप में था मेरे सामने रात को लॉकअप के अन्दर महिला कैदी से जबरन शारीरिक सम्बन्ध बनाये गये। विरोध करने पर सभी को मार–पिटाई की धमकी दी गई। ये गरीब, असहाय और दिल में डर लिए ऐसे सीधे कैदी जिन्होंने थाना नहीं देखा कोर्ट तो दूर की बात है। ऐसी घटनाएं आए दिन प्रशासन की निगरानी में होती रहती हैं। बात करूँ अल्मोड़ा जेल की तो कुछ महिला कैदी दवाई लेने जेल अस्पताल में आयी थीं, जहाँ पर मैं भी दवाई लेने अस्पताल गया था, मैंने देखा कुछ बदमाश लड़के एक महिला कैदी से सरे आम हाथ पकड़कर बदतमीजी कर रहे थे। तो क्या है हमारा प्रशासन, क्या है हमारा शासन? महिला जो कानून के अन्दर क्या अपने आप को असहाय महसूस रही थी। आज ऐसा क्यों? आप समझ सकते हैं कि हमारे इस प्रशासन मे कितनी कमी आपको देखने को मिल रही है। कहते हैं न कि 'जिसकी लाठी उसकी भैंस' यह शब्द सौ प्रतिशत सत्य है, जो मैं आए दिन इस कैद के अन्दर देख रहा हूँ। ऐ जिंदगी कहाँ ले आई है तू, शायद अभी और तड़पना बाकी है। मेरे गलत कर्म मुझे यहाँ ले आये आज नयी जेल देहरादून में मेरी एंट्री होने वाली है, चिंतित हूँ डरा हुआ हूँ। सामने बहुत बड़ा गेट लोहे का मानो यह जेल नहीं कोई राजा का किला हो। मेरे कहने का मतलब है कि इतना बड़ा गेट मैंने कभी नहीं देखा था यह जेल का मेन गेट है। हमारी कैदी गाड़ी रूकी और चारों तरफ सुरक्षाकर्मी का घेरा है क्योंकि हम कैदी हैं, कैदी से सभी डरते है, सोच रहती है कहीं भाग न जाए। लेकिन हम सभी पहाड़ के रहने वाले थे जहाँ तक शरीफों की बात करूँ तो हम सभी

कैदियों में कोई भी प्रोफेशनल अपराधी नहीं था। मैं चौथे नम्बर पर गाड़ी से बाहर उतरा मेरे पास दो कम्बल, एक चादर और साथ में एक बैग जिसमें मेरे पहनने के कपड़े और दो पानी की बोतल जैसे ही मेरे कदम जमीन पर पड़े तो मैंने पाया कि इतना बड़ा गेट और अन्दर प्रवेश के लिए झुककर जाना है। यह जेल का गेट है हर कोई अन्दर झुककर आता है क्योंकि अन्दर-बाहर जाने के लिए गेट छोटा होता है ये इसलिए कि कोई कैदी यहाँ से आसानी से भाग न पाये। यह सुरक्षा की दृष्टि से देखकर डिजाइन किया गया है। हम सभी कैदियों ने जेल के गेट के अन्दर प्रवेश किया। समय अभी करीब तीन बजकर तीस मिनट हो चुके हैं लेकिन ऐसा नहीं लग रहा है कि यह जेल है। मानो कोई विशाल कार्यालय चारों तरफ छोटे छोटे कार्यालय बने हुए हैं। जिन पर बड़े-बड़े शीशे लगे हुए हैं जेलर, अधीक्षक, डिप्टी सभी के ऑफिस ऐसी जगह पर हैं कोई भी गेट पर आए तो सीधी नजर पड़ेगी। सभी के ऑफिस में बड़े-बड़े शीशे के दरवाजे व खिड़कियाँ लगी हैं। ऊपर नजर मारूँ तो बहुत बड़ा लम्बा गुम्बद, चारों तरफ महापुरूषों की फोटो जैसे महात्मा गाँधी, पंण्डित जवाहरलाल नेहरू, भगत सिंह, चन्द्रशेखर और बड़े-बड़े अक्षरों में कुछ ऐसे शब्द लिखें हैं, कुछ ऐसी लाईने लिखी हैं, पढ़ते ही लग रहा है मानो हम अब पाप कभी नहीं करेंगे, कभी अपराध नहीं करेंगे। तलाशी के लिए दो इलेक्ट्रॉनिक मशीनें लगीं हैं हम सभी कैदियों को इस गेट से गुजरना पड़ा और सामने एक बड़ा गेट जिसमें लिखा है इस गेट से अन्दर अवैध वस्तु, मोबाईल आदि का प्रयोग करना सख्त वर्जित है। चारों तरफ बड़ी-बड़ी लाइटें, बड़े-बड़े वॉल फैन लगें हैं। दो-तीन सिपाही गेट के बाहर असलाह लेकर खड़े हैं बाकी गेट के अन्दर। सभी के हाथों में वायरलेस है। लोग कहते थे हाईटेक जेल है लग रहा है यह हाईटेक जेल ही है सभी की तलाशी बारी-बारी चल रही है। मेरे पास कुछ पैसे थे जो मैंने यहाँ पर जमा करवा दिये। कुछ

लोगों के पास और पैसे थे जिनके पैसे तलाशी पर निकले हैं यह पैसे शायद मिलेंगे या नहीं कुछ नहीं पता। यहाँ का माहौल क्या है यह तो अन्दर जा के पता चल पायेगा। सभी की तलाशी हुई और हमें उस गेट से भी अन्दर ले जाया गया ओ बाप रे..... इतनी बड़ी दीवारें चारों तरफ लाल दीवारें लेकिन साफ-सुथरी चारों तरफ फूल ही फूल के गमले लगे हैं कुछ बैरक दिखाई दे रहे है जिनमें बाहर से कुछ लिखा है। अभी रात का समय है कुछ साफ नहीं दिख रहा सामने फिर एक गेट दिखाई दे रहा है कितने गेट है सभी गेटों पर ताले लगे हैं। रात का समय ये सभी ताले एक ही चाभी से खुल रहे हैं शायद यह मास्टर चाभी है। सामने गेट खुला और सभी ने अन्दर एंट्री मारी महिलाएं महिला बैरक में चली गयीं और सभी पुरुष कैदी पुरुष वाली जगह। अभी हम अपनी बैरक में नहीं पहुंचे हैं। तीसरा गेट पार किया है मेरी निगाहें उन दीवारों पर हैं जो लाल खून की तरह सनी हुई हैं इतनी भयानक दीवारें सामने लंबी-चौड़ी सीधी रोड दीवारों से घिरी। चारों तरफ खूबसूरत पेड़ लगे हैं। अच्छी जगह, ऐसा लगता है किसी पार्क में आ गये। सामने एक गेट और है और उस गेट को खोला और हम वहाँ गये। सामने अस्पताल ओ.पी.डी. लिखा है उसके बगल में अस्पताल वार्ड और सामने मुलाहिजा बैरक/मुलाहिजा बैरक खोला गया वहाँ पर कैदी नम्बरदार था हमने देखा, साफ-सफाई बहुत अच्छी थी जैसे घर में होती है चारों तरफ टाइल्स लगी हैं। पंखे साफ-सुथरे एक बैरक में छः से सात पंखे और उतनी ही ट्यूबलाईट हैं अन्धेरे में उजाला जगमगा रहा है और उसके अन्दर बीस कैदी कुल सभी नये आए हैं यह मुलाहिजा बैरक है यहाँ वही रहते हैं जो नया जेल में आता है। रात का समय, सफाई इतनी थी कम्बल नहीं भी बिछाते तो नींद आ जाती क्योंकि अभी हम ऐसी जगह से आये हैं जहाँ गंदगी से कैदी मर रहें हैं। वहाँ पर पानी को तरस रहे थे, भूख से मर रहे थे और भ्रष्टाचार से वहाँ के जेल वाले कैदियों का खून चूस

रहे थे। कल जितने भी कैदी इस जेल में आये हैं वह सुकून महसूस कर रहे हैं। खैर नम्बरदार कैदी सभी के नाम व पिता का नाम पूछ रहा है वह गैंग बुक में सभी कैदियों के नाम लिखेगा। हम सभी रास्ते में ही खाना खा कर आए थे इसलिए भूख भी नहीं थी और थके भी थे इसलिए आज सभी सो गये क्योंकि अभी रात का समय था सभी कैदी सोये थे हम किसी को परेशान किये बिना सो गये। थोड़ी देर तो मैं चारों तरफ देख रहा था अब लग रहा था कि कहीं अच्छी जगह आए है जहाँ अच्छा जीवन जी सकते हैं खैर आज तो रात को ही पहुँचे क्या पता यहाँ क्या है कैसा है? इधर का कैसा हिसाब है यह तो कल सुबह होने पर ही पता चलेगा। अब मैं सोचते-सोचते सो गया। सोने में टाइम नहीं लगा क्योंकि गाड़ी में बहुत परेशान व थक चुके थे। एक तो गाड़ी में जगह बिल्कुल नहीं थी क्योंकि उसमें कैदी ज्यादा थे दूसरा लंबे सफर ने हमें तोड़ दिया था। अब मैं लंबी गहरी नींद में जा चुका था दूसरे दिन सुबह जोर-जोर से आवाज, गेट के कुंडे जोर-जोर से खड़काए जा रहे थे हल्ला-गुल्ला चल रहा था हमारे दिल की धड़कनें तेजी से चल रही थीं हमें नहीं पता था कि क्या होगा? खैर जिस दिन मुझे सजा मिली थी उस दिन मैंने सोच लिया था कि अब मैंने अपने पापों का प्रायश्चित करना है। अब वह कैसे हो सकता है। अब वह प्रायश्चित मैं जेल की काल-कोठरी में श्रम करके, मेहनत करके व काम करके करूँगा, यह मेरे दिल की चाहत थी। खैर सभी कैदियों को जोड़े से बिठाया गया। सभी की गिनती हुई उसके बाद ड्यूटी में जेल का चीफ डंडा लेकर खड़ा हो गया और कहने लगा कल वाले जितने कैदी आए हैं। सभी एक किनारे खड़े हो जाओ और परसों वाले जिन्होंने झाड़ू का पैसा नहीं दिया। हम तो कल ही आए थे इसलिए चुपचाप खड़े होकर सभी कैदी एक किनारे में हो गये बाकी कुछ कैदी वहीं पर थे जो परसों आए थे, जिन्होंने झाड़ू का पैसा नहीं दिया था सिपाही गुस्से में है मानों कोई उधार

देना हो। इतना भ्रष्टाचार जेलों में। ये तो वही बात हो गई *'ऊँची दुकान फीके पकवान'* जिस प्रदेश के राज्य देहरादून में जेल, जहाँ शासन-प्रशासन मंत्री-संत्री रहते हों इस तरह की गुंडा-गर्दी। शायद ये दीवारें इस भ्रष्टाचार को अनदेखा करती हैं और पर्दा डालती हैं खैर, सिपाही ने एक कैदी को डण्डे से मारना शुरू कर दिया अभी तक तो इस कैदी ने कुछ ऐसी बदतमीजी नहीं की। उसने सिर्फ इतना कहा कि साहब कल मुलाकाती नहीं आएं मेरे पास पैसे नहीं हैं मैं आपको कल दूँगा। मैं तो समझ चुका हूँ कि ये इसको क्यों मार रहा है बाकी कैदी डर के मारे मायूस चुपके से बैठे हैं वह कैदी हाथ जोड़े सिपाही के सामने गिड़गिड़ा रहा है लेकिन इस सिपाही की गुंडागर्दी ऐसी चल रही है कि क्या बताऊँ। फिर दूसरा कैदी जो परसों आया था उसने भी झाड़ू लगाने के पैसे नहीं दिये हैं। सिपाही- चल बे उठ (गंदी गाली देते हुए) पैसे क्यों नहीं जमा किये झाड़ू के। कैदी- साहब घर वाले आये थे परेशान थे उनके पास यहाँ आने के लिए पैसे भी नहीं थे वो दूसरों से उधार माँगकर मुझसे मिलने आए इसलिए पैसे नहीं है माफ कर दो मैं झाड़ू लगाऊँगा। कैदी गिड़गिड़ा रहा है, रो रहा है, हाथ जोड़कर प्रार्थना कर रहा है मानो वह जेल का सिपाही नहीं भगवान हो। सिपाही- (गंदी गाली देते हुए) जब ऐसी बात थी तो कल झाड़ू क्यों नहीं लगायी तूने, सिपाही ने उसको लात से मारा और बोला चल झाड़ू उठा और झाड़ू लगाना शुरू कर। मैं बैठा सारा खेल अपनी आँखों से देख रहा था लेकिन मैं भी एक कैदी हूँ। क्या कर सकता हूँ? मेरे हाथ भी बंधे हुए हैं अब बारी हमारी थी, सभी डरे थे। सिपाही- चल बे! झाड़ू के पैसे जमा करो नहीं तो झाड़ू लगाने को तैयार रहो कुछ कैदियों ने पूछा साहब कितने पैसे देने है। सिपाही- नम्बरदार, बता दे इनको कितने पैसे होते है। नम्बरदार- पूरी अकड़ में बोल रहा था दो सौ रुपये जिसमें सौ रुपये चीफ साहब के और सौ रुपये जेलर साहब के बाकी मेरा अलग से देख लेना कुछ कैदी

डर के मारे कहने लगे साहब हमारे पैसे गेट पर जमा है जब वह पैसे मिल जाएंगे तो हम आपको दे देंगे। मेरे पास भी कुछ पैसे पड़े थे लेकिन मैंने पैसे देने से इन्कार कर दिया क्योंकि मैं उस चीज को उस परिस्थिति को समझना चाहता हूँ। उसका अहसास करना चाहता हूँ। क्योंकि मैंने अपराध किया था नम्बरदार ने कहा चल बे झाड़ू उठाओ और यहाँ से शुरू हो जाओं झाड़ू लगाना। आज मैंने जेल मे पहली बारी झाड़ू लगाया बहुत अजीब/नर्वस सा फील कर रहा हूँ क्योंकि आज तक जेल में मैंने कभी झाड़ू नहीं लगायी। जिस भी जेल में गया हर जगह पैसे दिये, मजबूरी है यहाँ कि हर किसी की अपनी इज्जत है यह भी एक दुनिया है यहाँ भी कैदी अपनी इज्जत का ख्याल रखता है। लेकिन समाज से बहुत अलग है। मैंने अब उस जेल के पूरे मैदान में झाड़ू लगायी वो सिपाही और नम्बरदार मुझे गौर से देख रहे थे। उनको लग रहा था कि यह लड़का तो ठीक-ठाक घर से लगता है फिर इसने पैसे क्यों नहीं जमा किये अब वो पैसे के लिए मुझसे और काम करायेंगे ताकि मैं परेशान हो जाऊँ और परेशान होकर मैं उनको पैसे दे दूँ। लेकिन मेरे दिल के अन्दर तो अपने पापों के प्रायश्चित की भावना चल रही थी इसलिए वो जो भी काम बता रहे थे मैं उस काम को कर रहा था। कभी झाड़ू लगा रहा था तो कभी पोंछा, तो कभी जेल की दीवारों से धूल हटवा रहा था। अब मैं थक चुका था उसने बाकी कैंदियों को बिठा दिया था लेकिन मुझसे काम करवा रहा था। क्योंकि उसको शायद यह अहसास हो रहा था कि यह परेशान होगा और पैसे देगा लेकिन मैं भी लगा था, पसीना-पसीना हो गया था क्योंकि इससे पहले कभी ऐसा काम नहीं किया था। खैर ये जेलखाना है करीब एक से डेढ़ हजार कैदी यहाँ रहते हैं। मैं सब समझ रहा हूँ यहाँ कितना भ्रष्टाचार हो रहा है कैदियों से लेकर जेल के कर्मचारियों से लेकर यहाँ के अधिकारी सभी भ्रष्ट हैं। मैं सारा खेल अपनी आँखों से देख रहा हूँ लेकिन कुछ कह नहीं सकता

हूँ विरोध नहीं कर सकता हूँ। मैंने देखा है जो लोग विरोध करते हैं वो पिटते है और जेल की मार जिसको पड़ेगी उसका जीवन, उस कैदी का जीवन खत्म है क्योंकि यह चोटें इन्सान को मार देती हैं, इतनी अन्दरूनी चोटें होती है। आज का दिन काम करने में चला गया। नयी जगह, नये लोग इस जेल में साफ सफाई तो है लेकिन भ्रष्टाचार बहुत है। गरीब कैदी का जीवन यहाँ भी अन्धकार में है। हालाँकि खाना पेट भर है लेकिन दाल में दाने कम और पानी ज्यादा है खैर! यह सारा खाना राशन काट देते हैं जिससे भण्डारा चीफ और जेल अधिकारियों का होता है। जिसके पास पैसे हैं वो तो जेल वालों को अच्छा पैसा देकर अच्छा रह सकते हैं। अच्छा खा पी सकता है लेकिन उन कैदियों का क्या जो गरीब हैं जिनके कोई नहीं है उनका जीवन यहाँ दयनीय है कई कैदी तो पागल है, मानसिक रोगी हैं, खैर जेल सोने की क्यों न बनी हो लेकिन जेल तो जेल ही होती है। जेल में पता चला है कि अल्मोड़ा जेल से चालान आया है कुछ कैदी मेरे जानने वाले जिनका कोर्ट डिसिजन पहले हुआ वे कैदी यहाँ पहले आ चुके हैं। ये कैदी मुझसे मिलने आए हैं और राईटर को/कैदी नम्बरदार को बता रहे हैं, सिपाही को बता रहें है कि ये कैदी जितेन्द्र हमारा दोस्त है हम साथ में रहते थे इसलिए ध्यान रखना कोई दिक्कत न हो। ये कैदी साथी सभी सम्पन्न परिवार से हैं लेकिन अभी मैं नहीं। मुझसे आधा घंटा मुलाकात किया और वे नम्बरदार को बताकर वापस चले गये। कुछ पैसे दे गये खर्चे के लिए कहने लगे कुछ करने की जरूरत नहीं है अगर काम ही करना हो तो हमारा सारा जुगाड़ चलता है इस जेल में कहीं अच्छी जगह लगा देंगे जेलर अपना आदमी है। खैर, मुझे काम की कोई दिक्कत नहीं है क्योंकि मैंने तो काम ही करना है। खैर झाड़ू लगाना अच्छा नहीं लगता क्योंकि कभी नहीं लगाई थी। अब तो यहाँ का नम्बरदार कैदी अभी तक तो खूब ऐंठ के बात कर रहा था अब प्यार से बात कर रहा है, कह रहा है, आराम से बैठो

कोई दिक्कत नहीं। मैं बैठ गया, बाहर कैन्टीन है जहाँ पर खाने-पीने की चीजें बनती हैं अन्य जेलों से काफी अच्छी व्यवस्था है लेकिन यहाँ वह ही जी सकता है जिसके पास पैसा हो मैं चार दिन इस जगह पर रहा चौथे दिन करीब तीस कैदियों को यहाँ से अन्य बैरकों में शिफ्ट करना था। सभी के कार्ड बनकर आए हैं। नम्बरदार कैदी ने हल्ला मचा रखा है कि अपना-अपना सामान पकड़ लो, तुम सभी को अलग-अलग बैरकों में शिफ्ट किया जा रहा है, जितने नए कैदी हैं....। पता नहीं यहाँ इतने जोर से क्यों बोलते है, हल्के दिल वाला तो इनकी आवाज सुनकर ही मर जाएगा। खाना आता है तो हल्ला, सुबह होती है तो हल्ला, शाम को जेल बन्द तो हल्ला, गाली-गलौच, लाठी-डण्डों से वार ये कैसा कानून, नियम है यहाँ इन्सानों की जानवर से भी बदतर जिंदगी है। सबसे ज्यादा दिक्कत तब होती है जब सुबह-सुबह का टाइम होता है सुबह हम घर पर कैसे शांन्ति से उठते हैं भगवान का नाम लेकर लेकिन ये जेलखाना है यहाँ गालियों से सुबह की शुरूआत होती है और गालियों से शाम को जेल बन्द। कैसे इन्सान जियेगा? लेकिन यहाँ पर हर कैदी जी रहा है दूसरे दिन की शुरूआत, सुबह उठा अब तो मैं जेल का आदी हो चुका हूँ, यहाँ रहने की आदत हो चुकी है। मजबूरी है क्या करें जैसा देश वैसा भेष ये दुनिया ये जेल की दुनिया यहाँ रहना अपने आप में बहुत संघर्ष वाली बात है। जो इन्सान ऐसे माहौल में रहकर यहाँ से वापस जायेगा तो उसे बहुत दिक्कत होगी क्योंकि उसका जीवन एक सीमित दायरे के अन्दर सीमित हो जाता है न किसी से मिलना अच्छा लगेगा न ही बोलना ऐसा मेरे साथ है। मैं जब बाहर था तो मैं बहुत बोलता था लेकिन इस जेल की सलाखों ने मुझे इतना तोड़ दिया है कि न तो किसी से मिलने में अच्छा लगता है न तो किसी से बात करने में। मैं बहुत मजाकिया था आज मेरी हालत ऐसी हो गयी है कि बहुत अफसोस होता है। इन्सान को कभी ऐसे काम नहीं करने चाहिए जिससे

जेल आना पड़े आज मैं बोलना और मजाक करना बिल्कुल पसन्द नहीं करता। मानसिक अशान्ति रहती है। करना तो बहुत कुछ चाहता हूँ लेकिन ये दीवारें मेरी भावनाओं को, मेरी आत्मा को, मेरी सोच को, मेरे दिल की हर तमन्ना को चूर-चूर कर तोड़ देती हैं समझ में नहीं आता जीवन में क्या होगा, कैसे होगा? यह दस वर्ष इस काल कोठरी में कैसे कटेंगे न किसी का सहारा, न ही किसी का प्यार, माँ बचपन में गुजर गयी थी, पिता का प्यार भी नहीं और भाई भी मुझसे इन दीवारों से दूर हैं क्योंकि मैं अब उनसे दूर हूँ शायद जितना पीड़ित मैं हूँ उससे कई ज्यादा पीड़ित मेरे परिजन हैं क्योंकि मैं तो जेल मे हूँ लेकिन मेरे भाई और मेरे चाहने वाले इस दुनिया को कैसे फेस कर रहे होंगे। लोग तरह-तरह की बातें करते हैं, कहते हैं कि इसका भाई तस्कर था जेल में हैं ऐसी कई तरह की बातें समाज में होती रहती हैं कुछ कह भी नहीं सकते किस-किस का मुँह बन्द करेंगे यह दुनिया है। मैं तो जेल में हूँ यहाँ तो सभी जेल में है कोई ऐसी बातें नहीं होती हैं लेकिन समाज में लोग हमारे जैसे कैदी को गलत नजरिये से देखते हैं और सोचते है। इसी तरह चार दिन यहाँ मुलाइजा बैरक में कट गये। सभी कैदी जोड़े से बैठें है गिनती हो रही है सभी तीस कैदी अपना-अपना सामान पकड़े हुए हैं और एक नम्बरदार कैदी डंण्डा लिये पीली वर्दी में आया है, दूसरा नम्बरदार रजिस्टर पकड़े, तीसरा कार्ड लिए, चौथा कैदी नम्बरदार डण्डा लिए खड़ा है। मानों यह यहाँ के जल्लाद हों इनकी भाषा भी जल्लादों की तरह ही है। पूरे अकड़ में सभी को आदेश मिला कि वो सभी तीस कैदी जोड़ों से चलो। हमें अब गुमटी पर जाना है। जहाँ पर जेल के जेलर डिप्टी जेलर बैठे हैं। जैसे ही गेट से बाहर निकले देखा, लम्बी-लम्बी दीवारों से सिर्फ आसमान के अलावा और कुछ नहीं दिख रहा है। कैदियों की लम्बी लाईन लगी है हम सभी कैदी गुमटी की तरफ को जा रहें है। जहाँ पर जेलर बैठें हैं। सामने बड़ा गेट है हम सभी

इसके अन्दर जाएंगे हल्का छोटा गेट खुला, उस विशाल गेट में से देखा सामने चारों तरफ गोल दीवारों के अन्दर बीच में एक मंजिला टावर। यह टावर इसलिए बना है, यहाँ पर सिपाही की ड्यूटी रहती है, यहाँ सबसे ऊपर चढ़ते हैं तो आप पाएँगे कि पूरी जेल और पूरे बाहर का नजारा यहां से देखने को मिलेगा। इसलिए यहाँ सिपाही की ड्यूटी लगी रहती है ताकि कोई कैदी यहाँ से फरार न हो सके। इसी टावर के नीचे एक कमरा है जिसके चारों तरफ काफी बड़ी-बड़ी लाइटें, दीवारों के चारों तरफ एक-एक गेट लगें है, जिसमें लिखा है अहाता संख्या एक-दो-तीन-चार व पाँच है। तन्हाई न. 2, अन्दर बड़े बड़े ग्राउंड हैं और एक अहाते के अन्दर करीब तीन सौ कैदी रहते हैं। इन गेटों पर नम्बरदार कैदी पीली वर्दी में खड़े रहते हैं सभी के हाथों में डण्डे और एक सिपाही से भी ज्यादा पावर। क्योंकि ये सीधे जेलर से सम्पर्क में रहते हैं ये कैदी मुखबरी करते हैं इसलिए ये जो भी जेलर को कहते हैं जेलर वही करता है वह हर एक चीज की शिकायत जेलर को देते हैं। हम गुमटी पर पहुँच चुके हैं और हमारे सामने जेलर व डिप्टी जेलर विराजमान हैं। उनके चारों तरफ पीली वर्दी वाले नम्बरदार डंण्डे लिए खड़े है। सामने राइटर भी खड़े हैं। जो रजिस्टर लेकर आए है मुझे पता है यहाँ क्या होने वाला है, सभी कैदी डरे हुए हैं क्योंकि यहाँ का माहौल बहुत खतरनाक है। लड़ाई-झगड़े पैसे-उगाही चोर-चकार नंगे किस्म के कैदी भी भरे हुए हैं हम सभी कैदी गुमटी पर बैठे हैं जेलर साहब सभी को एक- करके बुला रहे हैं और पूछ रहे हैं कि नाम क्या है, पिता का नाम क्या है और क्या व्यवसाय करते थे, पढ़े-लिखे कितने हो, यही सब, यह जेल की प्रशासनिक क्रिया है क्योंकि अब जेलर इन सब कैदियों को अपने हिसाब से काम पर लगायेगा। जो जैसा है उसे वैसा काम, ये बहुत अच्छी सोच है जेलर साहब की। मेरे साथ एक फौजी कैदी भी था उसे नम्बरदार बना दिया गया अब मेरी बारी थी मैं उठा

जेलर साहब ने मुझसे पूछा नाम क्या है मैंने उनको अपना नाम बताया और मुझसे व्यवसाय पूछने पर मैंने कहा जेलर साहब मेरी दुकान थी मैं फोटो फ्रेमिंग का काम करता था तो जेलर साहब कहने लगे कि आपको जेल की कार्यशाला में करते है अगर कभी फ्रेमिंग का काम आएगा तो आप करोगे मैंने कहा ठीक है सर, इसी तरह सभी कैदियों का मुलाहिजा हुआ और सभी को एक-एक कार्ड मिले ये कैदी का हिस्ट्री टिकट है। इसमें कैदी का पूरा डीटेल होता है और इसी कार्ड में लिखा होता है कि किस बैरक में जाना है। मेरा बैरक 1सी है मैं अपना सारा सामान लेकर खड़ा हो गया एक कैदी राइटर सबकी हथेली पर लिख रहा था कि तुम्हे फलानी बैरक में जाना है। इन तीस कैदियों में से करीब दस कैदी ऐसे थे जिन्होंने अपनी गिनती कटाई है और कुछ के आधे पैसे जमा हैं गिनती कटने का मतलब मानो कोई नया कैदी जेल में आया। जेल में एंट्री होती है पैसों की भाषा शुरू हो जाती है जिसके पास पैसा होता है वह आराम से रह सकता है, जिसके पास पैसा नहीं उसके साथ यहाँ बहुत अभद्रता के साथ अनेकों कड़ी यातनाएं/श्रम करवाया जाएगा। कड़ा श्रम करवाने का मतलब होता है कि पैसा लाओ और उस कड़े परिश्रम से मुक्ति पाओं। सबसे पहले मुलाहिजा वहाँ 200-300 रुपये, वहाँ से गिनती कटी उसके एक हजार से दो हजार देने होते है अगर नहीं दिया तो काम करवाया जाएगा उनमें कुछ कैदी ऐसे हैं जिनके पास आधे पैसे रहते है यहाँ के कुछ कैदी दलाल होते हैं वो कैदी को देखते हैं कि बैकग्राउंड क्या है? अगर लगा सही है तो उसके आधे पैसे भी ये कैदी दे देते हैं और अपने पास उस कैदी को रखते हैं। मुलाकात आने पर ये सभी कैदी पैसे की माँग करते हैं, कहते है पाँच हजार रुपये मंगाओ, तीन हजार रुपये मंगाओ, ये सिलसिला जेल में चलता रहता है। यह दलाली, यह भ्रष्टाचार, जेलर अधीक्षक और सभी कर्मचारियों से लेकर ऊँचे स्तर तक ये पैसा पहुँचता है। यह है इन चारदीवारी की

अन्दर की काली करतूरत। यहाँ तो हर आदमी सुखी रहना चाहता है इसलिए अपना मुँह नहीं खोलता है। पैसे वाले तो पैसों से अधिकारियों से लेकर कैदियों तक को खरीद लेते हैं पर उन कैदियों का क्या जो गरीब हैं, जिनकी मुलाकात नहीं है ऐसे लोगों की जेल के अन्दर बहुत बुरी हालत है जेल के काले कम्बल अगर बिछाते हैं तो उसके अन्दर इतनी धूल होती है कि कैदी टी.बी. जैसी गम्भीर बीमारियों से ग्रसित हो जाते हैं। यहाँ कोई पूछने वाला नहीं क्योंकि यह जे़ल है यहाँ का भ्रष्टाचार बहुत विडम्बना पूर्ण है जिनके पास पैसा है वही यहाँ का सिकंदर है। नहीं तो कही जेल के एक कोने में पड़ा दिखाई देता है मैंने यहाँ पर कोई पैसा जमा नहीं किया इसलिए जेलर ने मुझे जेल की कार्यशाला में कर दिया है। मैं भी काम करने के लिए तैयार हूँ। सभी कैदी को तीन-तीन भागों में बाँटा गया। मैं जिस अहाते में था उसी में आठ कैदियों को और जाना है। अन्य-अन्य अहातों में अब कब मिलेंगे कोई पता नहीं। हम सभी अन्दर अहाता संख्या एक-दो में गये बहुत भीड़ कैदियों की पूरा ग्राउंड कैदियों से भरा सभी की गिनती चल रही है और सभी की निगाहें हमारी तरफ हैं अब यहाँ भी कुछ कैदी दलाल हैं जो पैसों के चक्कर में रहते हैं। यह वो कैदी हैं जो चापलूस टाइप के होते हैं और अधिकारियों के खास। ये पैसा अधिकारियों तक पहुँचता है। इसी के चलते यहाँ आज गरीबों की हालत बहुत खराब है। जेलों में आज अधिकतर कैदी गरीब घर से होते हैं जिनसे मुलाकात के लिए भी कोई नहीं आता अगर किसी गरीब कैदी की मुलाकात आ गयी तो उसके पास पचास रुपये तक नहीं होते हैं मुलाकात के पैसे देने तक। वैसे ये पचास रुपये सरकारी तरीके/नियम से बनता नहीं है लेकिन यह जेल के भ्रष्टाचार को दिखाता है नौबत यहाँ तक आ जाती है कि उस गरीब के साथ मार पिटाई हो जाती है अगर कोई दूसरा कैदी दयालू है तो वह उसके पचास रुपये दे देगा। नहीं तो चार लात जरूर उस कैदी

को उस मुलाकात के झेलने पड़ेंगे ये कैसा कानून है? हमारे भारत का मैं जिस बैरक में गया वहाँ पर करीब पैतीस कैदी हैं। जैसे ही अन्दर गया इत्तेफाक से कुछ कैदी जो पूर्व में नैनीताल जेल में थे वो मिल गये। पूरे बैरक में सोने की जगह नहीं है क्या करें मजबूरी है कहीं तो सोना ही पड़ेगा चाहे शौचालय के पास ही क्यों न सोना पड़े खैर उन कैदियों ने मुझे अपने बिस्तर पर बुलाया। मैं अपना सामान एक किनारे में रखकर वहाँ गया सभी से हाथ मिलाया वे कैदी सभी जानने वाले है। मैं बाहर से नहीं जानता हूँ मैं नैनीताल जेल से जानता हूँ। सभी सीधे शरीफ लड़के हैं कोई दहेज एक्ट में है तो कोई एन डी पी एस एक्ट में। पहाड़ों मे वैसे भी अपराध नहीं हैं लेकिन कुछ ऐसे लोगों से जो समाज में गलत काम करते है उनसे थोड़ा हमारा समाज आज परिवर्तन है। बाकी कुछ ऐसे केस हैं जो पारिवारिक हैं और कुछ ऐसे नौजवान जो पैसा कमाने के चक्कर में हैं गलत कामों में फँसे है इसलिए कि हमारे पहाड़ों में रोजगार की कमी मुख्य वजह है। खैर! बैरक साफ सुथरी जरूर है। टीवी लगा है लेकिन भीड़ काफी है कोई लूडो खेल रहा है तो कोई चेस तो कोई कैरम तो कोई बीड़ी के धुँए से खेल रहा है। क्या करें ये जेल है यहाँ किसी से नहीं कह सकते कि बीड़ी मत पिओ अगर कह दिया तो नौबत झगड़ा होने की आ जाएगी हर किसी की सोच एक जैसी नहीं होती इसलिए तो ये जेलखाना है। हम सभी आपस में बात कर रहें है, नैनीताल से कुछ कैदियों के बारे में, जो हमारे साथ रहते हैं लेकिन अब मेरी याददाश्त कमजोर हो चुकी है यह जेल का प्रभाव ही है यहाँ आँखें, बाल, याददाश्त व अन्य कई बीमारियों से कैदी ग्रसित हो जाते हैं आज का खाना जो बना है वह खाना इन कैदियों के पास रखा है और कैन्टीन से भी दाल, सब्जी, दूध और अस्पताल से अण्डे सभी की व्यवस्था इनके पास है बस यहाँ चैन से जीना है तो पैसे चाहिए। तभी कैदी यहाँ जी सकता है नहीं तो खत्म है यहाँ की

जिंदगी। कुछ कैदी तो ऐसे हैं जो जेल की तरह नहीं ऐसा लगता है। होटल में आए हों। उनके पास सारी व्यवस्था है खाने-पीने से लेकर नशीली चीजों से लेकर फोन की व्यवस्था तक हर व्यवस्था। यह कैसा प्रशासन है जहाँ पर इतना सारा भ्रष्टाचार हो रहा है? आखिर क्यों हो रहा है कोई देखने वाला नहीं है यहाँ सब पैसों में बिकता है यहाँ का प्रशासन भी यहाँ के पैसें वालों की जेब में रहता है यह मैंने अपनी नजरों से देखा, आत्ममंथन किया। लेकिन मैं क्या करता मैं तो एक मजबूर कैदी सब देख रहा था कि हो क्या रहा है कर कुछ नहीं सकता था सिर्फ देख सकता था। उन गरीबों के दुखों को। न तो मैं उनके आँसुओं को पोंछ सकता था न ही कोई मदद कर सकता था क्योंकि मेरी हालत भी ठीक नहीं थी वैसे ये जेल है यहाँ जो रोता है दूसरा कैदी मजाक उड़ाता है। इसी का नाम जेलखाना है क्योंकि यहाँ सभी की भावनाएँ खत्म हो जाती हैं, हर आदमी मतलबी हो जाता है और ये दीवारें सभी कैदियों को नासमझ और क्रूर व्यक्तित्व वाला कैदी बनाती हैं हर कैदी के अन्दर जहर घोलती हैं लेकिन इन्हीं के बीच में से कुछ कैदी ऐसे होते हैं जो अपना जीवन, अपने संस्कार, अपने पारिवारिक गुण, अपने अच्छे समाज, अपनों के प्यार को नहीं भूल पाते और वो कैदी एक दिन अच्छे व्यक्तित्व वाले बनते हैं और समाज की सेवा करते है। नैल्सन मण्डेला जी 27 साल ऐसी कोठरी में रहे जहाँ आसमान भी नहीं दिखाई देता था लेकिन इतना संघर्ष करने के बाद पत्थरों को तोड़-तोड़ कर उसमें से भी हीरा निकाला है और 27 साल बाद जब वह जेल से रिहा हुए उन्हे राष्ट्रपति चुना गया। तो हमारी सोच भी अच्छी होनी चाहिए हमारे अन्दर वो तरीका होना चाहिए। हमें अपने अच्छे लक्ष्यों तक पहुँचने में थोड़ी देर होगी परन्तु असफलता हाथ नहीं आयेगी। आज देहरादून जेल में पाँचवा दिन है लेकिन मैं सब समझ गया कि यहाँ क्या है और क्या नहीं है। शाम का खाना हम कैदियों ने साथ में खाया और बैरक कैदी राईटर

ने मेरे लिए एक जगह खाली करवायी और मेरा बिस्तरा लगवाया मैं सो गया। दूसरे दिन सुबह बड़े जोरों से हल्ले-गुल्ले में बैरक खुली। पीले कपड़े वाले कैदी नम्बरदार डंण्डा लिए सभी को उठा रहे है जो नहीं उठ रहा हैं उसे डण्डों से मार कर उठा रहे हैं सभी कैदी बाहर ग्राउंड में आए सभी अपने-अपने बैरक के हिसाब से गिनती में बैठ गये। कुछ कैदी जमीन में नहीं बैठ रहे है। चीफ साहब डण्डा लिये कह रहे हैं नीचे बैठो, लेकिन जो गरीब हैं वह तो डरते हैं नीचे बैठ गए। कुछ कैदी नहीं बैठ रहे हैं चारों तरफ पीली वर्दी वालों का आतंक मचा है सभी बैरकों की बाहर गिनती हुई और अब आदेश है सभी अपने-अपने जगहों पर खड़े हो जाओ प्रार्थना होगी। प्रार्थना हुई और सभी कैदी गुमटी पर गए जहाँ पूरे जेल की सुबह की अन्तिम गिनती होनी है जेलर के सामने यहाँ सभी जेलर बैठते है क्योंकि सुबह जेल खुलवाने के लिए जेलर खुद आता है और जेलर के साथ डिप्टी जेलर आदि हैं। ये जेल की गुमटी है यहाँ पर जेलर साहब बैठते हैं पूरे जेल के कैदियों द्वारा। गलत कामों का निर्णय यहीं पर होता है सभी कैदियों की गिनती हुई और अपने-अपने बैरक में चले गये और अब गुमटी पर पूरा कैदियों से और जेल के सिपाहियों से भरा दरबार लगा है। पन्द्रह बीस नम्बरदार कैदी डण्डा लिए खड़े है और दो-तीन कैदी जिनकी पेशी लगी है शायद उन्होंने कुछ किया है। फट्टा लिये एक नम्बरदार कैदी भी खड़ा है। ऐसा माहौल लग रहा है जैसे कि कोई घटना घटी हो जेलर गुस्से में है और उस कैदी को गाली दे रहा है और साथ में सिपाही को हड़का रहा है थोड़ी देर बाद उस कैदी के दोनों पैर बाँधकर डण्डा फँसाकर उल्टा लटका दिया जाता है और करीब पूरी ताकत से उसके तलुओं पर वार किया जाता है। यह है इस काल कोठरी का नियम वो कैदी इतनी जोर से चिल्ला रहा है, रो रहा है मानो उसकी जान जा रही हो। अब उसे खोल दिया जाता है और एक नम्बरदार उसके पिछवाड़े पर डण्डों से

वार कर रहा है कह रहा है दौड़..... दौड़......वह कैदी लड़खड़ाते हुए हल्का दौड़ने की कोशिश कर रहा है और जोर जोर से रो रहा है बचाओ....... बचाओ......... मैं बेकसूर हूँ जेलर साहब। पीछे से नम्बरदार डण्डा मारकर कह रहा है दौड़ साले दौड़............ गेटों पर काफी भीड़ है नम्बरदार कैदी ने सभी कैदियों को उन गेटों से हटा दिया है और मैं भी अपने बैरक में चला गया। शायद थोड़ी देर बाद काम पर जाना होगा। आज मेरा काम का पहला दिन होगा। जेल में मैंने कभी काम नहीं किया यहाँ तक कि कपड़े भी नहीं धोए और बिना प्रेस किए कपड़े नहीं पहनता था लेकिन अब मैं एक हवालाती बन्दी से एक कैदी हो गया था एक आम कैदी की जिंदगी बिता रहा हूँ थोड़ी देर बाद काम पे जाऊँगा। सुबह सात बजे ग्राउंड के चारों तरफ कैदी घूम फिर रहे हैं थोड़ी देर बाद सरकारी चाय आने वाली है और सरकारी नाश्ता। हर रोज अलग-अलग नाश्ता आता है कभी चने के साथ चाय तो कभी बन आता है तो कभी दलिया। ये तीनों चीजें नाश्ते में अलग-अलग दिन मिलते हैं ये नाश्ता अधिकतर गरीब कैदी ही करते हैं क्योंकि यहाँ जेल में कैदियों की ऐसी सोच है कम लोग ही यह नाश्ता करते है किसी की मुलाकात आती है तो उसके घर से खाने-पीने का सामान आता है तो वह कैदी उसे नाश्ते में भी लेता है बाकी जेल में कैदियों के लिए कैन्टीन है। अच्छी चाय चाहिए तो कैन्टीन है। दूध व अन्य नाश्ता चाहिए तो हर व्यवस्था है। ये खेल पैसे का है लेकिन गरीब कैदी यहाँ सिर्फ जेल का सरकारी नाश्ता ही करता है क्योंकि उसकी मजबूरी है। कोई कैदी दूसरे कैदी के कपड़े धोकर मालिश करके सेवा पानी करके थोड़ा पैसा कमाकर अपने खाने-पीने की व्यवस्था करता है लेकिन जो नहीं कर सकता वो परेशान है। जेल में भी कैदियों की अपनी अलग इज्जत होती है। हर कैदी अच्छा रहना चाहता है लेकिन यह जेलखाना है यह कैदियों के ऊपर निर्भर करता है कि किस कैदी की अपनी कैसी

बात है। कोई बदमाश है तो कोई नंगा तो कोई चोर तो कोई जेब कतरा तो कोई शरीफ तो कोई पढ़ा-लिखा। लेकिन यह सब अपने ऊपर है कि कौन कैसे रहता है। अभी आवाज लग चुकी है जितने भी कमान (काम करने वाले कैदी) वाले हैं सभी को गुमटी पर जाना हैं मुझे ज्यादा अनुभव नहीं है मैं तो थोड़े दिन पहले यहाँ आया हूँ खैर जितने भी कमान वाले हैं सभी अपना सामान लेकर बाहर गुमटी पर जा रहे हैं। मैंने भी अपनी थाली और कुछ जरूरी सामान पकड़ा और गुमटी की तरफ को चल पड़ा सामने गेट पर नम्बरदार कैदी खड़ा है वह मुझसे पूछ रहा है, कहाँ जा रहा है मैंने उसे बताया मैं कार्यशाला जा रहा हूँ। उसने मुझे रोक दिया है, शायद वह पूछेगा गुमटी के चीफ से कि नया कैदी है क्या इसका नाम कार्यशाला में है? ये है नम्बरदार की ड्यूटी। नम्बरदार का काम तलाशी, गेटकीपर और सुरक्षा गार्ड की तरह है यह सारे काम उनके हैं। इन्हें जेलर ने अपनी तरफ से पावर दी है। गुमटी के चीफ से पता करके यह नम्बरदार मेरे पास आया और मेरी तलाशी करके मुझे बाहर भेज दिया बाहर गुमटी में पहुँचा। वहाँ पर बहुत भीड़ है करीब 200 कैदी सभी काम करने वाले। इनमें से कुछ कैदी ऐसे हैं जो पैसे दे रहे हैं और वह कह रहे हैं मेरा पूरे महीने का हिसाब हो गया है। मैं सब समझ गया हूँ ये क्या चल रहा है, सारा भ्रष्टाचार यहाँ पर चरम सीमा में चल रहा है। बाप रे! बड़ी मुसीबत है ऐसा भ्रष्टाचार मैंने अपनी जिंदगी में नहीं देखा। मैं भी कार्यशाला वाली लाइन में खड़ा हो गया यहाँ लम्बी-लम्बी जोड़े से अलग-अलग लाइनें लगी हैं एक राईटर जो सफेद वर्दी में गिनती कर रहा है, सभी की कार्यशाला में गिनती हुई और सभी जोड़े से। करीब सौ कैदी कार्यशाला को चले गए। कार्यशाला गया वाह! खूबसूरत यहाँ हर तरीके का काम है जिस कैंपस में मैं हूँ वहाँ पर लकड़ी, वेल्डिंग गमले का काम होता है दूसरे कैंपस में दरियाँ बनाई जाती हैं, तीसरे में टेलरिंग, बिजली, पेंटिंग का काम। सभी काम

अच्छे हैं। मुझे इनमें से सिर्फ फोटों फ्रेमिंग का काम आता है बाकी नहीं। खैर राइटर ने मुझसे कहा कि जब तुम्हारा काम आएगा तो तुम्हें दे दिया जाएगा एक काम इस जेल में बहुत अच्छा देखने को मिला यहाँ पर इस तरीके का काम बहुत अच्छा है क्योंकि हर कैदी कुछ सीखकर अपने जीवन को सुधार सकता हैं। मैंने यहाँ पर बहुत मेहनत से काम किया सारा काम कर लेता था पहले मैंने लकड़ी का काम किया फिर पाँच महीने बाद दरी बिनना सीखा और उसके बाद में राइटर के लिए नियुक्त हो गया क्योंकि मेरा व्यवहार मेरी अपनी आदतें और कोई नशे का सेवन न करना अधिकारियों को अच्छा लगता था। मुझे अस्पताल राइटर नियुक्त होना था। करीब दस माह कड़ी मेहनत से काम किया रोज आठ रुपये मिलते, मैं सोचता था कि अगर मैं आज बाहर इतनी मेहनत से कोई काम करता तो जेल नहीं आता मुझे बहुत पछतावा था। वो आठ रुपये मेरे जीवन में मुझे बहुत कुछ सिखाते थे। मैं अपनी पूरी मेहनत काम में लगाता था। अब मेरी आँखे भी खराब हो चुकी थी यहाँ पर मैंने वेल्डिंग का काम भी किया इसी तरह हर दुःखों को पार कर मैं आगे बढ़ता रहा। लड़ाई-झगड़े गुंडा-गर्दी ये यहाँ की आम बात है लेकिन मैं किसी के लफड़े में पड़ता नहीं। मुझे अपने से मतलब है और किसी से नहीं। खैर मैं एकांत में रहना पसंद करता हूँ। मुझे जेल ने ऐसा बना दिया है। यहाँ चारों तरफ पैसे का खेल है पैसा है तो खाना-पीना अच्छा, नहीं तो दूसरों का मुँह देखकर लार टपकाते रहो। ये है जेलखाना यहाँ कोई किसी का नहीं अपना खाओ, अपना पियो और अपने में रहो। कहने का मतलब यहाँ गाँधी जी के तीन बन्दरों वाली बातें अपना लो। न गलत सुनो न बोलो न देखो। ये तीन चीजें जिसने सीख लीं वह कैदी थोड़ा अपने आप में सही रह सकता है। यहाँ रोना नहीं होता अगर कोई रोएगा तो चारों तरफ कैदी हँसी उड़ाएंगे। इसी का नाम तो जेल है यहाँ कैदी लोग भावनात्मक रूप से कम महसूस करते हैं क्योंकि यहाँ अपने आप को

मजबूत बनाना पड़ता है यह जेल की चार दीवारें यह लोहे के कड़े और जंजीरों से लटके ताले बहुत मुसीबत हैं। खैर मैं रोज सुबह कार्यशाला जाता और दिन-भर काम करता और शाम को चार बजे वापस अपने बैरक में आता शाम को खाना लिया। खाना खाया दिन-भर की थकान इतना तोड़ देती है, खाते ही नींद आ जाती है, सो जाता हूँ। माँ को याद करता हूँ। घर वालों को याद करता हूँ और माँ से प्रार्थना करता हूँ इन सभी को खुश रखना इनके सारे दु:ख मुझे दे देना लेकिन इन्हें दु:ख नहीं देना। ऐसे ही नींद आ जाती। दूसरे दिन वही हल्ला-गुल्ला गाली-गलौज के साथ सुबह की शुरूआत होती और बाद में भगवान का नाम यह जेल है। यहाँ पहले गालियों से सुबह की शुरूआत होती है और बाद में ईश्वर का नाम। उसके बाद गिनती गिनने के बाद नहाना फिर रोज की तरह हल्ला। सरकारी नाश्ता करके वापस कार्यशाला को चला जाता। रोज ही चलता रहता और घरवालों की यादें सताती तो कभी जेल की पीड़ा तो कभी अपने प्रियजन की यादें। वह पुरानी यादें, कैसे रह रहा था मैं इस चार दिवारों की काल कोठरी में। मैं अपने कर्मों की सजा भुगत रहा था। नौ-दस माह यहाँ काम कर अब मैं डॉक्टर साहब के पास बुलाया गया करीब दस लड़के और हैं 1200 कैदियों में से 11 लड़के छाँटे हैं क्या पता किसका सलेक्शन होगा यह तो जाकर ही पता चलेगा। खैर! सबसे पहले मुझे जेलर ने बुलाया उन्होंने नाम पूछा और कहने लगे बेटा तुम मेहनती हो, ठीक है हम तुम्हें अस्पताल में राइटर का काम दे रहें हैं, अच्छे से काम करना अगर कोई गलत काम किया तो बहुत मारेंगे। देख लेना कोई भूल न हो मैं हाथ जोड़े खड़ा था। मैंने सर हिलाया कहा ठीक है सर। उसके बाद में अस्पताल गया जहाँ डाक्टर साहब बैठे थे मैंने उनको नमस्कार किया उन्होंने मेरा नाम पूछा पढ़ाई-लिखाई पूछी और दस मिनट बात की। अन्ततः मुझे अस्पताल में राइटर चुन लिया गया। डॉक्टर साहब ने एक पर्चा बनाया जो मेरे

ट्रांसफर का था। अब मुझे उस बैरक से अस्पताल में आना होगा मैं वापस बैरक गया और अपना सामान लेकर अस्पताल पहुँच गया। अस्पताल में मरीज ही मरीज हैं। समझ में नहीं आ रहा है कैसे काम होगा? मुझे यहाँ पर दवाई वितरण का काम दिया गया है। मैं सीखना चाहता हूँ किसी चीज को सीखने की दिली इच्छा होनी चाहिए वो चाहे कितना भारी काम क्यों न हो इन्सान सफल जरूर होता है। मुझे सिखाया गया दवाई बाँटना, इन्जेक्शन लगाना, ड्रिप लगाना मैं इन कामों में परफेक्ट हो जाऊँगा। मुझे पूरा विश्वास है आज मेरा अस्पताल में पहला दिन है मेरी कुछ समझ में नहीं आ रहा है। छोटी सी जगह है जहाँ पहले मैं रहता था वहाँ करीब 300 लोग रहते हैं। अब यहाँ करीब तीस-चालीस लोग रह रहे हैं। थोड़ा अटपटा लग रहा है। यह दीवारें और नजदीक हो जाती हैं जिससे मेरे दिल की धड़कने बढ़ गईं। लग रहा है और क्या होगा कुछ समझ नहीं आ रहा है अब मेरे साथ यहाँ पर चार कैदी राइटर और हैं जो मेरे सहयोगी राइटर कैदी हैं। जो अपने काम में निपुण हैं लेकिन मैं तो नया हूँ सीखना पड़ेगा मैं सीख रहा हूँ। देख रहा हूँ कैसे क्या हो रहा है? यहाँ रोज करीब तीन सौ कैदियों की ओ.पी.डी. होती है। आजकल डॉक्टर साहब खुद ओ.पी.डी. देखते हैं ये अपने आप में बड़ी बात है यहाँ तक कि डॉक्टर साहब ओ.पी.डी. भी स्वयं लिखते हैं पहले मेरी ट्रेनिंग की और फिर एक महीने की कड़ी मेहनत बाद अब मैं दवाई बाँटने लगा हूँ। दो महीने बाद इन्जेक्शन तीन महीने बाद ड्रिप लगाना मेरे अन्दर सीखने की ललक थी। इसलिए मैं सीख गया था। लेकिन इसका पूरा श्रेय डॉक्टर साहब को जाता है। इतने कड़े थे मैं उनसे डरता था और जब दवाई देता था तो पहले वह मुझसे पूछते थे फिर मैं एक-एक करके बोलता था अगर गड़बड़ हुई तो वो मुझे डाँटते थे। उनका डाँटना अच्छा था। तभी तो मैंने जल्दी काम पकड़ लिया था। लेकिन भाई यहाँ भ्रष्टाचार का तो कहना ही क्या? अस्पताल में रहने के

तीस हजार रुपये महीने। ऐसे-ऐसे लोग आते थे जो पैसे देते थे। बाहर अस्पताल जाना है तो पैसे, अस्पताल में रहना है तो पैसे, अस्पताल में भर्ती होना है तो पैसे। हे भगवान! मैं समझ नहीं पा रहा था अब तो मैं भी इस पाप में भागीदार बन चुका था क्योंकि मुझे भी लोगों को भर्ती करना पड़ता था। यह पैसा ऊपर तक जाता है खैर अस्पताल में डॉक्टर लोगों को भर्ती करता है और मुलाहिजा बैरक मे जेलर लोगों को रखता है मुलाहिजे के पाँच से दस हजार रुपये देने होते है। अस्पताल और मुलाहिजा दोनों वी आई पी बैरक हैं जेल की एक कहावत है "दड़ा है तो खड़ा है नहीं तो लैट्रिंग के पास पड़ा है" मतलब यह है कि अगर पैसा है तो सारी सुख सुविधा हैं अगर पैसा नहीं है तो बहुत बुरी कंडीशन है यानी कि उस कैदी को शौचालय के बगल में जगह खाली है वहाँ सोना पड़ेगा। इसका मतलब है इतना भ्रष्टाचार जो पैसे वाले हैं वे स्वयं पैसा अपनी स्वेच्छा से देते हैं तो शिकायत करने की गुंजाइश तो कहीं रही ही नहीं। हाँ यहाँ पर महीने दो महीने में सी जे एम और कभी डी एम आते हैं तब लोगों को पहले ही धमका दिया जाता है अगर किसी ने शिकायत कर भी दी तो बहुत मारेंगे। फिर लोग कहेंगे भी क्यों? रहना तो जेल में है। समुद्र में रहना है तो मगर से कैसे बैर ले सकते हैं ये। इसका मतलब आपके सामने है। किसी की आवाज नहीं खुलती यहाँ सभी को सुविधा चाहिए पैसा खर्च करने वाले यहाँ पर हैं लेकिन गरीब का यहाँ पर कोई नहीं? गरीब का तो जेल में क्या बाहर भी बहुत बुरा हाल है। क्या करूँ? मजबूर हूँ मैं चाहता हूँ हमारे समाज से जिस दिन गरीबी दूर हो जाएगी उस दिन समाज से 90 प्रतिशत अपराध खत्म हो जाएगा लेकिन जेल में इस तरह का भ्रष्टाचार और यहाँ बदमाशों की दबंगई। इनको देखकर तो जेलर क्या यमराज भी डरता है यहाँ पर पता नहीं इन्सान क्यों नाजुक हो जाता है। थोड़ी सी भी परेशानी हुई तो अस्पताल यानी कि एक छींक भी आ गई तो दवाई। इन्सान को

इतना नाजुक नहीं होना चाहिए घर में आदमी दस बार सोचेगा कि चलो क्या डॉक्टर के पास जाऊँ जुकाम ही तो है। ठीक हो जाऊँगा। लेकिन यह जेलखाना है यहाँ सब मुफ्त का है लोगों का कहना है "सरकारी माल कूड़े में डाल" कौन सा हमारे घर से जा रहा है पता नहीं लोग क्यों ऐसा सोचते हैं सरकार इतना पैसा खर्च कर रही है हमें सोचना चाहिए। हमें देश को आगे बढ़ाने में भागीदारी निभानी चाहिए न की बर्बादी को बढ़ाने में। क्यों आज लोगों की सोच ऐसी हो रही है। आज यहाँ मैं देख रहा हूँ तीन सौ में से पचास कैदी दवाई लेने इसलिए आते है क्योंकि उन्हें घूमना होता है अन्य कैदियों से मिलना होता है जो दवाई यहाँ से मिलती है वो दवाई बैरक जाकर कूड़े में डाल देते हैं कुछ तो ऐसे है जो डिस्पेंसरी के बाहर ही फेंक देते हैं शायद इन्हें समझ की कमी है यह गंदे कैदी हैं। एक सच्चे कैदी, अच्छे आचरण वाले कैदियों के ऊपर भी उँगली उठती है "एक मछली पूरे तालाब को गंदा करती है" यहाँ पर मैं काफी डिप्रेशन में हूँ लोगों के बीच में जाना अच्छा नहीं लगता बातें करना अच्छा नहीं लगता यह सारी चीजें जेल का ही प्रभाव है यहाँ पर आज मानसिक रोगी के डॉक्टर आए हुए हैं मैंने भी अपने आप को उनको दिखाया उन्होंने मेरी जाँच की और मुझे बताया आप रोज योगा करें और व्यायाम भी। आप डिप्रेशन के शिकार हैं, ज्यादा सोचते हैं लेकिन क्या करूँ मैं जेल में हूँ। परेशानी तो होती ही है "कब्र का हाल मुर्दा ही जानता है" मैं कैसे जी रहा हूँ इस चार दीवारी के अन्दर तड़प रहा हूँ। रोज भगवान से प्रार्थना करता हूँ कान पकड़ कर ईश्वर से अपनी गलती की माफी माँगता हूँ और प्रार्थना करता हूँ कि समाज को नशे से दूर रखे। लोगों की मानसिकता को बदलें जिससे एक स्वच्छ स्वस्थ भारत की स्थापना हो सके रोज जेलों में कुछ न कुछ घटनायें होती रहती हैं मार-पिटाई, गुंडा-गर्दी फिरौती अलग-अलग गुटों में लड़ाई झगड़े ये आम बात है अस्पतालों में मरीजों की संख्या ज्यादा

है सरकारी इलाज में राम भरोसे है लेकिन डॉक्टर अच्छे हैं। थोड़ा जैसे देश वैसा भेष तो होता ही है लेकिन जेल के लिए डॉ. अच्छे है कभी-कभी किसी-किसी मरीज की मौत हो जाती है। इन्सान का जीवन है जो पैदा हुआ है उसे मरना भी जरूरी है लेकिन यहाँ कोई न मरे। अपने घर में इन्सान मर जाए तो कोई बात नहीं लेकिन जेल में मरना बहुत बड़ा कलंक है, ऐसा मेरा मानना है। यूँ ही मरीजों की देखभाल कर मरीजों को दवाई देकर दिन कट जाते थे परन्तु रातें नहीं कटती थीं। यादें भावनात्मक रूप से इन्सान जहाँ जुड़ा रहता है तो बिछड़ने का दर्द दिल में हमेशा हर मिनट रहता है। यह प्यार भी कैसी चीज है एक लड़की को इस काल कोठरी में मुझसे प्यार हो गया वो यहाँ पर पुलिस कांसटेबल है लेकिन मेरी तरफ से ऐसा कुछ भी नहीं है मैं उसे जानता हूँ कई बार बातें भी हुई है हम दोनों के बीच सिर्फ बातें। सिर्फ दवाई से सम्बन्धित हुई लेकिन यह प्यार वाली बातें नहीं। खैर उसका लगाव मुझसे ज्यादा है वह अस्पताल आती है मुझसे मिलने लेकिन यह जेलखाना है किसी ने जेलर को बता दिया है कि ऐसी-ऐसी बात है। जेलर ने मुझसे कुछ नहीं कहा शायद उस लड़की से कहा हो। खैर मैं यहाँ पर उसका नाम नहीं लेना चाहता। भगवान उसे सद्बुद्धि दे मैं तो और किसी से प्यार करता हूँ कैसे उसकों बयाँ करता। शायद उसे पता है लेकिन फिर भी...... आजकल दिन इस कैद खाने में कैदियों को दवाई देने में कट जाता है और रातें यादों में। वर्षों तालों से जकड़े रहे शायद अभी जीवन में कष्ट बहुत अधिक है। आज सुनने में आ रहा है कि प्रशासन बदलने वाला है। अब जेलर व अधीक्षक डिप्टी सभी को इस जेल से दूसरे जेल में जाना पड़ेगा और दूसरे जेल से अधीक्षक महेन्द्र सिंह ग्वाल और अन्य अधिकारी यहाँ पर आने वाले हैं। पूरी जेल में सन्नाटा और सनसनी फैली हुई है कि महेन्द्र सिंह आ रहा है। सुनने में आया है कि वो बहुत कड़क ऑफिसर है भ्रष्टाचार नहीं चाहते है।

उनके शासन में चाहे गरीब हो या अमीर चाहे शरीफ हो या बदमाश सब एक ही घाट का पानी पियेंगे। ऐसा कुछ सुनने में आया है पूरा जेल डरा हुआ है लेकिन बदमाश लोग डरने वाले नहीं हैं क्योंकि उनका काम मारो या मरो है। तीसरे ही दिन अधीक्षक और जेलर हरिद्वार जेल से देहरादून जेल में आ चुके हैं और देहरादून के अधीक्षक और जेलर हरिद्वार चले गये हैं। सभी ने अपना-अपना कार्यभार संभाल लिया है जेल अधीक्षक ने पूरे जेल की व्यवस्था अपने हाथों में ले ली है। पूरे जेल में सन्नाटा छा गया है क्योंकि महेन्द्र सिंह ग्वाल बहुत कड़क और ईमानदार ऑफिसर है। जेल के सभी कैदी नम्बरदार और कैदी राइटरों को दिशा-निर्देश दे दिए गए हैं। अब आगे की जेल कैसे चलेगी।

आज सोमवार सुबह आठ बजे सोकर उठा आज जेल में ओ.पी.डी. की छुट्टी है इस कैदखाने में हर कैदी परेशान है और आज जेल में परेड भी है। परेड का मतलब यह होता है कि आज जेल में जितने भी कैदी हैं सब अपना-अपना हिस्ट्री टिकट लेकर एक लाईन से खड़े होते हैं। जिस किसी की समस्या होती है चाहे वह किसी तरह की समस्या हो चाहे कोर्ट की समस्या हो या कोई अन्य शिकायतें माननीय अधीक्षक महोदय जी बहुत अच्छे व्यवहार के साथ सभी को उनकी समस्या का समाधान करते हैं। इस जेल में कई सारे कम्पाउंड हैं। हर जगह हर सलाखों में जाकर देखा जाता है कि कहीं कोई गड़बड़ तो नहीं हो रही है अभी समय नौ बज चुके हैं और परेड की तैयारी में लगे हुए हैं कुछ कैदी नहा रहे है एक कम्पाउंड में मात्र दो बाथरूम है। एक कैदी नहाता है तो दूसरा कैदी अन्दर घुस जाता हैं। इस कम्पाउंड के बाहर चार शौचालय बने होते है लेकिन यहाँ पर मुलाहिजा होने की वजह से और नए-नए मरीजों की वजह से साथ में टी.बी. के मरीजों की वजह से बहुत दिक्कत है। मैंने अपना तौलिया पकड़ा, साबुन लिया और एक बाथरूम खाली हो चुका था मैं एक बाथरूम में गया और नहाने को बैठ

गया बहुत गंदगी है क्यांकि बाथरूम में रोज तरह तरह के कैदी नहाते है। इस सलाखों के अन्दर जो भी आया है किसी को न तो नहाने से मना कर सकते है न ही फ्रेश होने से। बहुत दिक्कते हैं मैं यहाँ यह सोचते सोचते नहा रहा था दिमाग में कई बातें आ रही हैं। परेड का दिन भी है मैंने परेड में भी जाना होता है क्योंकि मैं इस जेल के अस्पताल का कैदी राईटर हूँ। खैर नहाया, नाश्ता किया समय दस बज चुके है। सामने ओ.पी.डी. रूम है कूलर चला है। शायद डॉ. साहब और फार्मासिस्ट आ गये हैं। मैं ओ.पी.डी. रूम की तरफ गया वहाँ पर डॉ. साहब तो नहीं हैं लेकिन फार्मासिस्ट बैठे है। मैंने उनको नमस्कार किया और सर, आज तो ओ.पी.डी. के लिए जाएंगे नहीं। फार्मासिस्ट बोले नहीं यार, आज परेड है जो भी इमरजेंसी होगी उसे हम यहीं देख लेंगे। खैर मैंने उनसे कहा आप ने चाय पी ली। उन्होंने कहा नहीं यार भट्ट से कहा है आ जाएगी। मैं सर हिलाते हुए बाहर की तरफ को निकल गया। सामने एक कम्पाउंड का गेट है जिसमें लोहे की चादर लगी है इसलिए कि कोई कैदी दूसरे कैदी से बात न कर सके और न ही मिल सके मैं राइटर कैदी हूँ। मैं कहीं भी आ जा सकता हूँ। लेकिन एक साधारण कैदी अपने कम्पाउंड से कहीं जा नहीं सकता है। मैंने गेट खोला बाहर की तरफ को नम्बरदार खड़ा है वह मुझे नमस्कार के साथ हाथ मिला रहा है हर कैदी से मेरा मेल-मिलाप अच्छा है क्या करें यहाँ पर हर कैदी मजबूर है, परेशान है। मेरी नजर सीधे तीन नम्बर गेट की तरफ गई। वहाँ से जेल अधीक्षक का पूरा काफिला मेरी तरफ को प्रवेश कर रहा था। मैं कहीं न देखकर सीधे अन्दर की तरफ को गया। सामने ओ.पी.डी. में फार्मासिस्ट को बताया कि अधीक्षक साहब परेड के लिए आ चुके हैं उन्होंने एक डायरी पकड़ी और मुझे आदेश दिया कि एक रजिस्टर लेकर मेरे साथ परेड में चलो। मैंने तुरन्त एक रजिस्टर पकड़ा और सीधे अपने बॉस फार्मासिस्ट के पीछे-पीछे चला। वह रजिस्टर

इसलिए ले जाना होता है कोई अस्पताल के बारे में शिकायत सुझाव व कुछ अस्पताल सम्बन्धित बातों को परेड में अधीक्षक के सामने कहेगा तो मुझे उन बातों को नोट करना होता है। मेरे सामने तन्हाई का गेट है जहाँ पर अभी रनवीर इन्काउंटर में आए सभी पूर्व पुलिस कैदी यहाँ पर रहते हैं और कुछ अन्य जेलों से आए पुलिस-कैदियों को यहाँ पर रखा जाता है ताकि उनके द्वारा अपराध किया गया था। जानबूझकर जेल में भेजे गए कैदी उनसे न मिल सकें साथ ही कोई दुर्घटना न घटे। हर कैदी के अन्दर बदले की भावना तो रहती है यहाँ पर हर तीसरा या दूसरा कैदी खाकी वर्दी के ऊपर हमला या कुछ न कुछ बातें करता रहता है क्योंकि खाकी वर्दी का दबदबा शायद इनके ऊपर इतना हावी रहा या फिर किसी से पैसे लेकर या दुश्मनी में किसी को जेल भेजना और मारपीट आदि कई चीजें देखी जाती है मैं तन्हाई के अन्दर गया सभी पुलिस कैदी अपने कम्पाउंड के अन्दर थे और सामने एक राइटर कैदी दिख रहा है शायद अधीक्षक साहब कम्पाउंड के अंदर गए हैं। आवाज आ रही हैं। मैं सुन रहा हूँ वह कह रहे हैं कि आप लोग सरकारी चादर इस्तेमाल क्यों नहीं करते हैं। अगर सरकारी चादर इस्तेमाल करें तो बेहतर है। खैर! कैदियों द्वारा कई समस्याएं भी रखी गई है। उनके समाधान के लिए भी अधीक्षक ने आदेश दे दिया है साथ में करीब दस कैदी राइटर, दो कैदी नम्बरदार डण्डाधारी और जेलर, डिप्टी जेलर, हेड क्वाटर और अन्य दो तीन सिपाही और हुजूम बाहर आया मैं गेट के सामने खड़ा हूँ। अधीक्षक की नजर मेरी तरफ को पड़ी मैंने जय हिन्द करते हुए हाथ जोड़ा उसके बाद जेलर और डिप्टी जेलर व अन्य कर्मचारी और सभी कैदी राइटर व नम्बरदार बाहर को आए। मैं भी उन्हीं के साथ चल पड़ा। सामने नम्बरदार अधीक्षक को देखकर डरा और सहमा हुआ है। उसने गेट खोला और हम सभी वहाँ से निकल कर सीधे अन्दर की तरफ को चल पड़े। सामने हाता संख्या दो, जहाँ पर

बड़ा गेट वहाँ पर तपस्थली लिखा गया है जहाँ पर तीन कैदी नम्बरदार खड़े है वे गेट को खोलकर बिल्कुल सावधान की स्थिति में खड़ें हैं जैसे ही अधीक्षक वहाँ पहुँचे तीनों कैदियों का जो सलाम था वह देखने लायक था। तीनों डरे हुए लग रहे थे। खैर थोड़ा असहज महसूस तो होता ही है क्योंकि हम इस कैदखाने में कैद हैं। यह एक दूसरी दुनिया है। सामने ऊपर विशाल गुमटी है, एक लम्बा बड़ा टावर जिसके नीचे ऑफिस बना हुआ है जहाँ पर जेल में ड्यूटी सिपाहियों का जमावड़ा रहता है गोल घेरा जैसे मानों मौत का कुआँ हो उसी प्रकार गोल लंबी दीवारें चारों तरफ लगी हुई हैं सामने छः सात कुर्सियाँ व एक टेबल लगी हुई है लेकिन अभी कोई वहाँ पर नजर नहीं आ रहा है क्योंकि अभी अपनी-अपनी ड्यूटी पर जेल के सिपाही तैनात हैं। पता है? अधीक्षक परेड पर आ चुके हैं अगर अभी अधीक्षक परेड पर नहीं होते तो सारे सिपाही इसी जगह (टावर) पर इकट्ठा होकर गप्पें मार रहे होते और कुछ खा पी रहे होते। इस कैद खाने में कई सिपाही अच्छे हैं तो कई बुरे भी। जो गलत कर्मों से लेकर पूरे भ्रष्टाचार में उमड़ पड़े हैं। कुछ सिपाही तो ऐसे हैं जो कैदियों से दस बीस रुपये के टोकन लेने से कतराते नहीं। खैर! ये सिपाही इन टोकनों (जेल के पैसे) को जमा करके बंदी कल्याणकारी कैंण्टीन से सामान जैसे बन्दियों के लिए आने वाला साबुन, तेल व अन्य जरूरी चीज खरीदकर घर ले जाते हैं। कई सिपाही तो ऐसे हैं जिनके घर का खाना भी यहीं जेल के कैदियों के खाने से काटकर दिया जाता है। यह है इस कैदखाने की हकीकत। यहाँ चारों तरफ काँटे ही काँटे नजर आते हैं क्योंकि यह सलाखों की निशानी है सामने एक गेट बड़ा लोहे का जिसमें मोटी लोहे की चादर लगी है। उसके सामने दो नम्बरदार कैदी खड़े हैं यह नम्बरदार कैदी इस गेट पर इसलिए खड़ा है कि वह किसी भी अन्य कैदियों को इस गेट से बाहर नहीं आने देंगे और कोई समस्या होती तो तुरंत गुमटी चीफ को सूचना

करेगा। इस नम्बरदार कैदी की चार घंटे की ड्यूटी है यह कैदी अपनी पूरी ड्यूटी करके यहाँ से तभी जाएगा जब दूसरा नम्बरदार कैदी यहाँ ड्यूटी पर आ जाएगा। खैर! सामने नम्बरदार पूरा सावधान होकर खड़ा है। एक हाथ उसका गेट पर है और दूसरा हाथ सीधा नीचे की तरफ, कमर सीधी, इस तरह खड़ा है मानो कोई राजा पधार रहा हो इसी का नाम जेल है। ये डर, भय इन्सान की रूह को कँपा देता है और अन्य आम कैदियों से इसकी पहुँच अधिक है क्योंकि यह कैदी नम्बरदार है। पहले यह नम्बरदार कैदी जब साधारण कैदी था वह अपना जीवन साधारण तरीके से जीता था लेकिन अब वह नम्बरदार है वह जेल का नम्बरदार है अब उसकी पावर अधिक है। अब वह किसी को हड़का सकता है। जेलर ने उसे पावर दी है कि वह अच्छे से काम करे और अन्य किसी भी कैदी से डरे बिना अपना काम ईमानदारी से करे। एक नम्बरदार कैदी को एक सिपाही से भी ज्यादा जेलर ने पावर दी है। क्योंकि यह नम्बरदार कैदी पूरे जेल की मुखबरी करता है, हर एक चीज अधिकारी को बताता है। खैर गेट के ऊपर एक नम्बर लिखा है नम्बरदार ने वह गेट खोल दिया है अधीक्षक की एंट्री उस गेट से अन्दर हुई बहुत बड़ा ग्राउंड है। पूरे ग्राउंड में इतने कैदी है कि ग्राउंड में जगह ही नहीं है। सारे कैदी हड़बड़ाहट में है सामने गोल-गोल छोटे फूल लगाने के लिए घेरे बने हुए है जो सीमेंट से बनाए गए हैं। अधीक्षक साहब कुछ बता रहे हैं। हेडक्वाटर के सामने इस अहाते का सिपाही आकर जोर से सलाम मार रहा है। इसी के चलते अधीक्षक साहब का जत्था सीधे उन कैदियों के पास गया जो पूरी तैयारी के साथ हाथ में अपना हिस्ट्री टिकट लिए सफेद वर्दी पहने हुए अपने बिछाने वाले काले कम्बल व खाने की एक थाली लिए खड़े हैं। सबसे पहले शुरूआत में एक कैदी जिसकी उम्र करीब इक्कीस वर्ष की थी वह दोनों हाथ जोड़े अधीक्षक साहब को अपनी समस्या बता रहा है। मैं रजिस्टर खोले खड़ा था। दूसरा हाथ में

पेन लिये खड़ा था और साथ में जेल के अन्य विभागों के राइटर भी इसी तरह खड़े थे। चारों तरफ सन्नाटा पसर चुका था क्योंकि अधीक्षक का खौफ अपने आप में बहुत बड़ा है। ये जेल की सलाखें महेन्द्र सिंह के नाम से इस तरह काँपती हैं। मानो कोई शेर दहाड़ रहा है। हालाँकि ये अधीक्षक इतने सभ्य इतने करूणा से भरे है, हर कैदी की समस्या को इस तरह सुनते है जैसे वह उस परिवार का सदस्य हो। इसी के साथ ऐसे भी ईमानदार ऑफिसर हैं। साथ ही कानूनी जवाब सख्त तरीके से देते हैं इसलिए उनका खौफ पूरी जेल में है। कहते हैं "एक मछली पूरे तालाब को गंदा करती है" बस यहाँ भी एक-दो अधिकारी ऐसे हैं और कुछ अन्य कैदी नम्बरदार झूठी मुखबरी गलत बातों का सहारा लेकर अपनी मनमानी में उतर जाते हैं। बस इन्ही कैदियों व कुछ एक-दो अधिकारियों के चक्कर में अधीक्षक को गलत सीख देते हैं। आज इन्हीं के चक्कर में उन्हें लोग गलत नजरिए से देखते है क्योंकि वह कानून और नियम से चलते हैं। लेकिन मैं उन्हें भली-भाँति जानता हूँ। कि वो कितने ईमानदार अधिकारी हैं। शायद मैंने इतना ईमानदार अधिकारी इन दस वर्षों में नहीं देखा मैं इतनी जेलों में घूमा मैंने ऐसा ईमानदार अधिकारी नहीं देखा। जहाँ देखा हर जगह भ्रष्टाचार करने वाले नजर आए लेकिन सिर्फ महेन्द्र सिंह हर एक कैदी की समस्या को सुनते हैं और उसका निदान करते हैं। सामने जो लड़का हाथ जोड़े खड़ा है उसकी समस्या यह है कि कल रात को जेल बंद होने के बाद एक कैदी ने उसके साथ गाली-गलौच हाथापाई व बदतमीजी कर दी सामने डिप्टी जेलर खड़े हैं, वो मामले की तहकीकात करेंगे। अधीक्षक साहब ने कहा बैरक का राईटर कौन है? सामने एक कैदी खड़ा है आँख में चश्मा पहने, जी सर, मैं हूँ। करके जवाब दिया। अधीक्षक- हाँ बेटा क्या बात है। राइटर- साहब कल रात को यह लड़का पूजा कर रहा था। टी.वी. की आवाज ज्यादा थी इसने कहा कि भाई लोगों थोड़ा टी.वी. की

आवाज कम कर दो मैं पूजा कर रहा हूँ। इसी पर एक कैदी ने गालियों की बरसात कर दी और यहाँ तक कि हाथापाई करने को उतर गया इसी को देखते हुए मैंने उसे रोकने की कोशिश की। तो उसने मेरे ऊपर भी हाथ उठा दिया। मैंने आज सुबह गुमटी पर डिप्टी साहब को मामले की जानकारी दी है। अधीक्षक-ठीक है राइटर इन दोनों का नाम नोट कर लो इन्हें मेरे ऑफिस में बुलाओ। सामने ऑफिस राइटर का कैदी खड़ा है। रजिस्टर लिए उसने दोनों कैदियों का नाम राइटर का नाम व अहाता बैरक का नाम नोट कर बुलाने के लिए लिख दिया। पन्द्रह-बीस कदम आगे बढ़ते हुए एक कैदी जिसके सिर पर गोल टोपी हाथ में माला लिए खड़ा है शायद वह कुछ कहना चाहता है। कैदी- साहब मेरी एक समस्या है अधीक्षक- हाँ बताओ क्या समस्या है। कैदी- साहब मैं पाँचो टाईम की नमाज पढ़ता हूँ शाम को बैरक जल्दी बन्द हो जाती है नमाज पढ़ने में मुझे दिक्कत होती है। अधीक्षक- देख बेटा ये जेल है यहाँ के कुछ अपने कायदे-कानून हैं देखो बेटा कभी-कभी आप यात्रा पर जाते हो या तुम वहाँ-जहाँ कोई ऐसी व्यवस्था नहीं है क्या करते हो। कभी गाड़ी लेट हो गई तो घर देर से पहुँचकर क्या करते हो? क्या आप नमाज नहीं पढ़ते हो। बेटा अपने दिल से अल्लाह से दुआ माँगो सब ठीक हो जाएगा। अधीक्षक साहब ने बैरक राइटर को बुलाया और कहा हाँ भाई क्या इसके लिए थोड़ा टाईम हो सकता है तो देख लेना राइटर ने जवाब दिया सर ये जब नमाज पढ़ते है तब सारी जेल बन्द हो चुकी होती है इसलिए समय नहीं दे सकते हैं ठीक है, कहते हुए सभी अधिकारी और कर्मचारी व कैदी राइटर आगे की तरफ बढ़े। पूरे मैदान में चार सौ कैदियों की लंबी लाईन लगी हुई है। सारे कैदी अपनी वर्दी पहने और हाथ में अपना कार्ड लिए खड़े हुए है थाली मग्गा व दोनों काले कम्बल लिए खड़े हैं और साथ में हवालाती कैदी भी इन्हीं के साथ कार्ड लिए खड़े है। कितनी अजीब सी जगह है चाहे राजा हो या

रंक धनवान हो या बलवान, गरीब हो या अमीर, बदमाश हो या शरीफ एक लाइन में खड़े हैं। थोड़ा आगे बढ़ते हुए एक कैदी हाथ जोड़े व आँखों में आँसू लिए खड़ा है जैसे ही अधीक्षक वहाँ पर पहुँचे तो उसने रोते हुए कहा साहब मुझे छुड़वा दो मेरे घर में दो मासूम बच्चे व अकेली पत्नी है। न किसी का सहारा है। न कोई देखने वाला है न रिश्तेदार है न कोई जानने वाला घर में खाने के लिए भी पैसा नहीं है वो मर जाएंगे। उसके अन्दर से आवाज निकल रही है। साहब मैं अब अपने जीवन में कभी अपराध नहीं करूँगा। अधीक्षक ने उसका कार्ड देखा उसके ऊपर चोरी की धारा लगी थी। अधीक्षक ने उससे पूछा तुमने चोरी की। उस कैदी ने कहा साहब तीन दिन से बच्चे भूखे थे कहीं काम नहीं मिला जगह-जगह काम के लिए भटका लेकिन काम नहीं मिला मजबूर था, मैं मेहनत से खाने वाला हूँ। लेकिन क्या करूँ बच्चों की भूख प्यास ने मुझे इस कदर इस काम में धकेल दिया साहब मुझसे गलती हो गई अब से ऐसा काम नहीं करूँगा। अधीक्षक- क्या तुम शराब पीते हो। कैदी- हाँ साहब रोज शाम को। अधीक्षक- रोज कितना पैसा कमाते थे। कैदी- साहब दो सौ से तीन सौ रुपये। अधीक्षक- शराब कितने की पीते हो। कैदी- साहब दो सौ रुपये की। अधीक्षक- फिर कैसे अपना परिवार पालोगे। कैदी- साहब मुझे जिंदगी का सबक मिल चुका है अब छूट जाऊँगा तो मैं कभी शराब नहीं पिऊँगा और न ही गलत काम करूँगा। अधीक्षक- ठीक है राइटर को इशारा करते हुए हाँ भाई इसका नाम लिखो। सरकारी वकील के लिए। इन्हीं बातों को खत्म करते हुए अधीक्षक साहब आगे बढ़े। बहुत भीड़ है, हर सोमवार को रोज परेड में इसी तरह भीड़ लगी रहती है। सभी को परेड पर खड़ा होना पड़ता है। शायद हर दूसरे कैदी के दिल में डर रहता है कि अधीक्षक आने वाले हैं और आगे बढ़ते हुए एक कैदी जो लंबा चौड़ा खड़ा है। उसकी समस्या क्या है? यह तो बात करके ही पता चलेगा

कैदी- साहब नमस्कार। अधीक्षक- सर हिलाते हुए। कैदी- साहब पिछले तीन दिनों से पानी की समस्या हो रही है। पीने के लिए भी दिक्कत है और यहाँ कैदियों ने नहा भी नहीं रखा है। अधीक्षक- डिप्टी जेलर की तरफ देखते हुए कहते है, हाँ, जेलर साहब पानी नहीं है। डिप्टी जेलर- नहीं साहब आजकल मोटर खराब होने के कारण पानी की थोड़ी दिक्कत है। लेकिन हर रोज पन्द्रह-बीस टैंकर जेल के अन्दर मँगवा रहे हैं। शायद एक-दो दिन में मोटर सही हो जाएगी तो पानी आ जाएगा। अधीक्षक- कैदी से, ठीक है आज कल थोड़ी पानी की समस्या इसलिए हो रही है क्योंकि मोटर जल चुकी है हम कोशिश कर रहे हैं कल तक पानी आ जाएगा। ठीक है, थोड़ी सी एक दिन की दिक्कत और होगी। अधीक्षक साहब ने डिप्टी जेलर को आदेश दिया है कि वह जल्दी से जल्दी मोटर ठीक करवाएं और पानी की व्यवस्था। पीने के लिए बाहर से टैंकर मंगाये जाएं। डिप्टी जेलर- ठीक है सर मैं अभी बात करता हूँ। डिप्टी जेलर के हाथ में दो-दो फोन हैं। उन्होंने तुरन्त अधीक्षक महोदय के आदेशानुसार टैंकर वाले को फोन किया। आगे बढ़ते भीड़ में एक कैदी खड़ा है उसकी भी एक समस्या है। पता नहीं शायद वह बीमार है उसने हाथ जोड़े और अधीक्षक साहब से कह रहा है साहब मेरी तबियत पिछले पाँच दिनों से खराब है मैं ठीक नहीं हो पा रहा हूँ। मुझे जेल के बाहर इलाज के लिए भिजवा दीजिए। अधीक्षक ने फार्मासिस्ट से पूछा क्या दिक्कत है? फार्मासिस्ट ने जवाब दिया साहब इसके पेट में दिक्कत है हम दवाई दे रहे हैं। हमने डॉ. साहब को भी दिखाया इसकी कुछ जाँचे है जो जेल से बाहर होनी है। उसके लिए हमने सी.एम.ओ. से परमीशन ली है, अब आई जी से परमीशन माँगी है। पिछले डेढ़ महीने से परमीशन नहीं आई है। जब परमीशन आएगी तो हम इन्हें यहाँ से बाहर भेज सकते हैं। अधीक्षक- परमीशन के लिए कब भेजा। मैंने जवाब दिया सर पिछले महीने दस तारीख को। ठीक है,

परमीशन आ जाएगी तो तभी जा पाएगा। ये जेल की सलाखें है यहाँ आना आसान है यहाँ से बाहर जाना अपने आप में एक चुनौती। चाहे कैदी मर जाए। इस जेल की सलाखों से कैदी आपातकालीन में तभी जा सकता है जब वह अन्तिम साँसे लेगा। आगे चलते हुए हम सभी अधीक्षक की टोली के साथ बढ़ रहे थे चारों तरफ सन्नाटा पसरा हुआ था कई मेरे जानने वाले कैदी हैं जो दूर से ही हाथ हिला रहे हैं लेकिन मैं भी यहाँ कैदी ही तो हूँ। मैं पुराना कैदी हूँ इसलिए सभी मुझे जानते है आगे बढ़ते हुए किसी कैदी ने कोर्ट की समस्या रखी है। अधीक्षक ने हवालाती राइटर से पूछा क्या है इसका मामला? राइटर कैदी- सर हमने यहाँ से परसों गार्ड लगाई थी लेकिन गार्ड नहीं आ पायी इसलिए हमने अर्जी भेज दी है अगली तारीख आएगी तो बता दिया जाएगा। आगे बढ़ते हुए फिर कैदी ने अपनी समस्या रखी। उसकी समस्या है, पानी की आजकल जेल में बहुत किल्लत है सभी परेशान हैं अधीक्षक ने सभी को समझाया कि हमने टैंकर मँगवाया है और कल तक पानी आ जाएगा और आगे बढ़ते हुए। कैदी शायद वह कुछ कहना चाह रहा है उसकी समस्या है कि वह अपने दोस्त के साथ रहना चाहता है अधीक्षक- क्या नाम है कैदी- नशीम। अधीक्षक- कब से जेल में हो कैदी- साहब दस पन्द्रह महीने से। अधीक्षक- कौन सा केस है। कैदी- चार सौ बीस। अधीक्षक- तुम इस आदमी को कैसे जानते हो। कैदी- साहब हमारी यहीं मुलाकात हुई है हम दोनों साथ में रहना चाहते है। डिप्टी जेलर ने हड़काते हुए कहा मैं जानता हूँ। तुझे तू क्यों उसके साथ रहना चाहता हैं डिप्टी साहब ने अधीक्षक साहब को कहा सर मैं बताता हूँ। ये क्यों उसके साथ रहना चाहता है। अधीक्षक- ठीक है बाद में देखेंगे। कैदी हाथ जोड़े खड़ा है यह सोचकर कि उसके साथी के साथ रखा जाएगा। खैर सभी यहाँ से आगे की तरफ को बढ़े। एक कैदी फिर आगे खड़ा है उसकी समस्या है वह तीन दिन से बुखार से पीड़ित है

फार्मासिस्ट ने उसे देख अहाता राइटर को हड़काते हुए कहा, भाई जरा देख लिया करो जो ऐसे कैदी होते है जिनकी तबीयत खराब रहती है उन्हें अस्पताल भेज दिया करो। राइटर कैदी ने हाँ कहते हुए जवाब दिया फार्मासिस्ट ने कहा राइटर से कि यार तुम लोग सीधे-साधे कैदियों को जो बीमार है उसे तो भेजते नहीं हो जो नंगे कैदी होते हैं वो सारे किसी भी टाईम आ जाते हैं। उनके साथ चार-चार नम्बरदार भी आते हैं। इस बेचारे को तुरंत अस्पताल भेजो। मैंने एक पर्ची बनाकर राइटर को दी वह उस कैदी को तुरन्त अस्पताल ले गया। अब यहाँ अहाता संख्या एक-दो में परेड पूरी हो चुकी है। इस अहाते में करीब तीन सौ से चार सौ कैदी रहते है आठ बड़े-बड़े कमरे है और खेलने के लिए बाहर मैदान जहाँ पर वॉलीबाल रोज खेला जाता है। इन सलाखों के अन्दर का जीवन एक रहस्यमयी जीवन है हमारे सामने एक गेट खुल चुका है अधीक्षक साहब सबसे आगे हैं वह बहुत तेज चलते हैं सभी हाथे से निकल चुके हैं और जितने कैदी खड़े थे वे अपने कामों में लग चुके हैं। अब बारी है तीन-चार नम्बर अहाते की जहाँ पर एक नम्बरदार जो दिखने में लम्बा चौड़ा सफेद जेल की वर्दी पहन कर खड़ा है। उसने गेट खोल दिया सभी कैदी एक लाइन से खड़े हैं। करीब तीन सौ से ज्यादा कैदी हैं, सभी अपना कार्ड लेकर खड़े है, शुरूआत हो चुकी है एक कैदी अपनी कुछ समस्या बताना चाह रहा है और कह रहा है साहब मैं कुछ कहना चाहता हूँ। अधीक्षक- हाँ कहो। कैदी- साहब मुझे एक दो के अहाते में कर दो। अधीक्षक- क्यों, कैदी- साहब मेरे साथ का है, अधीक्षक- कौन है? कैदी- साहब मेरा केशवार है। मैं उसके साथ जाना चाहता हूँ। डिप्टी जेलर- तू पहले उसी अहाते में था। कैदी- जी हाँ। डिप्टी- बेटा (गुस्से में) मैं जानता हूँ, तुझे। अधीक्षक- तुम्हें यहाँ क्यों किया था। कैदी- साहब मुझे नहीं पता। मुझे यहाँ क्यों किया अचानक ही मुझे वहाँ से इधर कर दिया शायद उसकी कोई हिस्ट्री है। जिससे डिप्टी जेलर चौंक

उठा अब यह यहीं रहेगा। उसे यहाँ से नहीं भेजा जाएगा। डिप्टी ने उस कैदी को हड़काते हुए कहा बेटा अपनी सजा काट लो दूसरे के चक्कर में पड़ोगे तो परेशान हो जाओगे। ये जेल है यहाँ की न तो दोस्ती अच्छी है और न ही दुश्मनी। आराम से अपनी सजा काट। फालतू चक्कर में पड़ेगा तो तुझे दिक्कत हो जाएगी। आगे बढ़ते हुए इसी तरह सभी की कुछ न कुछ समस्याएँ हैं। यह जेल ही अपने आप में सबसे बड़ी समस्या है पता नहीं इन्सान क्यों अपराध करता होगा। हर कैदी इस कैद-खाने में आकर अपना किया हुआ सोचकर पछतावा करता है कि उसने जो किया, वह गलत किया। ये दीवारें समाज से अलग करने में बहुत बड़ा योगदान देती है। इसलिए ये दीवारें इतनी लंबी व ऊँची बना रखी हैं ऐसा नहीं हैं कि ये जेल की दीवारें कैदियों को भागने से रोकती हैं ये दीवारें इन्सान के दिल-दिमाग, आँखे, शरीर व पूरी आत्मा को कैद करती हैं। जिससे इन्सान की दिमागी क्षमता खत्म हो जाती है उसकी याद्दाश्त खत्म हो जाती है। पूरी जेल करीब किलोमीटर में बनी है जब जेल के बीस टावर में चलकर देखा जाता है तो मानो ऐसा लगता है जैसे कि पुराने राजाओं का महल वाला खंण्डहर हो। ये दीवारें उसकी यादें ताजा करती हैं, ये दीवारें इन्सान को डराती हैं। आगे बढ़ते हुए एक कैदी लड़का बड़ी-बड़ी मूँछे हैं वह अधीक्षक से निवेदन कर रहा है कि पिछले चार महीने से बीमारी से परेशान है बाहर की गार्ड नहीं आ रही है और आई जी से मेरी परमीशन भी आ चुकी है। रोज लोगों की गार्ड आती है पर हमारी नहीं, आखिर क्यों साहब? हमारे जैसे कैदियों पर अत्याचार क्यों हो रहा है। अस्पताल के लिए रोज तीसरे दिन गार्ड आती है। लेकिन हमारी नहीं, जिस कैदी का पुलिस लाइन में जुगाड़ होता है उसकी गार्ड आ जाती है। यहाँ जेल में कुछ कैदी हैं जो पूर्व में पुलिस विभाग में काम करते थे। उनकी जब भी जेल से गार्ड लगाई जाती है उनके लिए अलग से गार्ड उपलब्ध हो जाती है और वह सुबह जेल से

जाते हैं दिन भर मौज-मस्ती करते हुए रात को जेल में वापस आते हैं। आखिर इतना भेदभाव क्यों है? आखिर हमारे जैसे बेसहारा कैदियों की कोई क्यों नहीं सुनता। हमारे जैसे कैदियों की जान तो जेल की इसी चौखट पर चली जाती है और इन्हें जेल से बाहर मरा दिखा देते हैं। आखिर ऐसा अत्याचार क्यों हो रहा है। जिनकी तबियत खराब है वह अस्पताल नहीं जा पा रहे हैं लेकिन जो स्वस्थ हैं जो घूमना फिरना चाहते हैं उनकी गार्ड रोज आ जाती है। वाकई यह बात तो बिल्कुल सही है पिछले पाँच वर्षों से मैं भी उच्च रक्तचाप की दवाई खा रहा हूँ। विशेषज्ञों द्वारा कई बार दिल की जाँच के लिए परामर्श दिया गया। लेकिन हमारे जैसे बेसहारा कैदियों को इन्हीं सलाखों में मरना लिखा है। दो बार गार्ड आयी एक बार 10:30 बजे एक बार 11 बजे। ऐसे में वहाँ गया तो डॉ. ने उल्टा मुझे हड़का दिया यह कहकर कि मैंने तुम्हें समय पर आने को कहा है जिस कारण तुम्हारी दिल सम्बन्धित जाँच हो पाए, पर तुम समय पर नहीं आते हो अब मैं तुम्हें किसी भी दिन आने के लिए लिख रहा हूँ और जेल वालों को लिखित में दे रहा हूँ बाकी आप देख लो। लेकिन इतना समय हो चुका है कि आज तक मेरी दिल की जाँच नहीं हो पायी है। एक बार मैं जेल अधीक्षक के पास गया। मैंने अनुरोध किया, साहब मेरी उम्र 27 वर्ष है मैं मर जाऊँगा मेरी जाँच करवा दीजिए पुलिसगार्ड समय पर नहीं आती है जिससे कि मेरी जाँच आज तक नहीं हो पाई है। लेकिन किसी ने अधीक्षक के कान भर दिए उन्होंने जेल के गार्ड से भेजने को मना कर दिया अगर आज मैं यहाँ पर मर गया तो इन जेल वालों का कोई कुछ नहीं बिगाड़ सकेगा क्योंकि यह मुझे जेल के बाहर मरा दिखा देंगे। खैर! मैं तो अपनी बातें बीच में ले आया। आगे बढ़ते हुए हर किसी कैदी की कुछ न कुछ समस्या है। किसी को इस जेल में नहीं रहना है तो किसी को जुर्माना भरना है तो किसी को वकील चाहिए तो किसी को तारीख पर भेजना है तो किसी को मुलाकात का

समय अधिक चाहिए। ऐसी ही बहुत समस्याएँ हैं। खैर! आगे बढ़ते हुए, एक सरदार कैदी एक पर्चा लिए खड़ा है वह कह रहा है साहब मैं परेशान हूँ। यह दवाई मँगवा दीजिए मैंने पहले यह दवाई ली थी उससे मुझे बहुत आराम था अब मेरे पास यह दवाई नहीं है। खैर, फार्मासिस्ट ने कहा हम इस की गोली दे देंगे। उसने कहा साहब मुझे इन गोलियों से आराम नहीं मिलता है। मैं बहुत परेशान हूँ साहब अगर हो सकता है तो आप इस पर्चे की दवाई मँगा दीजिए जो इसमें लिखा है। नहीं तो आप परमीशन कर दीजिए मैं स्वयं दवाई मँगा लूँगा। अधीक्षक ने उस सरदार कैदी से कहा कि तुम चिंता मत करो हम मँगवा देंगे मेरे द्वारा पर्चा लिया गया और उसकी दवाई मँगवा दी गई। आगे बढ़ते हुए कई कैदियों की अपनी-अपनी समस्याएँ है। अब अधीक्षक का काफिला अगले अहाते की तरफ बढ़ते हुए, अहाता संख्या पाँच-छः। इस बैरक में सभी कैदी रहते हैं कोई भी हवालाती कैदी नहीं हैं, कुछ भ्रष्टाचार में आए सरकारी तंत्र के अधिकारी इस अहाते में रहते हैं, कुछ 420 करके आए हैं तो कुछ रिश्वत लेके कुछ सरकारी पैसे उड़ाने के चक्कर में। आज यहाँ पर कई सरकारी अधिकारी कैद हैं। आखिर ऐसे भ्रष्टाचारियों को गोली से उड़ा देना चाहिए। हमारी आम जनता का पैसा यह उड़ा रहे हैं हमारे देश को आगे बढ़ने में अड़ंगा लगा रहे हैं, हमारे देश के साथ गद्दारी कर रहे हैं, ऐसे सरकारी तंत्र के गद्दारों को माफ करना दुर्भाग्यपूर्ण है। सामने नम्बरदार कैदी खड़ा है और एक जेल का सिपाही भी। जैसे ही अधीक्षक का काफिला वहाँ पर पहुँचा सिपाही ने अपना सलाम दिया। गेट खुला, सारे कैदी अपनी-अपनी लाइन में खड़े है सभी को पता है, अधीक्षक का काफिला आ चुका है। शुरू में ही एक कैदी दोनों हाथ जोड़े कुछ कहना चाहता है कैदी- साहब मैं काम करना चाहता हूँ। अधीक्षक- क्या काम करना चाहते हो। कैदी-साहब कुछ भी कर लूँगा जो आप कहें। अधीक्षक- ठीक है इन सभी को काम दो।

(अधीक्षक ने डिप्टी जेलर को आदेश दिया) इस कैदी की उम्र लगभग 65 वर्ष से ज्यादा होगी ऐसे कई बुजुर्ग है जो आजीवन कारावास की सजा भुगत रहें है। अधीक्षक ने राइटर से कहा तुम ऐसे कैदियों को सफाई व देखभाल में लगा दो जो कैदी यहाँ इधर- उधर थूकते है उन्हें मना करो ये खुले में नहीं थूकेंगे और जो कैदी नहीं मानेगा उसकी शिकायत रोज डिप्टी जेलर को दो। आज से ऐसे बुजुर्ग कैदियों की ड्यूटी इसमें लगा दो जो कैदी सही देखभाल नहीं करेगा उसे तुरन्त काम से हटा दो। अधीक्षक ने आदेश दे दिया है, आज से इनकी नौकरी पक्की है लेकिन नौकरी के साथ चेतावनी भी दी गई है अगर वे कैदी सही काम नहीं करेंगे तो उन्हें काम से हटा दिया जाएगा। इन कैदियों को नौ सौ रुपये प्रति माह मिलेगा जिससे यह कैदी अपनी देखभाल साबुन, तेल खाने-पीने की छोटी-मोटी जरूरतें पूरी करेंगे। आगे बढ़ते हुए, कैदियों की बहुत लम्बी लाइन लगी हुई है। एक कैदी एस डी एम जो रिश्वत लेने के जुर्म में जेल आया है उसकी समस्या उसके साथ में रहने वाले कैदी के साथ है। पता नहीं दोनों में तू-तू मैं-मैं हो गई थी वही समस्या को सामने रखने की कोशिश कर रहा है। दूसरा कैदी, वह भी भ्रष्टाचार के केस में जेल में है समझ यह नहीं आता। एक एस डी एम और दूसरा कोई उच्च अधिकारी जैसे पढ़े लिखे लोग जेल जैसी जगह में भी अपनी मानसिकता से बाज नहीं आते। ऐसा देखकर लगता है, वाकई ये लोग जरूर भ्रष्टाचारी और बदतमीज किस्म के लोग हैं अधीक्षक के सामने ही दोनों आपस में बहस कर रहे हैं अधीक्षक ने दोनों कैदियों को समझाया कि आप अभी जेल की सलाखों में कैद है आप अपने पद में नहीं एस डी एम आप बाहर थे लेकिन अभी आप एक मामूली कैदी हैं। आप क्या चाहते हैं? एस डी एम कैदी- साहब मुझे इस कैदी से अलग कर दो, नहीं तो इसे, जेलर- नहीं अलग करेंगे तो हम दोनों को करेंगे अधीक्षक- नहीं, कोई बात नहीं, एक कैदी की

बैरक बदल दो। जेलर ने सर हिलाते हुए आदेश का पालन किया। एस डी एम कैदी ने शिकायत की कि उसने मेरे साथ बदतमीजी की। यह कहा कि तुझे मैं देख लूँगा। दूसरा कैदी- नहीं साहब मैंने ऐसा नहीं कहा बात कुछ और ही है। एस डी एम कैदी- तेरी हिम्मत कैसे हुई, मुझसे ऐसा कहने की, यह सारी बात अधीक्षक के सामने हो रही थी। अधीक्षक ने दोनों कैदियों को समझाया और दोनों से कहा कि आप अपने अन्दर से गलत भावना को निकाल दें दोनों एक ही जगह रहो। आपस में छोटी-मोटी बात होती रहती हैं आप दोनों हाथ मिलाइये। दोनों कैदियों ने अपनी-अपनी गलती का अहसास किया और अधीक्षक के कहने पर हाथ मिलाया। आगे बढ़ते हुए एक कैदी जिसके पैर पके हुए हैं। वह पुराना नशे का आदी है। वह कैदी नस में नशे का इन्जेक्शन लगाता था। अब उसकी हालत बहुत खराब है अधीक्षक ने उसे मेडिकल में जाने के लिए कहा और फार्मासिस्ट को कहा कि इसका इलाज किया जाए आगे बढ़ते हुए कई लोगों की अपनी-अपनी समस्या है लेकिन क्या करें यह जेलखाना है इस अहाते की पूरी परेड हो चुकी है गेट पर नम्बरदार गेट खोलकर खड़ा है सामने तन्हाई बैरक है। उसमें जेल के कुछ ज्यादा अपराधी किस्म के कैदी और बदमाशों को डाला गया है ऐसे कैदियों को जेल अधीक्षक ने छाँट कर यहाँ डाला है। सारे कैदी अपना-अपना कार्ड लेकर खड़े हैं। वहाँ पर किसी की कोई समस्या नहीं है, बस एक कैदी जो हाथ जोड़कर कह रहा है साहब गलती हो गई मुझे इस तन्हाई से आजाद करके बड़ी बैरक में डाल दो शायद उस कैदी ने किसी अन्य कैदी के साथ मारपीट कर दी थी। इसलिए इस कैदी को यहाँ पर डाला गया है। अधीक्षक बिना सुने बाहर की तरफ को निकल गये। पूरी तेजी के साथ अधीक्षक आगे बढ़ते हुए, सीधे तीन नम्बर का विशाल गेट, अधीक्षक अस्पताल की तरफ को बढ़ ही रहे थे अचानक जेलर साहब ने भण्डारे की तरफ को इशारा किया। समय ज्यादा हो गया है जेल में

खाना भी बँटना है। भण्डारे गेट पर नम्बरदार व एक जेल सिपाही गेट खोलकर खड़े हैं। सिपाही जोर से पैर पटकते हुए, जय हिन्द सर कह रहा है। सिपाही की टोपी टेढ़ी है, वर्दी ढंग से नहीं पहनी है और न ही सलाम देना आ रहा है। क्या है इन जेल के सिपाहियों के तौर तरीके? न इन्हें वर्दी पहनना आता है और न ही इन्हें सलाम करना। इस जेल की नौकरी क्या कहें, बस इन सिपाहिंयो को हर चीज मुफ्त चाहिए। सभी के पेट हराम का खा-खाकर बढ़े हुए हैं। देखने से लगता है। मैंने इतने वर्षों में यही देखा है। भण्डारे में सभी कैदी है करीब सौ कैदी डेढ़ हजार कैदियों का खाना तैयार करते हैं। अधीक्षक सब कैदियों से पूछ रहें है। किसी को कोई समस्या तो नहीं है एक कैदी उसने वर्दी के अन्दर प्राइवेट कमीज पहन रखी है। अधीक्षक ने सर हिलाते हुए कहा हाँ भाई क्या बात अन्दर कमीज क्यों पहनी है तो उस कैदी ने हँसते हुए कहा, साहब आपको देखकर जल्दी में पहन लिया था अधीक्षक भी हँसते हुए कह रहे है, यह वर्दी काम करने के लिए बहुत अच्छी है अन्य समय प्राइवेट पहन लो लेकिन काम करते समय वर्दी अच्छी है। सामने लंगर है, वहाँ पर करीब पाँच बड़े बड़े हाँडे हैं जिसमें दाल को रखा गया है तीन चावल के और तीन बड़े-बड़े तसले रोटियों के और एक बड़ा भगोना सब्जी का। वहाँ पर राइटर कैदी खड़े है जो अधीक्षक को खाना चेक करवा रहे हैं। अधीक्षक बहुत अच्छे हैं वह कह रहे है, बेटा खाने में मजा नहीं आ रहा है, रोज खाना बनता है तो मेरे पास चेक कराने के लिए ले आओ। राइटर कह रहा है साहब कभी जैसे आप ऑफिस में नहीं रहते है तो क्या होगा अधीक्षक कह रहे हैं तो कोई तो होगा जेलर साहब होंगे उन्हें ही दिखाओ, खाने की क्वालिटी अच्छी करो। यहाँ पर मक्खियाँ बहुत हैं। दवाई के लिए राइटर कैदी कह रहा है कि साहब यहाँ पर मक्खियाँ बहुत हो गई है दवाई डलवा दीजिए। अधीक्षक- दवाई कब डली थी। राइटर कैदी- साहब दो हफ्ते हो गये

हैं साहब तब से कोई नहीं आया है। अधीक्षक- जेलर साहब, आज दवाई डलवाइए अधीक्षक बाहर को बढ़ते हुए आगे निकल गये यहाँ पर बहुत मेहनत का काम है हर कैदी को एक काम दिया जाता है यहाँ पर सबसे मेहनत का काम रोटी सेंकने का है और दूसरा काम आटा गूँथने का, काम दोनों मेहनत के हैं वैसे तो यहाँ पर सभी काम मेहनत के हैं लेकिन यह दो काम बहुत ज्यादा मेहनत का काम है मैं भी छः-सात महीने यहाँ पर रहा मुझे सजा में यहाँ पर रखा गया। मैं सबसे पहले राइटर कैदी के पास गया उससे पूछा कि तुम्हारे पास सबसे ज्यादा मेहनत का काम कौन सा है। सभी कैदी मुझे जानते हैं। राइटर कैदी ने कहा जीतू भाई यहाँ पर दो काम ज्यादा मेहनत के हैं एक रोटी सेकना और दूसरा आटा गूंथना मैंने राइटर कैदी से कहा मैं आटा गूथूँगा, उसने मुझसे कहा, रहने दो, आप आराम से बैठो, हमारे पास काम करने वाले कैदी बहुत हैं आप से काम कौन करायेगा, आप पुराने कैदी हैं खैर वह कैदी मेरी इज्जत करता है इसलिए ऐसी बात कह रहा है। मैं आटा गूँथने लग गया। एक बार में करीब दो हजार से तीन हजार रोटियों का आटा गूँथा जाता है। बहुत बड़ी परात होती थी। पहले आटा मशीन से होकर आता था फिर हाथ से गूँथना पड़ता था इतना मेहनत का काम सभी आटा गूँथने वाले कैदी पसीने से तर हो जाते थे। आधे से ज्यादा पसीना तो आटे में मिल जाता था मजबूर थे कुछ नहीं हो सकता था मैं जब आटा गूँथने के समय पसीने-पसीने हो गया था तो मैंने खाना भी नहीं खाया क्योंकि मैं यह सब देखकर घृणा महसूस कर रहा था उस आटे मे सभी कैदियों का पसीना जा रहा था जैसे पानी बहता है इस जेल में रोज करीब बारह हजार रोटियाँ बनती हैं और चावल-दाल। बहुत मेहनत का काम होता है तब महसूस होता है कि गलत काम का नतीजा गलत ही होता है एक कैदी दूसरे कैदी को एक बीड़ी पिलाने के बदले दस कपड़े धुलवाता है, मालिश करवाता है और अलग से बर्तन धुलवाता है,

खैर! अधीक्षक का काफिला सीधे अस्पताल की तरफ को जा रहा है, गेट खोल कर कैदी और सिपाही खड़े हैं यहाँ पर भी सारे कैदी अपना-अपना कार्ड लिए खड़े है। अधिकतर बुजुर्ग कैदी जिनको आजीवन कारावास की सजा है जो बीमार भी हैं वो यहाँ हैं और जो नये कैदी हवालाती आए हैं वो भी मुलाहिजा बैरक में रहते हैं जो कैदी अस्पताल में भर्ती हैं, उनके लिए खाना इसी अहाते में बनता है। सभी ने कुछ न कुछ समस्या रखी है, सभी की समस्याएँ अधीक्षक के कैदी राइटर ने लिख ली हैं अब अस्पताल वार्ड की बारी है अधीक्षक सीधे अस्पताल वार्ड में आए यहाँ करीब 25-30 के बीच में कैदी मरीज है उनमें से कुछ भर्ती हैं, कुछ सफाई में, कुछ ऐसे बीमार कैदी हैं जिनकों यहाँ पर रखा गया है। इनमें से कुछ कैदी ऐसे हैं जो पैसे देकर यहाँ पर रूके हुए हैं इस कदर भ्रष्टाचार जेल में। यहाँ कुछ कैदी तो ऐसे हैं जो कई वर्षो से इस जेल अस्पताल में भर्ती हैं। लेकिन हकीकत बयाँ करें तो कुछ कैदी ऐसे हैं जिनको कोई दिक्कत है ही नहीं। इसी वार्ड में यू.पी. के पूर्व सांसद डी. पी. यादव भी रहते हैं वह बेड नं. तेरह में रहते हैं जो आजीवन कारावास की सजा में जेल काट रहें हैं अधीक्षक ने डी.पी. यादव से कुछ बात की और आगे की तरफ को बढ़ गए अस्पताल से बाहर निकलते हुए तीन नम्बर का गेट खुला जहाँ पर तीन नम्बरदार कैदी खड़े हैं इस गेट से आगे हरियाली ही हरियाली है। जिसमें फूल व अन्य चीजें लगाई गयी हैं। हमारे दाहिने तरफ को बच्चा बैरक है यहाँ पर वह कैदी रहते हैं जिनकी उम्र दिखने में कम लगती है या जो बच्चे जैसे लगते हैं। करीब पैंतीस से चालीस कैदी यहाँ पर रहते हैं सभी अपना-अपना हिस्ट्री टिकट लिए खड़े है ये है हमारे देश का भविष्य जो चोरी में, मर्डर में, नशे में, चैन स्नैचिंग में यहाँ पर कैद हैं आखिर क्यों आज युवा इस कदर नशे की आगोश में कूद रहा है मुझे बहुत अफसोस होता है। एक-दो बच्चे ऐसे थे उनके मेडिकल परीक्षण

के लिए कोर्ट आदेश माँगने के लिए जेलर साहब को कहा शायद इनकी कोर्ट से परमीशन आ जाएगी तो वह लड़के यहाँ से बाहर अस्पताल चैकिंग के लिए जाएंगे अगर इनकी उम्र 18 वर्ष से कम आएगी तो ये बड़ी जेल से बच्चा जेल स्थानांतरण हो जाएंगे अभी ये बड़ी जेल की बच्चा बैरक में हैं। पुलिस ने इन्हें बालिग दिखाया है। आगे बढ़ते हुए, बच्चा बैरक से बाहर आए और अब आगे बढ़ते हुए, कार्यशाला की तरफ को बढ़े, ये जेल की कार्यशाला है यहाँ पर सिलाई, कढ़ाई, बिजली का काम, दरी बिनने का काम, जूते बनाने का काम, अन्य काम यहाँ होतें हैं और इन कामों का यहाँ पर प्रशिक्षण दिया जाता है। करीब सौ से डेढ़ सौ कैदी रोज यहाँ पर काम करते हैं यह सभी कैदी अभी परेड में खड़े है क्योंकि अधीक्षक आए हैं। यहां पर सभी की कुछ न कुछ समस्याएँ है। किसी की मुलाकात की समस्या है तो किसी की कोर्ट से सम्बन्धित समस्या किसी की प्राइवेट समस्या है, तो किसी की अपीलीय समस्या है। समस्या का निदान करने हेतु अधीक्षक ने आश्वासन दिया है लेकिन क्या होगा आगे ही पता चलेगा। अधीक्षक ने सभी जगहों पर जाकर देखा कि जेल में कैसे काम चल रहा है कैसे क्या हो रहा है, किसी को दिक्कत समस्या किसी भी प्रकार से है तो उसका निदान करने के लिए जेलर व डिप्टी जेलर को आदेश दिया है। इसी भ्रमण के साथ आगे बढ़ते हुए सभी अधिकारी व जेल कर्मचारी महिला बैरक की तरफ को गये हैं वहाँ क्या हुआ इसकी मुझे जानकारी नहीं लेकिन वहाँ भी यहीं की तरह दिक्कतें और समस्याएँ होंगी थोड़ी देर बाद मुझे पता चल जाएगा कि वहाँ क्या हुआ क्योंकि हमारे फार्मासिस्ट वहाँ गये हैं। वहाँ सिर्फ जेल अधिकारी ही जा सकते है बाकी कोई नहीं, खैर, वहाँ पर दो महिलाएँ जो बुर्जग थीं उन्हें साँस की तकलीफ है उन महिला कैदियों के लिए साँस की दवाई भेजनी है। मुझे आदेश दिया गया है कि महिला बैरक में तुरन्त दवाई भिजवा दें। खैर,

सभी अधिकारी व कर्मचारी ऑफिस में गये। ये जेल खाना है ये जो अधीक्षक हैं उनकी सोच बंदियों/ कैदियों के प्रति बहुत अच्छी है उसी के साथ-साथ वे ईमानदार और भ्रष्टाचार से मुक्त है, लेकिन उनके नीचे जो अधिकारी हैं वो अधिकारी उन्हें भड़का देते हैं जिससे इस कारण कई कैदियों को दु:ख का सामना करना पड़ता है मैं भी उनमें से एक हूँ मेरे बारे में भी बहुत बातें गलत तरीके से प्रस्तुत की गयीं थीं। उन्होंने कई बार मुझसे बात की। आखिर उन्हें पता चल गया कि मैं किस तरह का कैदी हूँ।

जेल की चार दीवारियों के अंदर आसमान के सिवा कुछ और तो नजर नहीं आ रहा लेकिन इस समय मौसम में काफी परिवर्तन है अभी दो-तीन महीने पहले ही मैं देख रहा था कुछ कैदी ठण्ड से तड़प रहे थे घर से दूर इस कैदखाने में बंद इन कैदियों के पास पहनने को कपड़े तक नहीं थे। वह ही कपड़े जिन कपड़ों को पहनकर वह कैदी जेल आए थे वह ही पहने हुए अपने समय को इस कैद में बिता रहे हैं और आज मैं देख रहा हूँ गर्मी से जेल की दीवारों से एक गर्म हवा एक गर्म भाप जलाने को दौड़ रही है। देखिए कुदरत का क्या करिश्मा है। कभी तपती गर्मी तो कभी ठण्ड से अकड़ना, कभी बरसात तो कभी बसंत ऋतु जो कई खुशियाँ लेकर आती है। लेकिन गर्मी के मौसम के मिजाज को देखकर ऐसा लगता है कि इस मार्च-अप्रैल में इतनी गर्मी होनी शुरू हो गयी तो आने वाले दो माह बाद क्या होगा! इस भयानक सलाखों के अन्दर मायूस बैठकर मैं देख रहा हूँ और अपनी नजरें दौड़ा रहा हूँ। सभी कैदी कच्छे और बनियान में दिख रहे है। मैं अपने बिस्तर पर था। पंखा चल रहा था लेकिन उस पंखे से भी गर्म हवा आ रही थी जलती धूप की किरणों ने पूरे जेल की दीवारों छत को इस कदर जला दिया था कि मेरे माथे और शरीर से भी पसीने की धार निकल रही थी मेरे हाथों में एक किताब थी और दूसरे हाथ में एक रूमाल। उस किताब

से मैं हवा कर रहा था तो रूमाल से पसीने की धार पोछ रहा था किसी ने सही कहा है ऊपर वाले के डण्डे की आवाज सुनाई नहीं पड़ती है। अगर वह चाहे तो गर्मी को ठण्डे में तबदील कर दे और ठण्ड को गर्मी में। यही सब मुझे इस गर्मी में अहसास हो रहा था आज इस कैदखाने में कई वर्ष बीत गये लिखने के लिए तो रोज सोचता हूँ लेकिन पता नहीं क्यों ये जेल की दीवारें मुझे लिखने नहीं देती हैं। समझ में कुछ नहीं आ रहा हैं इस रहस्यमयी जेल के अन्दर हर रोज कुछ न कुछ घटनायें घटती रहती हैं लेकिन जिधर मैं तपती हुई गर्मी की बात कर रहा था। उसी तरह इस भयानक कैदखाने के अंदर कैदियों का दिमाग गर्मी से विकराल रूप ले रहा था। इन कैदियों का दिमाग गर्म हो चुका है आए दिन कई कैदियों को पागलपन का दौरा पड़ रहा है। लेकिन सारी दिक्कतों का सामना अंत में हमें ही करना होता है। यहीं मैं अपनी कोठरी की बात करूँ तो मेरी कोठरी के अन्दर दस-बारह कैदियों का दिमाग खराब हो चुका है। जेल की इन दीवारों की गर्मी इन कैदियों के अन्दर समा गयी है। यह कैदी पूर्ण रूप से पागलपन को समर्पित हो चुके हैं मैं बयाँ नहीं कर पा रहा हूँ कि मैं कैसे इन पागलों के साथ रह रहा हूँ। बस यूँ समझ लीजिए कि मैं मजबूरी में समय काट रहा हूँ और अपने पापों का प्रायश्चित कर रहा हूँ अपने घर-परिवार, समाज से दूर रहकर पल-पल तड़प रहा हूँ। इस कैदखाने की तड़पन को कैसे बयाँ करूँ आज जेल में दो गुटों का आपसी मतभेद होने के कारण ताबड़तोड़ हाथापाई हो गयी है एक गुट के चार-पाँच कैदियों ने मिलकर दूसरे गुट के एक कैदी को हाथों-पैरों से इस कदर मारा कि उस कैदी की नाक और मुँह से खून की बौछार निकल पड़ी जेल के इस अहाते में अफरा-तफरी मची थी। जेल के कैदी, नम्बरदार और जेल के सिपाहियों में अफरा तफरी मची है। कुछ इधर से उधर भागम-भाग कर रहे है तो कुछ तेजी से जल्दी में भागमभाग कर रहे है कई पुलिसवालों के हाथों

में अपने से भी लम्बे डण्डे हैं जो अगली कार्यवाही के लिए तैयार हैं मैं अस्पताल वार्ड में बैठा टी. वी. देख रहा था। मेरी निगाहे टी. वी. पर गढ़ी थीं अचानक ही मेरी बगल में बैठे कुछ कैदी इस कदर चौंक रहे थे मानों कोई बड़ा हादसा हो गया हो। लेकिन देखिए, मेरा ध्यान उस टी. वी. पर था मैं बिना आँख झपकाए वह प्रोग्राम देख रहा था। जेल में आए दिन इस तरह की घटनाएँ व अफरा-तफरी मचनी आम बात थी। वहीं दूसरी तरफ देखा जाए तो जेलों में अधिकतर आज वो व्यक्ति कैद हैं जो असामाजिक हैं जो समाज को बिगाड़ते हैं जो समाज की व्यवस्था को अव्यवस्थित करते हैं। कुछ ही ऐसे कैदी होते है जो बिना अपराध किये इस कैदखाने में कैद है जिसे मैं ढीली न्याय प्रणाली भ्रष्टाचार और अव्यवस्थित कानून को मानता हूँ जो चिन्ता का विषय बना हुआ है। आज जेलों में बंद सभी कैदी इन दीवारों के अन्दर कैद हैं और इन दीवारों के अन्दर की मानसिकता, यूँ समझिए कि चिड़चिड़ाहट या छोटी सी बातों को दिल में ले लेना आम बात है, जिसका सामना मैं पिछले दस सालों से कर रहा हूँ। अभी-अभी अचानक ही कुछ आवाजें मेरे कानों तक पहुँच रही हैं उस आवाज में कुछ अलग ही वाईब्रेट थीं। उसकी आवाज मुझे ऐसा प्रतीत करवा रही थी जैसे कोई बड़ा हादसा हो गया हो। उस कैदी ने घबराते हुए मेरा नाम लिया जीतू भाई....... इमरजेंसी है......... आओ आओ..... मेरी नजर उस कैदी पर पड़ी वह डरा, सहमा, खून से सना हुआ मुझे बुला रहा था। उस कैदी का डरा चेहरा और शरीर में खून देख मुझे भयभीत होने पर मजबूर कर दिया था। वह एक नम्बरदार कैदी था। मेरे सामने जालीदार खिड़की थी जहाँ से मैं सब देख रहा था। मैं जैसे ही अपनी जगह पर खड़ा हुआ। मेरी नजर उन कैदियों की भीड़ पर गयी। जहाँ पर कई कैदियों की भीड़ इक्ट्ठी थी मैं पहले ही समझ गया था कुछ न कुछ चक्कर जरूर है। मैं जिस हालत में था, भागते हुए उस भीड़ में पहुँचा मेरे एक हाथ में

टी शर्ट थी और मेरी आँखे उस कैदी पर गड़ गई जो उस भीड़ में मूर्छित पड़ा था। उस कैदी के लंबे बाल, चेहरा लंबा, रंग साँवला, चेहरे पर हल्की दाढ़ी-मूँछे वह जमीन पर पड़ा था दोनों हाथ अलग-अलग दिशा में थे और उसी तरह पैर भी। उसके मुँह से खून की धार बह रही थी। चारों तरफ कैदियों की भीड़ खड़ी थी। मैंने उस व्यवस्था को अपने हाथ मे लिया कैदियों की भीड़ से कहने लगा चलिए चलिए..... आप सभी लोग यहाँ से हटिए... कुछ शरीफ कैदी हट गये थे लेकिन कुछ हटने को राजी नहीं थे। उनके लिए मैंने दूसरी भाषा का प्रयोग किया ऐ.... ओ.... चल भाई चल यहाँ से... चलो भाई... सुन नहीं रहा है क्या....? बहुत मशक्कत के बाद किसी तरह मैंने एकत्रित कैदियों की भीड़ को इधर-उधर किया और जेल अस्पताल के ओ.पी.डी. वाले लोहे से बने गेट को बन्द किया क्योंकि इन कैदियों की भीड़ उस कैदी को और पीड़ित कर रही थी और साथ में ये तपती गर्मी भी। मेरे सह-राइटर कैदियों के चेहरे भी लाल-पीले हो गये थे। इन्हें डर था कि कहीं ये कैदी यहीं पर दम न तोड़ दें उस कैदी को पीट-पीटकर उसकी हालत कुछ ऐसी कर दी थी कोई भी सोचने पर मजबूर हो जाए। सभी राइटर कैदियों का चेहरा खून से भरा था। मेरे सह राइटर कैदी अलग-अलग काम में लग चुके थे, कुछ कैदी फर्श पर पड़े उसके खून को साफ कर रहे थे लेकिन मैं उसे गौर से देख रहा था। उसकी मौजूदा स्थिति वाकई गम्भीर थी इस स्थिति में डर का माहौल बन चुका था यह खून कहाँ से निकल रहा था। अंदाजा लगाना कठिन था क्योंकि उसका पूरा मुँह खून से सना था। उसने जो कमीज पहनी थी वह भी खून से सनी थी, जीन्स भी खून ही खून से सनी हुई थी। उस कैदी का यह रूप देख मैं भयभीत खड़ा था। जेलों के ड्यूटी सिपाही इधर से उधर भाग रहे थे जेल से बाहर जेल के सभी अधिकारियों को मामले की सूचना दे दी गई है। तकरीब दस बारह मिनट में जेल के अधीक्षक जेलर, डिप्टी

जेलर और जेल का मेडिकल स्टाफ मौके पर मौजूद थे सब के चेहरे इस घटना को देखकर उड़े-उड़े हो गए थे। हम सह राइटर कैदी इस घटना को देख रहे थे। क्या हो रहा है और क्या होगा फार्मासिस्ट ने टार्च उठाया और उस कैदी के पास बैठकर उसकी पलकों को ऊपर कर आँखों को चेक करने की काशिश की। देखने से पता चल रहा था कि वह पूरी तरह बेहोशी की मुद्रा में था लेकिन इस अवस्था में भी वह दर्द की आहें भर रहा था। ज्यों ही टार्च फर्श पर रखा और गले से आला निकाल कर उस कैदी को चेक किया साथ ही उसके छाती और पेट की जाँच भी की गई और उसका बीपी लिया गया उसका पूरा शरीर ठंडा पड़ चुका था स्थिति को मद्दे नजर रखते हुए उसे तुरंत ग्लूकोज़ लगाया गया और कुछ इंजेक्शन दिये गये। हमारे सामने जेल अधीक्षक और जेलर मौके पर मौजूद थे, वे मुझसे पूछ रहे थे, क्या हो गया मैंने मामले को संज्ञान में डाला, साहब, नम्बरदार कैदी और जेल पुलिसकर्मी द्वारा बताया गया कि अभी-अभी बीस मिनट पहले कुछ कैदी आपस में लड़ गये थे जिसमें से एक कैदी को गम्भीर चोट आयी है। इस चोटिल कैदी के साथ दो राइटर कैदी और कुछ जेल के सिपाही आए थे जो इसे छोड़कर वापस ड्यूटी पर चले गये। अधीक्षक- क्या नाम है इसका। मैंने अधीक्षक को कहा, सर, इसका नाम संजू है। इसको जेलर द्वारा पूर्व में किसी विवाद के चलते जेल की खतरनाक माने जाने वाली कोठरी तन्हाई में रखा गया था, बीच में इसे तन्हाई से हटा दिया गया। क्योंकि जेल में कुख्यात अपराधियों की संख्या ज्यादा हो चुकी थी। इन कुख्यात अपराधियों को एक आम कैदियों के बीच में रखना खतरे से खाली नहीं हो सकता था, जेलों में इनके लिए तन्हाई बनायी गई है। तन्हाई में जगह नहीं बचने के कारण उसे अहाते में शिफ्ट कर दिया गया है, उसी अहाते में कुछ कैदियों ने इसे जान से मारने की कोशिश की है। मेरे सामने लकड़ी से बनी एक लम्बा बेंच था। जिसके नीचे इस

कैदी की खून से सनी शर्ट हमारे सह राइटरों द्वारा उतार कर रखी गयी थी। वह खून से इस कदर गीली हो चुकी थी जो पहनने लायक नहीं थी। मेरे द्वारा अधीक्षक को उसकी उतारी गयी कमीज को दिखाया गया जो पूरी तरह खून से भीगी थी। इस खूनी खेल को देखकर अधीक्षक दंग रह गये थे और कुछ ही क्षणों में जेल के अधीक्षक और चिकित्सक आपस में मशवरा करने लगे कि आगे की कार्यवाही क्या होगी। कुछ देर बाद जेल के उच्च अधिकारियों द्वारा उस कैदी का परीक्षण किया गया। उसकी नाजुक हालत को देखते हुए तत्काल हायर सेन्टर रेफर कर दिया गया। मैंने एक नम्बरदार कैदी को उसकी कोठरी में भेजकर उसके कपड़े मंगवाये कुछ देर बाद नम्बरदार कैदी उसके कपड़े लेकर आया। उस कैदी को हमने शर्ट तो पहना दी लेकिन उसको पैंट नहीं पहना पाये। बढ़ती गर्मी का पारा जिस तरह से बढ़ रहा था उसी तरह जेल की एम्बुलेंस भी दौड़ती हुई सामने गेट पर मौजूद थी। स्ट्रेचर पर कैदी को लिटा दिया गया। जैसे हम दो कदम आगे बढ़े ही थे, जेल का हेड वार्डन चिल्लाते हुए कहने लगा अबे... ओ.... इसका पैंट खून से सना है इसे बदल दो तब उसे एंबुलेंस में डालो। मेरे साथी कैदियों ने उस कैदी को लिटाए हुए स्ट्रेचर को जमीन में रखा, काफी कोशिश करने के बाद भी उसने पैंट नहीं पहना वह खून से सनी पैंट को बदलना नहीं चाह रहा था। उसकी हालत खराब तो थी ही फिर भी अपनी पैंट को हाथ नहीं लगाने दे रहा था। इंसान के समय का कुछ कहना उचित नहीं होगा। इसी को मद्देनजर रखते हुए कह नहीं सकते क्या होगा वह कैदी मर भी सकता है उसके होंठ के पास बहुत गहरी चोट है होंट आर-पार हो चुका है और उसे खून की उल्टियाँ भी हुई हैं। उसकी सारी चोटें जेल अस्पताल के एम एल सी रजिस्टर में नोट कर दी गयी हैं। तरीके से देखा जाए तो टाँके लगाने चाहिए थे। लेकिन टाँके नहीं लगाये गये अब यह काम हायर सेन्टर में ही होगा। हम सभी राइटर कैदी और

नम्बरदार कैदियों के माथे व शरीर से पसीने की धार बह रही थी। जिस प्रकार से मौसम गर्म था इसी प्रकार से यहाँ का माहौल भी गर्म है। भयानक जेल खाना है। अनेकों प्रकार के कैदी यहाँ कैद किये गये हैं। इन्हें न तो मरने से डर लगता है और न ही मारने से। अभी एक घंटे बाद जेल के उस कम्पाउंड में जितने कैदी इस झगड़े मे शामिल हैं, उन सभी को एक अलग जगह पर बिठा दिया गया है। इन सभी को लाठियों और डण्डों का सामना करना पड़ेगा। जेल के आलाधिकारी जेल के अन्दर गुमटी चौराहे पर बैठें है यानि कि जेल का वह स्थान जहाँ पर किसी भी कैदी से सम्पर्क किया जा सकता है इसी जगह से सभी कैदी अपनी-अपनी बैरकों में प्रवेश करते हैं मामले की जाँच-पड़ताल की जा रही है कई कैदी मौके पर मौजूद हैं जिनसे पूछताछ की जा रही है कि इस घटना को होते हुए किस-किस ने देखा है और कौन-कौन से कैदी हैं जिन्होंने हमला किया है। करीब चार-पाँच कैदियों को पूरे मैदान में अलग-अलग हिस्सों में बिठा दिया गया है। इस भयानक जेल में कई कैदी जेल के आलाधिकारियों के समक्ष खड़े हैं। ये वो कैदी हैं जो जेल की व्यवस्था को देखते हैं जिन्हें जेल की भाषा में राइटर व नम्बरदार कैदी कहा जाता है। सामने अलग-अलग जगह पर खड़े किये सभी कैदी खूँखार हैं। लगता है, मौसम की गर्मी का प्रकोप इन्हीं के ऊपर समा रहा है। कुछ समय पूछताछ के बाद राइटर कैदियों को जेल अहातों में भेज दिया गया है और हमलावर कैदियों को जेल के गिरदा की तरफ को भेज दिया गया है। यह गिरदा जेल की वह जगह है जो शांत और फूलों से सुसज्जित हैं, जो एकांत जगह है। जहाँ से दूर-दूर तक आवाजें सुनाई नहीं पड़ती हैं शाम का समय, छः बज चुके हैं, गर्म हवाएं चल रही हैं यह हवाएँ जेल की दीवारों से टकरा कर और भी गर्म हो रही हैं यह असहनीय गर्मी जेल में बन्द कैदियों को तड़पा रही है। सभी चार-पाँच कैदियों को एक-एक कर डण्डों से पीटा जा रहा है।

चीखने-चिल्लाने की आवाज शायद किलोमीटर तक जा रही होगी। इस कदर इन्हें तोड़ा जा रहा है जैसे कोई खेत से धान सुखाकर कूट रहा हो। सभी को एक-एक करके पीटा जा रहा है। उसके बाद बयान लिखे जा रहे हैं करीब आधा घण्टा तुड़ाई के बाद सभी को वापस अपनी-अपनी कोठरियों में भेज दिया गया। हर कोठरी के राइटर कैदी को आदेश कर दिया गया है कि उन पर नजर रखी जाए। रात में पहरेदार कैदियों को लगा दिया गया है और सभी कैदियों को इन सात तालों के अन्दर बन्द कर दिया गया है। इस जेल के हर हाथे में तकरीब आठ बड़ी-बड़ी कोठरियाँ हैं एक कोठरी में करीब चालीस या पचास कैदियों को रखा जाता है और उन कैदियों का एक मुखिया कैदी बनाया जाता है जिसे बैरक राइटर के नाम से जाना जाता है। इसी राइटर कैदी की जिम्मेदारी है वह कैसे अन्य चालीस-पचास कैदियों को हैंण्डल करता है और व्यवस्था को व्यवस्थित ढंग से चलाता है। अभी कोई खबर नहीं मिल पायी है कि चोटिल कैदी की हालत कैसी है। जेल में कैदी तरह-तरह की बातें कर रहे हैं। रात का अन्धेरा, चारों तरफ सन्नाटा पसरा हुआ है। वह कैदी जेल में वापस नहीं आया, लगता है उसकी हालत गम्भीर है। उस रात की समाप्ति के बाद एक नये सवेरे की शुरूआत हुई सभी कैदी अपने रोज के कामों में लग चुके थे मैं भी नहा-धोकर अपने रोज के काम में डिस्पेंसरी पहुँचा। मेरे सह राइटर कैदी बैठे चाय पी रहे थे। मैंने एक राइटर कैदी से पूछा, यार सुबह डॉ. साहब आये थे क्या? दूसरा कैदी- हाँ आये तो थे पर क्यों? मैंने पूछा क्या उस कैदी का पता चला कि उसकी तबियत कैसी है। दूसरा कैदी- ओ यार भूल गये पूछना (तीसरे कैदी को देखते हुए कहा) चौथा कैदी- कोई कह रहा था वह मर गया (अचानक ही) तुरन्त ही एक कैदी कहने लगा भाई कोई कह रहा था उसे दिल्ली एम्स रेफर कर दिया फिर दूसरा कैदी कहने लगा अरे नहीं बे। तुम लोगों को क्या पता, वह दून अस्पताल से जौलीग्रान्ट

रेफर हो गया। जिस तरह से मैं उन कैदियों की बात सुन रहा था मुझे लग रहा था। भाई चाहे कुछ हो जाए मामला गम्भीर है और एक बात मेरे दिमाग में घूम रही थी। वाकई वह सही होता तो जरूर रात को लौट आता मेंरे दिमाग में यही बात चल रही थी कोई घटना घट चुकी है। इन दीवारों के अन्दर अनेकों फालतू चर्चायें होती रहती हैं। कहते हैं न कि *''खाली दिमाग शैतान का घर''* है। इस जेल के अन्दर तकरीब एक हजार से डेढ़ हजार कैदियों को कैद किया गया है। हर कैदी की सोच अलग है और होती भी है। जो स्वाभाविक है। इसलिए वह बातें भी अलग-अलग करता है। लेकिन उस कैदी के बारे में तभी पता चल पायेगा। जब डॉ. साहब जेल में आएंगें। आज मैं डॉ. साहब के इन्तजार में था मुझे इंतजार करने में कभी रुचि नहीं रहती। लेकिन आज मुझे उस कैदी के बारे में जानना था इसलिए मैं इंतजार में था वह अचानक 10:15 बजे जेल में आ गये। सफेद कमीज और काली पैंट व आँखों में रेबन का चशमा पहने अपने ऑफिस की तरफ बढ़ रहे थे और आज भी रोज की तरह नमस्कार करके सबसे पहले उस कैदी के बारे में जानकारी ली। साधारण तरीके से डॉ. साहब ने जवाब दिया, ठीक है यार वह। आज दूसरे दिन भी उन कैदियों को जो कैदी मारने में शामिल थे, उन्हें दौड़ा दौड़ा कर पीटा जा रहा है। यह सिलसिला चलता रहेगा जब तक सच्चाई का पता नहीं चलता। दिन की कड़क धूप में इन तीन-चार कैदियों को धूप में खड़ा कर दिया गया है। यहाँ पर यह भी अपने आप में सजा है। दोपहर का एक बज चुका हैं मौसम गर्म है। जमीन से आग की लपटें आ रही हैं। ऐसा मौसम जानलेवा भी साबित हो सकता है। जेल में सारे रोजमर्रा के कार्य चल रहे हैं। जैसे नम्बरदार कैदी अपनी ड्यूटी बड़ी ईमानदारी और मेहनत से कर रहा है। कैदी राइटर शिद्दत के साथ तेज दिमाग से कार्य कर रहा है। सफाई वाले कैदी सफाई कर रहें हैं। खाना बनाने वाले कैदी खाना बना रहे हैं। अचानक ही एक नम्बरदार

कैदी जिसकी ड्यूटी जेल के मेन गेट पर है। उस नम्बरदार कैदी के हाथ में रजिस्टर व साथ में वह कैदी जिसे कल इमरजेंसी में भेजा था। वह हिलते-डुलते आ रहा था उसके हाथों में दवाईयों के कुछ पैकेट थे और एक फाईल भी। मैं जेल की डिस्पेंसरी में बैठा था जैसे ही मैंने उसे देखा मैं चौंक उठा और दिल को शांति भी मिली ओह... ईश्वर यह सही सलामत है इसके छोटे छोटे दो बच्चे एक पत्नी और माँ है। मैं उसे देखकर हल्का मुस्कुराया लेकिन उसकी तरफ से कोई रिस्पॉस नहीं था। उसे अस्पताल वार्ड में चार नम्बर बेड पर लिटा दिया गया था। मैं अपनी जगह से उठा और सीधे अस्पताल में जा पहुंचा और उसका हाल-चाल जाना मैंने देखा उसके होंठ में अभी भी टाँके नहीं लगे थे। शायद आपको जानकर आश्चर्य होगा कि हमारे इस भ्रष्टतंत्र में क्या सम्भव नहीं हो सकता, हर काम सम्भव है। पैसे फेंको-तमाशा देखो। मुझे खुफिया तंत्रों से पता चला कि जेल के आला अधिकारियों ने मामले को तूल न पकड़े इसलिए अस्पताल के डॉक्टरों से सेटिंग कर ली है। सुना है कि अधिकारियों के कहने पर टाँके नहीं लगाये गये है। अगर टाँके लगाये जाते तो मामला गम्भीर हो जाता और जेल वालों पर भी कार्यवाही होती जेल के अधिकारियों द्वारा इस मामले को जेल तक ही सीमित रखने के लिए डॉक्टरों को खरीदा गया और ये डॉ. भी ना, क्या कहा जाए? बस फॉरमेल्टी पूरी हो गई। सब सोये हैं कौन पूछने वाला है? यह सब खेल मैं पिछले दस वर्षों से देख रहा हूँ। मेरे पूछने पर इस कैदी ने मुझे बताया कि उसकी बुढ़िया माँ मिलने अस्पताल आयी थी। माँ ने अपने बेटे की हालत देख कहा बेटा यह क्या, किसने तेरे साथ ऐसा किया, कौन तुझे मारना चाहता है? और क्यों? बता बेटा बता... बेटा- कुछ नहीं माँ कुछ नहीं बस ऐसे ही हो गया। माँ- बेटा तू चिंता मत कर मैं डी एम और एस पी के पास जाती हूँ मामले की जाँच पड़ताल करवाऊँगी तू चिंता मत करना बेटा तुझे कुछ नहीं होगा लेकिन माँ की

परेशानी व गरीबी की हालत को देखकर उस कैदी ने अपनी माँ को मना कर दिया। सत्तर वर्ष की बुढ़िया माँ मुँह में दाँत नहीं बाल सफेद, चेहरे पर झुर्रियां पड़ी, एक पुरानी साड़ी व पैरों में फटी चप्पल पहने, आँखों से आँसू टपक रहे थे। बेटा- माँ मैं ठीक हूँ। तू जा, घर जा, मेरी जमानत करवा मैं कोर्ट से कार्यवाही स्वयं कर लूँगा। मेरी तबियत पहले से अब ठीक है और खून भी आना बन्द हो गया है। इस कैदी की यह बात सुनकर मैं दुःखी वापस अपने कामों में लग गया मेरे कदम डिस्पेंसरी की तरफ को चल पड़े शाम को करीब पाँच बजे अधीक्षक का राइटर कैदी अस्पताल वार्ड में आया और उस चोटिल कैदी को अपने साथ ले गया। उस कैदी से अधीक्षक द्वारा कई सवाल जवाब किये गये। उस कैदी ने सारी बात अधीक्षक को बताई और उस कैदी को वापस जेल के अस्पताल में छोड़ दिया गया। उस कैदी ने अधीक्षक को बताया कि साहब सबसे पहले एक कैदी था उसी ने मारने के लिए आदेश दिया था। कहा कि मारो साले कमीने को जान से मार डालो... मारो कमीने को मारो। बस जहाँ उसने ये शब्द कहे इन कैदियों ने मुझे मारना शुरू कर दिया। बस यही उस कैदी का बयान दूसरे कैदी को मार-मारकर तड़पने को काफी था और अब उस कैदी को अधीक्षक के समक्ष पेश किया गया। जिसने यह आदेश दिया था। मात्र दो मिनट लगे उस कैदी को अधीक्षक ने अपने कार्यालय में पेश कर दिया है। उस कैदी को नंगा करके डण्डे और फट्टे से मारना शुरू कर दिया। उसकी चीखें भयानक थीं, दर्दनाक थी। इस कैदी को पीट-पीटकर ऐसी हालत कर दी है कि मानो अभी-अभी कोई चोर पब्लिक से पिटकर आया होगा क्योंकि पब्लिक की मार किसी को भी तोड़ देती है। खत्म कर देती है। इस कैदी की हालत देख दया आ रही थी लेकिन दिखने में भयानक नजर आ रहा था। उसके लम्बे बाल, बंडी, नेकर और सैंडल पहना था। शरीर मजबूत व गठीला था। कई जगहों से उसने अपने हाथ

को काट-काट कर बड़े-बड़े निशान शरीर में बनाये थे ऐसा प्रतीत होता है वह पुराना नंगा है। ये जेल की भाषा में जिसे जूताखोर कहा जाता है उस कैदी को तीन-चार लोगों द्वारा पकड़कर लाया गया हैं और उसका दुर्भाग्य यह है कि उसे टीबी वाली कोठरी में डाल दिया है। इसी जगह करीब पाँच छः कोठरियाँ है। एक नम्बर कोठरी में इसे रखा गया है। बाकी सभी कोठरियों में टीबी के पेशेन्ट हैं मैं गहरी सोच में डूब गया यह दण्डित करने का कौन सा तरीका है। मैं कह तो नहीं सकता लेकिन लिखकर बयाँ तो कर ही सकता था। यह तरीका तो जानलेवा तरीका है साथ ही कानून के विरूद्ध भी। मेरा मानना है अगर कोई कैदी जेल में रहकर गलत काम करता है तो उसे दण्ड जरूर दो लेकिन टीबी वाले पेंशेट के साथ रखना यह तरीका बहुत भयानक दर्दनाक और खतरनाक है। जो मुझे अच्छा नहीं लगा लेकिन हम जैसे कैदियों की भावना को कौन समझेगा। अगर हमने इसका विरोध भी किया तो हमें भी इसी तरह दण्डित किया जाएगा और वैसे भी समाज में एक कैदी को हर व्यक्ति बुरी निगाहों से देखता है क्योंकि जेल में एक कैदी की कोई औकात नहीं होती। हाँ, कुछ ही ऐसे कैदी जिन्हें हम बाहुबली डॉन कहते हैं, इन कैदियों की खातिरदारी जरूर की जाती है। ये कैदी जो कहते हैं वही होता है। यह मेरा दस वर्ष का अनुभव है और एक साधारण कैदी को पूछने वाला यहाँ कोई नहीं, जो सच्चाई है जो एक कड़वा सच है। अगली सुबह योग के बाद मैं अपने बिस्तर पर था अचानक ही मेरे सामने दो गुटों में झगड़ा हो गया। यह झगड़ा सिर्फ बोल-चाल का झगड़ा था। हाथापाई नहीं हुई थी सिर्फ गालियों का सिलसिला चल रहा था। मामले को शांत करवा दिया गया। जेल में सभी बंद कैदियों की सोच छोटी हो जाती है। यह जेल है ही ऐसी जगह जहाँ छोटी-छोटी बातें कब बम बनकर फट जायें जिसका अन्दाजा लगा पाना बहुत ही कठिन है। करीब आधे घण्टे बाद एक बुजुर्ग सरदार कैदी टेढ़ी कमर पकड़कर

दौड़ा-दौड़ा हाँफते हुए मेरे सामने खड़ा हो गया और कहने लगा अरे अरे... भइया... उसको देख लो.... वह.... क्या कर रहा है।..... देखो वह बुजुर्ग सरदार जी तन्हाई की तरफ जहाँ उस कैदी को कल रखा गया था। उसी की तरफ हाथ से इशारा करते हुए देखने को कह रहा था। मैंने पूछा अरे! कौन है भाई, क्या बात हो गई सरदार जी, वह बुजुर्ग कैदी कहने लगे वह लड़का तनहाई में क्या कर रहा है। जाओ जल्दी। इनकी बात सुनकर मैं दौड़ता हुआ उस तनहाई के पास पहुँचा। तनहाई के गेट पर दो तीन टीबी के पेशेंट खड़े हुए हैं और आँखे गड़ाए घबराए हुए यह सब देख रहें हैं। वह कैदी सफेद कलर की बंडी, काले कलर का बरमूडा पहने उस पाँच फिट की तनहाई में तेजी से पैर आगे पीछे कर रहा था। फर्श पर ताजी-ताजी खून की बूँदे टपकी थीं उसकी बाजू पर मेरा ध्यान गया उसने अपने बाजू को काटा था और वह खून की बूँदे उसी के बाजू से टपकी थीं। कई बार उसने अपने हाथों पर व सीने पर वार किये थे जेल में तैनात सिपाही यह देखकर चौंक गया, घबरा गया। यह सिपाही इस जेल में नया है। अभी कुछ ही माह हुए हैं। वह पुलिस में नया भर्ती हुआ है। मैं इन चीजों का आदी हो चुका था। मैंने धैर्य पूर्वक उस सिपाही को समझाया और कहा, जाओ, जेल सुपरीटेन्डेन्ट के पास और जेलर को बुलाओ साथ में डॉ. को भी रिपोर्ट करो। वह सिपाही भागते हुए कम्पाउंड से जेल के मेन गेट पर गया मैं वापस अपनी कोठरी में आ गया। मुझे पता था। अभी यहाँ पर सभी जेल के अधिकारी आएंगे समय सुबह नौ बजे थे, नाश्ता करने की तैयारी में था। अब नाश्ता लेट हो जाएगा। कुछ ही क्षणों में अधीक्षक और उसका डण्डाधारी अस्पताल तनहाई की तरफ तेजी से भागे आ रहे थे। मैं भी भागता हुआ तनहाई वार्ड में पहुँचा अधीक्षक उसे देख रहे थे। उसके बाँह से खून की बूँदे टपक रहीं थीं। अधीक्षक- इसका ताला खोलो (गुर्राते हुए) नम्बरदार कैदी दौड़ता आया और ताला खोलने लगा।

(घबराहट में) अधीक्षक– क्यों..? बे... किस चीजे से काटा वह कैदी चुपचाप खड़ा था। (आँखे नीचे कर गुस्से में खड़ा था) मैंने देखा और सोचा आखिर इसने किस चीज से काटा होगा। अधीक्षक– किस चीज से काटा है इसने। मेरी तरफ को इशारा करते हुए कहा मैंने जवाब दिया सर पता नहीं किस चीज से काटा। अधीक्षक– क्यों, इधर दोनों साइड ताले नहीं लगाते हों। नम्बरदार– सर, ये दोनो गेट हमेशा बन्द रहते हैं। मौजूद सभी को आदेश दिया कि इस कैदी की तलाशी ली जाए। सभी ने इस कैदी की तलाशी ली व पूरे कमरे की तलाशी ली लेकिन कुछ भी नहीं मिला लेकिन रहस्य की बात यह है कि उसने किस चीज से काटा होगा फर्श पर एक छिलका दवाई का पड़ा था। सन्देह यह हो रहा था कि हो सकता है उससे काट लिया हो। लेकिन मुझे नहीं लग रहा था कि उस छिलके से ही उसने हाथ काटा होगा। नम्बरदार कैदी ने उस छिलके को उठाया, सर हो सकता है इस छिलके से काटा हो वह कैदी अधीक्षक को कह रहा था। अधीक्षक ने उसी कैदी से पूछा क्यों भाई बता कहाँ है? ब्लेड, अचानक ही उस कैदी ने कहा, मैंने तोड़ कर शौचालय में डाल दिया। मेरे द्वारा शौचालय में ब्लेड देखा गया लेकिन नहीं था। अगर शौचालय की गटर में ब्लेड होता तो वह ब्लेड ऊपर ही तैर रहा होता उस कैदी ने यह तो सोचा ही नहीं। अधीक्षक ने दोबारा उसके शरीर की तलाशी लेने को कहा तलाशी के दौरान उसके शरीर से कुछ नहीं मिला। तीसरी बार अधीक्षक ने सोचते हुए कहा, उसके मुँह की तलाशी लो उसने अपने जीभ व पूरे मुँह को ऊपर नीचे करते हुए दिखाया लेकिन कुछ नहीं था। समझ में नहीं आ रहा था आखिर कौन सी ऐसी चीज है? चौथी बार अधीक्षक ने जेल सिपाही से कहा इसके मुँह के अन्दर हाथ डालकर तलाशी लो उसने जैसे ही हाथ डालकर उसकी तलाशी ली तो उसका हाथ उसके जबड़े में पहुँचा ही था उसकी उँगली ब्लेड में छू गई यह एक ब्लेड का चौथा टुकड़ा था। ब्लेड को

निकाला और सामने खड़े सिपाही को दिया यह देख सभी दंग रह गये थे। मेरे कैदी जीवन की पहली ऐसी घटना है जिसने इतनी चतुराई से यह काम किया है। इस कैदी ने ब्लेड के चौथाई टुकड़े को तोड़कर अपने जबड़े में इस कदर फँसाया था। जो अपने आप में काफी चतुराई भरा था। जबकि मौके पर सभी ने तलाशी ली थी और उसने अपने आप को पूर्ण रूप से चेक भी करवाया था। उसका यह अन्दाज देख मैं चकित रह गया था। पहाड़ों की जेलों में इस तरह की घटनाएं कम ही देखने को मिलती हैं। दिल्ली जैसी तिहाड़ जेल में इस तरह की घटनाएं घटनी आम हैं और जानलेवा भी शामिल हैं। अधीक्षक ने आदेश दिया इस कैदी को मेरे कार्यालय में ले आओ साथ ही यह भी आदेश दिया कि उसके हाथों में पट्टी भी की जाए। उस कैदी को ओ.पी.डी. रूम में बिठाया गया। उसके शरीर से निकलने वाले खून की सफाई की गई साथ ही पट्टी भी। मेरे सामने जेल का सिपाही खड़ा था। सिपाही और मेरे द्वारा उस कैदी को जेल के मेन गेट पर पहुँचाया गया जहाँ पर फिर से एक बार पूछताछ की गई। वह हाथ जोड़े खड़ा था और कह रहा था। साहब मेरी कोई गलती नहीं थी फिर भी मुझे दण्डित क्यों किया जा रहा है? अब यह सिलसिला चलता रहेगा। जेल वालों को कोई फर्क नहीं पड़ने वाला बस कैदी आपस में लड़ते मरते रहता है। मेरा मानना है इस कैद में जो इन्सान नहीं सुधरा वह कभी नहीं सुधर सकता है। ऐसा करने पर हम स्वयं ही जिंदगी को दाँव पर लगा देंगे। हम किसका नुकसान कर रहे हैं, स्वयं का। फिर क्यों हम ऐसी हरकत कर बैठतें है। खैर आज शाम का समय उस कैदी को फिर टीबी वार्ड में डाल दिया गया है उस कैदी की एक ही गुहार है मुझे यहाँ से हटा दो मेरी कोई गलती नहीं है। मैं निर्दोष हूँ, लेकिन उसे अभी सजा तो झेलनी ही पड़ेगी। कुछ दिन किसी बैरक में रखकर अब दूसरी जगह शिफ्ट कर दिया गया है।

जेल के ताले खुल चुके थे, रोज की तरह गिनती हो चुकी थी मैं बिस्तर पर लेटा था। आज लेट से उठा मौसम बहुत ठण्डा है दिल तो कर रहा था कि कम्बल के अन्दर ही रहूँ लेकिन अभी बीमार कैदियों को दवाई भी देनी थी। इसलिए मैं अपने बिस्तर से उठा और अपना बिस्तर साफ किया। बहुत ठण्डा हो रहा है। इनरवेयर पहना है लेकिन फिर भी ठण्डा हो रहा है। मैंने ट्रैक सूट का अपर निकाला और पहना सामने एक मग्गे में मेरा पेस्ट ब्रश रखा था। मैंने पेस्ट उठाया और ब्रश करते हुए सामने दीवार पर लगे शीशे पर खड़ा हो गया। मैं अपने चेहरे को देख रहा था। कि मैं कैसा दिख रहा हूँ। दिन-प्रतिदिन चेहरे में परिवर्तन था। पहले दाढ़ी नहीं थी अब दाढ़ी है पहले चश्मा नहीं था अब चश्मा है और चेहरे में वो बात भी नहीं थी जो शायद पहले थी। हाथ में ब्रश को दाँत से रगड़ता हुए चार कदम पीछे को वापस आया। मेरे सामने दीवार पर घड़ी टँगी थी। घड़ी देखी समय 8:20 बजे है। मेरे सामने टीवी चल रहा था। समाचार चैनल लगा है। मैं सीधे शौचालय में बैठा और वहीं ब्रश किया। यहाँ पर समय की पाबंदी है। समय का अभाव है यहाँ के नियमों व कानूनों का पालन करना हम सभी कैदियों का कर्तव्य है। अगर यहाँ के नियम का पालन नहीं किया तो इस कैद में कड़ी से कड़ी मुसीबतों का सामना करने के लिए हमेशा तैयार रहना पड़ेगा। इस कैद के नियम बहुत सख्त हैं। यह जेल है कोई हमारा घर नहीं। लेकिन अगर हम जेल को जेल समझने लगे तो एक कैदी जी नहीं पाएगा क्योंकि वह यहाँ के नियमों को अपने ऊपर लेकर अगर हम यह समझें कि हम जेल में हैं तो हम दु:खी हो जाएंगे हमारा दिल-दिमाग दूसरी तरफ चला जाएगा। इसलिए जेल में रहते हुए भी किसी भी कैदी को अपने आपको स्वस्थ रखना चाहिए। अपनी सोच अच्छी रखनी चाहिए ताकि आप अच्छे इन्सान बन सकें क्योंकि जब तक हम अच्छा नहीं सोचेंगे तो कोई ऐसी ताकत नहीं कि हमें अच्छा बना सके इसलिए

हमें अच्छा सोचना चाहिए, अच्छा रहना चाहिए। मुझे आज इस कैदखाने में कई वर्ष हो चुके हैं। मैंने बहुत चिन्तन किया सोचा, समझा लेकिन मुझे एक ही चीज नजर आयी कि इन्सान का जीवन क्या है! मेरे भाइयों जीवन को खुश होकर जियो, आज इन्सान क्यों इतना परेशान है? क्यों इतना कर रहा है क्यों इन्सान इतना दुखी है। आखिर हम पैदा हुए हैं। तो हमें मरना ही है। इसलिए मैं तो कहता हूँ कि जीवन में चाहे सुख हो या दुख हमेशा खुश रहो लोगों से अच्छी बात करो अपनी अच्छी सोच रखो और बिंदास रहो कल हमें इस धरती से चले जाना है। इन्सान क्या लेकर आया था और क्या लेकर जाएगा कुछ नहीं। वो अच्छी यादें और कुछ नहीं। जितना लोगों का भला कर सको बस करो। खैर अभी मैं नहा के बाथरूम से जैसे ही बाहर आया, अचानक मेरी नजर बाहर को गई जहाँ पर मैं देख रहा हूँ चार कैदी एक कैदी को स्ट्रेचर पर ला रहे थे। मैंने उन कैदियों को पहचान लिया था। वह सभी चार कैदी टीबी के पेशेन्ट थे और उनके ही साथ एक कोठरी में वह एक कैदी भी रहता था जो स्ट्रेचर पर लेटा था। चारों कैदियों के चेहरे घबराये थे सभी की साँसे फूल रही थीं और वह सभी कैदी उस स्ट्रेचर को जमीन में रखकर बैठ गये थे। दुःखी, मायूस और हताश हुए पता नहीं क्या सोच रहे होंगे। मुझे नहीं पता, यह जेल आदमी को ऐसे ही तड़पाता है। मेरे पैर जहां के तहां रह गये लेकिन मेरा दिमाग काम कर रहा था। मैंने तुरन्त अपनी कैदी वर्दी पहनी, जूते पहने और मास्क हाथ में लिए मैं सीधा अस्पताल डिस्पेंसरी की तरफ गया। उस कैदी को देखने के लिए कई सारे कैदी इक्ट्ठे हुए। मैंने सभी कैदियों को यहाँ से इधर-उधर किया मैं उस कैदी के सामने सीधा खड़ा हो गया—और मेरी निगाहें उस कैदी पर जिसे स्ट्रेचर में लिटाया था। उसे लाल कम्बलों से ढका था। थोड़ी देर खड़े होकर मैं सोच रहा था। कि यह क्या हो गया। मैं उस कैदी के चेहरे को देखना चाह रहा था। मैंने उसके सिर से कम्बल हटाया लेकिन हटाने से

पहले दिल में एक डर था। एक अजीब सा डर लेकिन हिम्मत करते हुए मैंने उसका चेहरा देखना चाहा उसका चेहरा सूख सा गया था। कह सकता हूँ कि उसके चहरे पर माँस कम हड्डियाँ ज्यादा थीं, जो दिखने में मानो शरीर के नाम पर एक कंकाल तंत्र मेरे सामने था। उसकी आँखें सफेद हो गयी थी। मुँह खुला था कोई हलचल नहीं थी। उसके दाँत दिखायी दे रहे थे। उसकी साँसों की आहट भी नहीं हो रही थी और न ही शरीर में कोई किसी प्रकार की हलचल। मेरी नजरों में तो ऐसा लग रहा था कि जैसे उसने अपने शरीर को छोड़ दिया होगा। लेकिन यह डॉ. ही जाने कि वह अभी जिन्दा है या मर चुका है। इतना मैं कह सकता हूँ कि उसकी साँसे बन्द थीं वह मात्र 25 साल का नवजवान था। लेकिन वह बीमारियों के जाल में जकड़ा था। डॉ. के अनुसार उसे टी. बी. और एच आई वी था। उसके फेफड़े पूरी तरह से खत्म थे। ऐसा डॉ. बताते थे। लेकिन वह कैसे जी रहा था मैं नहीं जानता। वह 25 साल का कैदी ऐसा लग रहा था मानो पचास साल का होगा। आज शायद यह कैदी अपने परिवार के साथ होता तो बच सकता था क्योंकि जेल के नियम-कानून ही कुछ ऐसे हैं। यहाँ की खाकी वर्दी की ड्यूटी ही कुछ ऐसी है। हर खाकी वर्दी अपने आठ घण्टे की ड्यूटी कर घर जाना चाहता है। किसी का किसी से कोई लगाव नहीं बस ड्यूटी करनी है। अगर कहीं से पैसे मिल गये तो थोड़ा ध्यान जरूर रखा जाता है, नहीं तो कोई किसी को पूछने वाला नहीं है। इसी का नाम तो जेल है, इसी का नाम कालकोठरी है, इसी का नाम कैदखाना है। यह कैदी कुछ दिन पहले टिहरी जेल से देहरादून जेल में आया है इसलिए कि उसका इलाज देहरादून में चल रहा था। इतनी दूर से गाड़ी में धक्के खाने के बाद देहरादून आना सम्भव नहीं था क्योंकि जो पुलिस की गाड़ी होती है उसमें एक बीमार कैदी को इधर-उधर ले जाना बहुत दर्दनाक है क्योंकि इन्हीं गाड़ियों में मैंने कई माह तक कोर्ट की तारीख की है।

मैं तो स्वस्थ होने के नाते इस वाहन में इधर-उधर चला जाता था। फिर भी बहुत परेशानियों का सामना करना पड़ता था। लेकिन यह तो एक बीमार कैदी था और फिर पहाड़ों की भयानक रोड इसके धक्के इस तरह से लगते थे मानो यह रोड़े से रोड़ बनायी गयी हो। रास्ते में गढ्ढे इतने होते हैं मानों किसी को दफनाने के लिए बनाये गए हों। कुल मिलाकर यह दर्दनाक यात्रा होती थी। इसलिए उस कैदी को देहरादून जेल में भेजा गया था। भेजने के बाद ऐसा क्यों होता था। शायद वह अब अन्तिम स्टेज में था। उसे इस जेल में कई बार बाहर अस्पताल भेजा गया परन्तु किसी डॉ. ने उसे भर्ती नहीं किया न तो वह उठ सकता था, न ही बैठ सकता था, मात्र हड्डियों का यह ढाँचा। अगर दूसरे कैदी ने सपोर्ट दिया तो उठ जाता था। मैं तो कहता हूँ इन्सान का इतना तड़प-तड़प कर जीने से तो मर जाना अच्छा है। मेरे मन में ऐसे ख्याल चल रहे थे क्योंकि एक ऐसा इन्सान जो स्वयं न तो खा सकता है और न पी सकता है और साथ में इतनी जानलेवा बीमारी, जिसका सही हो पाना असम्भव है और इतना खतरनाक दु:ख उसे देखकर लगता था भगवान! ऐसे किसी को न तड़पाए। इससे अच्छा तो मर जाना ज्यादा अच्छा है क्योंकि इसमें स्वयं पीड़ित तो है साथ में दूसरा भी पीड़ित रहता है। यह बीमारी ऐसी है कि दूसरों को भी फैल सकती है। लेकिन जेल के अन्दर मरना बहुत बड़ा कलंक है। शायद अगर कोई भी इन्सान इस बात को गहराई से सोचे तो जरूर मेरी इस बात को समर्थन देगा। ईश्वर किसी को ऐसी मौत न दे, यह दुख:दायी है। मैं उसी कैदी के सामने खड़ा था बाहर से मैंने दोनो लॉक लगाये थे ताकि अन्दर कोई न आ सके क्योंकि उसके सामने बेवजह भीड़ लग रही थी। फार्मासिस्ट के पूर्ण चेकअप करने के बाद फार्मासिस्ट यहाँ से बाहर चले गये डॉ. से फोन पर बात कर रहे थे। शायद एंबुलेंस आने वाली है। मैं अन्दर से बाहर गया। डिस्पेंसरी की दोनों कुंडी बंदकर बाहर की तरफ गया।

सभी अन्य कैदी धूप सेंक रहे थे। मौसम साफ है, ठण्डा है लेकिन अब धूप आ चुकी है। बाहर गेट खोला सामने नम्बरदार ड्यूटी पर तैनात था। उससे आगे एंबुलेंस आ चुकी थी और कुछ जेल के सिपाही आपस में लड़ रहे थे। बहस कर रहे थे। शायद वह सिपाही उस हेड क्वाटर को कह रहा था कि आप रोज मुझे ही इस कैदी के साथ भेजते हो, क्यों भाई? जेल के इतने सिपाही हैं आज तक जितनी बार यह कैदी आपात कालीन अवस्था में गया है आप हमेशा मेरी ड्यूटी इसी कैदी के साथ लगाते हो ऐसा क्यों? हेड क्वाटर ने जवाब दिया मेरे पास सिपाही नहीं है किसे भेजूँ? तुम्हें जाना नहीं है तो बताओ मैं अधीक्षक से बात करता हूँ। सिपाही कहने लगा मैं यह नहीं कह रहा हूँ कि मैं नहीं जाऊँगा। मैं तो यह कह रहा हूँ कि आप मेरी हमेशा ड्यूटी उस कैदी के साथ ही लगाते हो। मैंने हमेशा ध्यान दिया है। मैं किसी से कुछ नहीं कहता हूँ तो इसका मतलब यह नहीं कि लोग मुझे बेवकूफ समझें और दूसरी बात वहाँ पर हम इस कैदी को ले जाते है चेकअप करवाने तो वहाँ के डॉ. देखते नहीं हैं कहते हैं यह हमारा केस नहीं है इसे हॉयर सेण्टर ले जाओ। मरीज को देखते तक नहीं है बस कागज देखते हैं दो लाईन लिख देते हैं बस। क्यों बाहर के डॉ. ऐसा बरताव करते हैं? कहते हैं डॉ. भगवान का दूसरा रूप होते हैं। एक मरने वाले को दूसरा जीवन देते हैं। इस कैदी को वहाँ कोई छूने के लिए राजी नहीं होता है। यह चल नहीं पाता है और न ही डॉ. उसे वहाँ भर्ती करते हैं और न ही देखते हैं वह सिपाही मुझसे पूछ रहा था कि जीतू भाई कौन से अस्पताल जाएगा। मेरे समझ मे कुछ नहीं आ रहा था कि मैं उससे क्या कहूँ मैंने उससे कहा चीफ साहब, मुझे नहीं पता कौन से अस्पताल जाएगा। डॉ. साहब बताएंगे कि कहा जाएगा। मैंने और मेरे साथी कैदी ने उसे एंबुलेंस में रखा और एंबुलेंस भेज दिया। एंबुलेंस यहाँ से चल चुकी थी। समझ में नहीं आ रहा है यह चार दीवारी किसने बनाई होगी। बहुत दुखदायी

है, कभी कभी-कभार तो लगता है कि हे! भगवान उठा ले, अब न तड़पा, क्यों तड़पाता है आज मैं बहुत दुखी हूँ। फिर भी जीवन को अच्छे से जीने में ज्यादा विश्वास रखता हूँ। कुछ दिन पहले मैं जब उससे मिलने उसकी कोठरी में गया तो मैंने देखा, सामने एक छोटी सी कोठरी जिसमें एक बदरंग लोहे की पुरानी खटिया पड़ी थी। उसी की एक फीट की दूरी पर एक छोटी सी दीवार थी उसके दूसरी तरफ शौचालय, सामने ही एक हवादार खिड़की और उसके बाहर से हवा रोकने के लिए एक फटा पुराना प्लास्टिक का पर्दा टँगा था जो हवा में उड़ रहा था। वह पर्दा इस तरह उड़ रहा था उस पर्दे के उड़ने से उस कोठरी में हवा की ध्वनि और तेज हो रही थी। खिड़की में लोहे के मोटे-मोटे सरिया पाँच-छः इंच पर लगे थे जिसको काले रंग से पोता गया था। दीवारें गंदी दिखाई दे रही थीं। ऊपर छत में मकड़ी के जाले थे एक लाइट जली थी। उस लाइट के बाहरी हिस्से में धूल बैठी जो उस कोठरी को उजाला होने से रोक रही थी वह उस चारपाई में काले कम्बल ओढ़े बदहवास लेटा था। मैंने उससे बात की थी। उसकी आवाज ऐसी थी मानों फूल बरस रहे हों। उसकी बोली भाषा में पहाड़ की प्यार भरी बोली झलक रही थी। वह कह रहा था कि भईया मैं सही हूँगा या नहीं मैं जीना चाहता हूँ। मैंने उसको समझाया उसे सान्त्वना दी कि तू सही हो जाएगा। कोई दिक्कत परेशानी की बात नहीं है मैंने उसे उसकी बीमारी के बारे में पूछा? कहा, तुम्हें एच आई वी कैसे हुआ, क्या तुमने किसी के साथ सम्बन्ध बनाये थे। वह कैदी कहने लगा साहब इतनी उम्र में मैंने कभी किसी के साथ सम्बन्ध नहीं बनाया। मैं चौंक गया था कि जब उसने कहा कि मैंने किसी के साथ सम्बन्ध नहीं बनाया था। मैं कुछ देर इस सोच में डूब गया कि आखिर इसे एच आई वी कैसे हुआ होगा और साथ में टी. बी. भी है। हे भगवान, इंसान चाहे कितना भी संघर्ष क्यों न करे कितना भी दुःख पहुँचे कोई बात नहीं

लेकिन बीमारी नहीं होनी चाहिए। मैंने उस कैदी से पूछा क्या तुम नशा करते थे। वह हल्की आवाज में बोला साहब मैंने तम्बाकू के अलावा आज तक कुछ नहीं खाया न शराब पी और न ही अन्य नशा कोई ऐसा काम नहीं किया। फिर मैं सोच में डूब गया, तो आखिर उस कैदी को इतनी बीमारियाँ कैसे? मेरे समझ में नहीं आ रहा था, मैं गहरी सोच में डूब गया कि इसे फिर कौन सी ऐसी चीज हो गई जिससे इसे इतनी गम्भीर बीमारियों ने जकड़ लिया। शायद कभी बीमार हो गया होगा तो इन्जेक्शन से भी हो सकता है। एच आई वी तो कई चीजों से फैलता है और न ही किसी के साथ शारीरिक संबध बनाया तो अब अन्य कुछ ऐसी चीज हो सकती है जिस कारण से इस कैदी को इन बीमारियों का सामना करना पड़ रहा है। मैं आज समझ गया हूँ लोग अपने हाथों मे टैटू बनवाते है जिससे संक्रमण होने का खतरा बहुत बढ़ जाता है और दूसरा सेविंग से एक ब्लेड अगर दूसरे-तीसरे ने इस्तेमाल कर दिया तो भी संक्रमण हो सकता है और कई सारी चीजें आज के दौर में। मेडिकली कोई परेशानी नहीं है। मुझे याद है मैं तब बहुत छोटा हुआ करता था। जब एक ही सुई से कई लोगों को इंजेक्शन लगाया जाता था और फिर उबाला जाता था फिर उबालकर उसे किसी अन्य को लगाया जाता था। लेकिन आज के इतने हाईटेक्नॉलजी वाले जमाने में तो हर चीज इस्तेमाल करिए और फेंक दीजिए फिर भी हमें जागरूक होने की सख्त आवश्यक्ता है। क्या कहूँ मैं उस कैदी से बातें कर रहा था। मैं बातें उससे कर रहा था मेरा दिमाग कहीं और ही चल रहा था। मैं भावनात्मक तरीके से उसके दु:ख में डूब गया, उसे देखकर मैं अन्दर ही अन्दर दु:खी हो रहा था। उसे देखते ही मैं दूसरी दुनिया में चला जाता था। मैं पूरी तरह से दु:खी हो जाता था। फिर सोचता हूँ हर इंसान को अपना ध्यान रखना चाहिए ताकि कोई भी बीमारी जकड़ न सके स्वस्थ रहो, खुश रहो, मैं तो बस यही कहूँगा। उस दिन वह कैदी कह रहा था कि

साहब अब नहीं बचूँगा। बस अब मैं हिम्मत हार चुका हूँ और अब जीने की चाहत नहीं है। वाकई में होता है जब इन्सान दुखों के घेरे में फँस जाता है और उसे अब कोई रास्ता नहीं दिखता है। तो मैं समझ सकता हूँ कि एक इन्सान के दिल में क्या चलता होगा। शायद यह अपने दुःखों से ऊब चुका था इसलिए उसके दिल से एक दर्द भरी आवाज आ रही थी। उसके दुखों की गहराई को समझते हुए मैंने उसे समझाया, बुझाया। उसकी पूरी समस्या सुनकर मैं वापस अपने वार्ड में आ गया था। उस दिन सोमवार का दिन था, अधीक्षक परेड में आए थे। मैं भी उन्हीं के काफिले के साथ था। पूरे जेल का दौरा करने के बाद जैसे ही वह अस्पताल में आए तो अधीक्षक ने डॉ. से कहा डॉ. साहब बताइये कि हमारे यहाँ कुछ मरीज ऐसे हैं जो हिलिंग कर सकते हैं? डॉ. साहब ने कहा हाँ क्यों नहीं कर सकते है हम इन्हें देखेंगे और बता देंगे तब ही सामने एक बुजुर्ग कैदी खड़ा था। अधीक्षक ने कहा आप योगा सीखने जाते हैं या नहीं। वह कैदी कहने लगा हाथ जोड़ते हुए, साहब जाते हैं। हम ठीक हैं और पढ़ाई करने भी जाते हैं पन्द्रह-बीस कैदियों से आगे एक सरदार कैदी लंबा-चौड़ा मोटा खड़ा था। अधीक्षक ने उसे देखकर कहा, क्यों भाई तुम भी जाओ योगा करने, क्यों? वह कैदी हँसने लगा, कहने लगा कि हाँ, साहब जाऊँगा आज-कल पेट भी बाहर निकल रहा है। उस कैदी की बात को सुनकर वहाँ पर खड़े सभी कैदी हँसने लगे। आगे बढ़ते हुए एक बुजुर्ग व्यक्ति हाथ जोड़े खड़ा था। अधीक्षक ने पूछा हाँ बताओ, वह कैदी कहने लगा साहब, आँखों से देख नहीं सकता मेरा इलाज कराओ। अधीक्षक- चिंता मत करो हम तुम्हारे लिए अस्पताल के गार्ड लगा रहे हैं। सामने टी. बी. वार्ड छोटी-छोटी छः कोठरियाँ बनी है सभी में टी. बी. के पेशेन्ट हैं सामने तीन नम्बर कोठरी है उसमें वह कैदी है जो एच आई वी और टी. बी. से ग्रसित है। अधीक्षक सीधे उसके कमरे में गये और उसका हाल-चाल पूछा अधीक्षक- कैसे हो

बेटा। कैदी- ठीक हूँ साहब। अधीक्षक- कोई दिक्कत तो नहीं है बेटा। कैदी- दिक्कत क्या होना साहब, बस बीमार हूँ साँस नहीं आती है, क्या करूँ दुखी हो गया हूँ अब जीना नहीं चाहता। अधीक्षक- बेटा देख, तेरा हम अच्छे से अच्छा इलाज कर रहे हैं। कोई परेशानी वाली बात नहीं है। खाना कैसा है। बीमार कैदी- ठीक है साहब लेकिन क्या करूँ खाया नहीं जाता है। वह कैदी टूटी-टूटी आवाज में बोल रहा था। अधीक्षक- और कोई समस्या-कैदी- मुझे बाहर भेज दो साहब नहीं तो मैं मर जाऊँगा। अधीक्षक ने डॉ. से कहा देखो अपनी तरफ से कोई लापरवाही न करना डॉ. साहब जब आप भेजना चाहें हमें बताइये। हम इसे भेज देंगे। खैर! हम सभी कैदी उस कैदी को एंबुलेंस में भेजने के बाद वापस धूप में बैठ गये। मेरे साथ मेरे साथी कैदी भी थे। बस यही बात चल रही थी कि उसे क्या हो गया होगा। मैंने एक कैदी से चाय मँगायी। वह कैदी मेरे लिए चाय ले आया। मैंने चाय की चुस्की ली और आँखे बन्द करके धूप में बैठा दुःखी था। बस सोच रहा था कि इंसान का जीवन क्या है? जो अभी थोड़ी देर पहले मेरे सामने प्रत्यक्ष था। मेरे हाथ में चाय का कप था और अब सामने फार्मासिस्ट आ चुके थे। एक कैदी उनके लिए कुर्सी और चाय ले आया उन्होंने उस कैदी को बुलाया जिस कैदी को उसकी सेवा में रखा गया था। फार्मासिस्ट ने पूछा कि उसे क्या हुआ था। कैदी- सर मैं यहीं पर बैठा था सामने से दौड़कर एक लड़का मेरे पास आया और कहने लगा कि उस कैदी की तबियत खराब है जल्दी आओ, उसे ले जाओ। मैं जैसे ही उसके पास गया तो मैंने देखा वह जमीन पर बैठा था और लम्बी लम्बी साँस ले रहा था। उसके मुँह से आवाज नहीं आ रही थी। जमीन में सारा पैसा जो थैले में था वह गिरा था। बेड में टॉयलेट ही टॉयलेट था पूरे कमरे में बदबू आ रही थी। बस मैंने उसे साफ किया और वापस ऊपर लिटाया फिर आप लोगों को सूचना दी। फार्मासिस्ट- वह कहीं ऊपर से नीचे तो नहीं गिरा।

कैदी- पता नहीं साहब, जब मैंने देखा तो वह जमीन पर बैठा था। फार्मासिस्ट- वह अपने आप नीचे उतर जाता था। कैदी- हाँ साहब कभी उतर जाता था कभी नहीं। फार्मासिस्ट- अरे यार कहीं सिर में चोट तो नहीं आयी होगी, पहले भी कई बार ऐसे हुआ मरीज बेड से नीचे गिर गया। अन्दरूनी चोट आयी और वह दो दिन बाद उस चोट से मर गया। कैदी- पता नहीं साहब हमने देखा तो नहीं गिरते हुए, फार्मासिस्ट- चलो यार, क्या कर सकते हैं हमारा काम इलाज करना है अब जीना-मरना हमारे हाथ में नहीं सिर्फ कोशिश की जा सकती है। कैदी- ठीक बात है सर, वैसे वह बेचारा बहुत परेशान हो चुका था। साहब- अच्छा ही हुआ तड़पने से अच्छा तो मुक्ति मिल गयी। कुछ ही घण्टे के बाद पता चला कि बाहर अस्पताल वालों ने उसे मृत घोषित कर दिया। यह एक खतरनाक मौत थी। चाहे कुछ भी हो जेल में किसी की मौत न हो। मौत अगर आये तो खुली धरती पर खुले आसमान के नीचे, न कि इन चार दीवारियों के अन्दर। कहते हैं जो कैदी इन्हीं चार दीवारियों के अन्दर मृत्यु को प्राप्त होता है उसकी आत्मा इसी कैदखाने के अन्दर भटकते हुए रह जाती है। मुझे नहीं पता यह सच है या नहीं लेकिन लोगों का ऐसा कहना है। दूसरे दिन जेल की सलाखें खुल चुकी थीं। मैं प्रात: जेल खुलने से पहले उठ गया था। सिर में दर्द है, दवाईयाँ तो हैं। लेकिन मैं दवाइयों से दूर ही रहता हूँ वैसे भी इतने साल इन सलाखों में रहकर खोखला हो चुका हूँ सुबह मैं जैसे ही अपने बैरक से बाहर गया सामने नम्बरदार और चीफ साहब खड़े होकर बातें कर रहे थे। मैं भी अपने जैकेट के जेब में हाथ डाले हुए उनके बीच था। मेरी सबसे दुआ-सलाम हुई फिर वो ही बातें कल की। चीफ साहब कहने लगे, यार जीतू वह लड़का बहुत परेशान था। उसे बाहर ले जाते थे। कोई भी डॉ. उसे देखते नहीं थे बस फाईल देखते ही समझ जाते थे कि वह ही कैदी है जिसका उपचार होना असम्भव है। ठीक हुआ मर गया। कुछ होना ही नहीं था।

एक बार मैं भी उसको लेकर गया था। लेकिन सिर्फ डॉ. ने फाईल देखकर कहा कि इसे दस दिन बाद वापस दिखाने ले आना बस दवाई लिख देता था। डॉ. ने उसे देखा तक नहीं और हम लोग वापस ले आए। वैसे देखा जाए तो एक कैदी जिसके हाथ में हथकड़ी लगी होती है तो हर समाज का व्यक्ति उसे इसी नजरिये से देखता है कि यह चोर है, डकैत है, गुंडा है, भ्रष्टाचारी है। लेकिन कभी-कभी यह असत्य साबित हो जाता है क्योंकि इन सलाखों में हर कैदी गुनहगार नहीं होता आप लोगों ने सुना होगा कि दस माह केस चला फिर उसे बरी कर दिया गया। आखिर उस हथकड़ी ने उसकी इज्जत को मिट्टी में मिला दिया। समाज के हर आदमी ने उसे गलत नजरिये से देखा है। मैं समाज के हर व्यक्ति को यह कहना चाहता हूँ कि हाथ में हथकड़ी लगी और इस कैद में बंद सभी कैदी गुनहगार नहीं होते। हमें अपनी सोच बदलने की आवश्यक्ता है। मैंने इन सलाखों में दस साल बिताये हैं। मैं गुनहगार हूँ। मैं एक तस्कर था। मैं अपने आप को गुनहगार मानता हूँ। लेकिन यहाँ हर कैदी गुनहगार नहीं होता है आज जेलों में बंद अधिकतर कैदी चाहे वह गुनहगार है या नहीं हर दूसरा कैदी अपने आप को अच्छा बनाना चाहता है। वह समाज को अपने कार्यो को समर्पित करना चाहता है। चाहे वह अमीर हो या गरीब लेकिन मैं तो कहता हूँ कि आज जिस तरह से जेलों में स्किल इंण्डिया या अन्य संस्थाओं द्वारा जितने भी समाज सुधारक कार्य किये जा रहें हैं, मैं उन सभी का हार्दिक अभिनन्दन करता हूँ। लेकिन कुछ ही प्रतिशत कैदी ऐसे हैं, जो जेल की सलाखों के अन्दर रहने के बाद भी नहीं सुधर सकते वह प्रोफेशनल किलर हैं। वह प्रोफेशनल चोर हैं। डकैत है और तस्कर हैं। लेकिन ऐसे कैदियों को सुधारने के लिए, मुझे लगता है एक ही मार्ग है। वह है आस्था, ईश्वर का ध्यान, योग और अच्छी शिक्षा। कहते हैं किसी भी इंसान को अच्छे लोगों के साथ रखोगे तो वह चाहे कितना लुच्चा-लफंगा, चोर-डकैत

क्यों न हो। वह भी एक दिन ऐसा आएगा कि वह अपने आप सुधर जाएगा। शायद हमें अपने समाज को अच्छा बनाने के लिए कोशिश करनी चाहिए। आज हमारे समाज में अच्छे विद्वान लोगों की कमी नहीं है। मेरे भाइयों, ये सलाखें बहुत दर्दनाक हैं, यह सलाखें बहुत डरावनी हैं, यह सलाखें बहुत कष्टदायक हैं। आज अभी मैं देख रहा हूँ मौसम बहुत ठण्डा है सुबह के सात बजे हैं। जेल के चीफ साहब के साथ ऐसी ही बातें कर रहा था। अच्छा मैं आपको बताना चाहता हूँ कि मैं एक कैदी राइटर हूँ। मेरा काम यहाँ लिखा-पढ़ी, दवाईयाँ और इन्जेक्शन का है। मैं पुराना कैदी हूँ, इसलिए मैं कहीं भी आ जा सकता हूँ। इसके लिए एक कैदी को अपना चरित्र अच्छा रखना होता है। न लड़ाई, न झगड़ा, न नशा अगर आप सच्चे ईमानदार हैं तो जेल के अधिकारी आप को अच्छा काम देते हैं। ऐसे चरित्र को देखते हुए मुझे यहाँ पर राईटर बनाया गया है। बाकी अन्य आम कैदी गेटों के बाहर या अपने बैरकों से बाहर आना तो दूर गेट से बाहर झाँक भी नहीं सकता है। यह कैद-खाना है। अभी-अभी मेरे सामने चाय आयी है। एक बड़ी सी हांण्डी जो पूरी चाय से भरी है। यह एक पहिए वाली ठेली है। उसी हांण्डे के बगल में एक थैला, जो प्लास्टिक का गंदा थैला है, उसमें गुड़ था। जो अधिकतर चूरे से भरा था। आज इतना अच्छा गुड़ नहीं है, लेकिन और दिन गुड़ अच्छा आता है जो कैदियों को मिलता है इसका श्रेय अधीक्षक को जाता है। नम्बरदार कैदी ने गेट को जोर से खड़खड़ाते हुए सभी कैदियों को आवाज मारी। चाय ले लो, चाय चाय चाय.... वह हल्ला बहुत जोर का था ताकि कोई कैदी सो रहा होगा तो जग जाएगा। सामने से अन्दर गेट से बहुत कैदी दौड़ते हुए उस चाय पर टूट पड़े। सामने जेल का सिपाही अपने से लम्बा डण्डा लिए खड़ा था। उसने एक हुंकार भरी और सभी कैदी एक ही झटके में लाईन में लग गये। कुछ नवजवान कैदी हैं, कुछ सयाने तो कुछ बुजुर्ग। यह बैरक अस्पताल के साथ वह कैदी यहाँ रहते

है जो नये-नये आए हैं। कुछ में नये कैदी थे तो कुछ पुराने। सभी अपना-अपना जेल से मिला मग्गा हाथ में लिए खड़े हैं। इस कड़ी ठण्ड में कँपकपाते हुए सभी खड़े हैं। एक कैदी जो फटा पुराना कम्बल ओढ़े हाथ में मग्गा लिए खड़ा था, तो दूसरा फटी बनियान पहने, तो तीसरा ठण्ड में सिकुड़ते हुए अपने दोनों हाथ आपस में बाँधे हुए खड़ा था। इतने नियम से चाय ले रहे थे मानों सभी शरीफ लोग यहीं आ गये होंगे। एक चीज तो है हम जिस तरह नियम-कानून के अन्तर्गत रहते हुए इस कैद में काम करते हैं। उसी ईमानदारी से बाहर काम करते तो कोई भी अपने रास्ते में जरूर सफल होता। कैदियों की लाईन लगी ही थी, हर कैदी चाय ले रहा था और साथ में गुड़ लिए अन्दर बैरक में जा रहे थे। चाय लेते ही कोई बाहर नहीं रूक सकता कोई भी कैदी किसी से आसानी से मिल नहीं सकता, बात नहीं कर सकता, यह जेलखाना है। यहाँ के कानून नियम कड़े हैं। मेरे सामने दौ सौ मीटर आगे मनन स्थल दिखायी पड़ रहा है। उस बड़े गेट में बना एक छोटा गेट जिसके अन्दर से कैदी एक-एक करके झुकते हुए आगे को बढ़ रहे है। सभी के हाथों में थैला है। लगता है काम करने जा रहे हैं। उन थैलों के अन्दर थाली और मग्गा है बहुत भीड़ है। मैं सभी को जानता हूँ क्योंकि मैं यहाँ का पुराना कैदी हूँ। मेरी नजर उन्हीं कैदियों की तरफ है। लेकिन मैं उस सिपाही से बात कर रहा था। वह ही बात चल रही थी जो कैदी कल मर गया था। अचानक उन कैदियों का हुजूम हमारे पास पहुँचा वह भी आते ही चाय पर टूट पड़े। लेकिन सामने डण्डा धारी सिपाही खड़े देखकर वह सहम गये। सिपाही ने सभी कैदियों को बता दिया है कि सारे अपने-अपने काम पर जाओ चाय वहीं आ रही है। उसमें से कुछ कैदी कह रहे हैं। ठीक है साहब यहाँ मत दो चाय वहीं देना और कुछ कैदी कह रहे हैं, हमें चाय यहीं चाहिए। मैं अपने जैकेट की जेब में हाथ डाले खड़ा था। थोड़ी देर बाद अस्पताल बैरक की चाय सभी कैदियों

को मिल चुकी थी। मैंने भी अपनी जेब से एक पन्नी निकाली और चार पीस गुड़ के लिये और मैं वापस अपने कम्पाउंड में आ गया। सामने कुछ कैदी एक साथ बैठे आग सेक रहे हैं। ऐसे कैदी जिनके पास पहनने के लिए कपड़े नहीं हैं। इस ठण्ड में ऐसा लगता है काश! यह ठण्डा नहीं होता तो यह गरीब कैदी इस ठण्ड में सिकुड़ नहीं रहे होते लेकिन यह प्रकृति का नियम है खैर, यह कैदखाना है।

इस रहस्यमय काल कोठरी के अन्दर हर दिन की शुरूआत एक मानसिक दबाव के साथ शुरू होती है और हो भी क्यों नहीं क्योंकि यह कैदखाना है। जहाँ समाज से लोगों को अलग रखने की व्यवस्था है। उन लोगों को जो समाज में हिंसक घटनाएं और अन्य सामाजिक कार्य होते है। उसका नाम है कैदखाना, जेल खाना जो लोहे की जंजीरों से बना है। लेकिन इस कैद में रहने का दर्द-अहसास वाकई बहुत दु:खद और असहनीय दर्द के रूप में है। शायद उस लेख को लिख पाना मेरे लिए बहुत ही कठिन काम है, हालाँकि उस अहसास उस दर्द से गुजरते रहता हूँ। मेरे लिए हर एक दिन बहुत ही कठिन और पीड़ित ढंग से गुजरता है। मेरा दिल थर्राता है, जब मैं अपने इस जेल के पुराने दिनों के बारे में सोचता हूँ और हँसकर ऊपर वाले से प्रार्थना करता हूँ कि हे! मालिक दोबारा इस कैद तक मत पहुँचाना। मुझसे कोई ऐसा कार्य मत करवाना जिससे कि मैं दोबारा इस कैद में न आ सकूँ। वाकई मैं मरना पसन्द करूँगा लेकिन दोबारा इस कैद में आना पसन्द नहीं। इन्सान आवेश में आकर क्या कर जाता है शायद उसका अहसास इन्सान को इन सलाखों के पीछे आकर होता है। तब सारी यादें आती हैं। रिश्ते-नाते भगवान, पाठ पूजा इंसान पहले नहीं सोचता क्या होगा। इस मानसिक दबाव और तनाव के बीच इन सलाखों में जीना वाकई बहुत दर्दनाक है। मैं आज आपको एक कैदी की बात बताने वाला हूँ, मैं आपको उसके बारे में रूबरू कराना चाहता हूँ। कभी-कभी सोचता हूँ कि मैं आपको कैदी के

पूरे सही नामों के साथ बताऊँ लेकिन फिर सोचता हूँ, किसी के दिल को ठेस पहुँचाना यह मेरा कोई अधिकार नहीं है या फिर हर आदमी यह नहीं चाहता कि उसका नाम सार्वजनिक हो, इसलिए मैं किसी का नाम दर्शाता नहीं हूँ। इन्सान चाहे कैसा भी अपराध करके इस कैद में आता है? समाज की नजर में वह गिर जाता है फिर भी वह अपने नजर में नहीं गिरना चाहता। वह अपने से बड़ा किसी को समझता नहीं है। उसका मानसिक संतुलन कुछ गड़बड़ा सा गया है। वह कैदी कई वर्षों से मेरे साथ ही रहता है। एक इंसान जिसने कभी एक चींटी तक को नहीं मारा हो अगर वह एक इंसान की हत्या कर देता है और इन सलाखों में कैद हो जाता है। जाहिर सी बात है, वह गहरी सोच चिन्ता में डूब जाएगा तो अवश्य ही उसकी मानसिक स्थिति गड़बड़ा जाएगी। शायद इसी तरह यह नौजवान कैदी भी चिन्ता में डूबकर चिता की ओर अग्रसित होता जा रहा है। मैंने अहसास किया है और देखा है इस कैद में आकर पता नहीं क्या हो गया। कभी-कभी बहुत परेशान रहता है। यह जेल की लाल दीवारें और लोहे से लदी यह जेल हर किसी को परेशान कर देती है। पता नहीं क्या हो गया? लेकिन अधिकतर उसके मुँह से एक ही शब्द निकलता है। मैं कब छूटूँगा, मैं यहीं मरूँगा क्या? क्या होगा मेरा? कल सपने में कोई मुझे चाकू छूरियों से काट रहा था, मेरे शरीर के हर अंग को काट-काटकर अलग किया जा रहा था। क्या कोई मुझे मारने वाला है। यह जेलखाना है यहाँ तरह-तरह के कैदी हैं। जब कुछ कैदी उससे पूछते हैं कि कितनी सजा है तो वह सोचकर कहता है आजीवन। कुछ ऐसे कैदी हैं। जो जानते है उसके बारे में तो वह कहते हैं कि छूट जाएगा यार। तो दोबारा वह कहता हैं। भाई, आजीवन की सजा कितनी होती है, क्या है यह आजीवन बस इन्हीं शब्दों के साथ उसका बोलना समाप्त हो जाता है। कई कैदी हैं जो उससे कहते हैं। बेटा आजीवन मतलब आधा जीवन। तू तीस साल का हो गया और तुझे तीस

साल इसी काल कोठरी के अन्दर बिताने हैं। तो वह सोचकर कहता है साठ साल तक तो मैं यही मर जाऊँगा। कई कैदी जेल में ऐसे भी हैं जो इससे बात करना पसन्द नहीं करते हैं क्योंकि इसकी बात में एक सच्चाई होती है। जो हर कोई सुनना पसन्द नहीं करता। यह कैदी ऐसी बात करता है कि कोई भी नहीं सोचने वाला। कैदी गहरी सोच में डूब जाएगा जिससे उसका जीना दुश्वार हो जाएगा क्योंकि अगर जेल में रहकर अत्यधिक चिन्ता में डूब जाए तो कोई भी कैदी पागल हो जाएगा। यह चार दीवारी आपको यहीं तक सीमित कर देती है। ध्यान सिर्फ एक ही जगह केन्द्रित रहता है। वह है, मैं कब छूटूँगा। यह कैदी काम करता है, रोज सुबह उठता है, दिल में तो हमेशा एक ही चीज रहती है कि मैं कब छूटूँगा। दूसरी तरफ हाथ में पोंछा लिए पूरे कमरे की सफाई में लग जाता है। काम करने का दिल नहीं करता है फिर भी मजबूर कैदी की मशक्कत इसी काम में है तो करना स्वाभाविक और मजबूरी सी हो गयी है। इन्सान चाहे कितना क्रूर क्यों न हो लेकिन वक्त उसे ऐसे फेरे में डाल देता है कि इंसान का दिमाग ही बदल जाता है। कुछ ऐसा ही इस कैदी के साथ हुआ था। यह कैदी सन् 2012 में इस जेल में आया था। मैं सन् 2010 में जिला जेल अल्मोड़ा से जिला जेल देहरादून में आया था। वर्ष 2012 में कैदी मशक्कत में मुझे अस्पताल में काम के लिए रखा गया था। इस कैदी को उसी समय से जानता हूँ। मुझे अभी वह समय याद है जब वह कैदी बहुत गुस्से में व पागलपन में रहता था। उसके शरीर में एक अलग ही उत्तेजना रहती थी। किसी से बात नहीं करता था। बस जेल के एक कोने में जाकर बैठ जाता था। पता नहीं क्या सोचता था। शायद यही सोचता होगा कि कहाँ आ गया। कुछ समय बाद वह इस कदर डिप्रेशन में चला गया था। उसका पूरा दिमाग बस बदले की भावना की तरफ चला गया। इन चार दीवारों के अन्दर जब कोई कैद हो जाता है तो उसका दिमाग सिर्फ एक ही चीज पर केन्द्रित हो

जाता है। वह केन्द्रित होता है रिहाई। पर कुछ समय बाद उसे अब दवाई की आवश्यकता पड़ने लगी। बाहर से मानसिक विशेषज्ञ द्वारा उसे दवाई दी गई। अब हमने उसे अण्डर औबजरवेशन में अस्पताल के दूसरे वार्ड में रखा। एक रात उस कैदी ने दूसरे कैदी पर पत्थर से वार करना शुरू कर दिया। रात के करीब एक बजे सारे कैदी गहरी नींद में थे अचानक मेरा दिमाग उस पत्थर पर गया, जो बाहर रखा था। मेरा दिमाग भी एक मिनट के लिए उसी तरफ को दौड़ा दो तीन कैदी सामने दरवाजे पर खड़े आवाज मार रहे थे तो दूसरा कैदी चिल्ला रहा था। अरे चीफ साहब रिपोर्ट रिपोर्ट.... तीसरा जोर से कह रहा था, अरे चीफ साहब कोई है। मैं उन्हें देखकर घबरा गया था। मैं सोच रहा था कहीं मर तो नहीं गया। उस कैदखाने का भयंकर दृश्य देखकर मुझे तो ऐसा लग रहा था। करीब दो मिनट बाद जेल का गार्ड नंगे पाँव भागते आ रहा था। उसके हाथों में जूते थे और बाल इधर उधर बिखरे हुए थे और घबराये हुए कह रहा था कि क्या हो गया। सामने से हल्ला हो रहा था गार्ड वहीं की तरफ गया और खून ही खून देखकर वह भागता हुआ सामने गेट की तरफ को वापस गया। शायद जेल प्रशासन को बुलाने गया है। मैं भी गेट को पकड़े उस 1 बजे रात इसी हलचल को देख रहा था क्योंकि अब डॉ. आएंगे पूरा प्रशासन आएगा तो अस्पताल खुलेगा क्योंकि डिस्पेंसरी की चाभी हमारे पास ही रहती है और एक कैदी राइटर को जाना पड़ेगा सभी कैदी राइटर अनुभवी हैं। तकरीबन दो तीन मिनट के बाद कई जेल के सिपाही व अन्य स्टाफ यहाँ पहुँच गया। सभी के हाथों में लाठी–डण्डे है लेकिन कोई अन्य जेल का कोई अधिकारी दिखाई नहीं दे रहा है और अभी चाभी भी नहीं आयी है। जो सिपाही डण्डा लिए खड़े हैं वह उस बैरक में ताक–झाँक कर रहे हैं। कह रहे हैं। क्या हो गया? कौन है, कौन है? जिसने मारा तो दूसरा सिपाही कह रहा था कि साले.... गंदी गंदी गाली देते हुए..... रुक जा बेटा अभी बताता हूँ जिस

प्रकार अन्दर हलचल थी उसी प्रकार बाहर भी हल्ला चल रहा था। क्योंकि अंदर वाले कैदी जेल खुलने का इंतजार कर रहे थे तो बाहर वाले जेलर के आने का इंतजार। दोनो तरफ इंतजार चल रहा था। सारे डण्डाधारी पुलिस इस लोहे के गेट पर खड़े थे। हल्ला-गुल्ला चल रहा था। मैं भी सारा खेल खड़े-खड़े देख रहा था। जिस तरह मैं मजबूर था। उसी तरह दूसरी तरफ के ये कैदी भी मजबूर होकर खड़े थे और उसी प्रकार बाहर खड़े यह जेल के सिपाही भी लाठी डण्डे लिए मजबूर सभी खड़े थे क्योंकि न तो ताला खोलने के लिए इनके पास चाभी थी और न ही वो इस जगह को छोड़ सकते थे। यह इनकी ड्यूटी थी। एक पुलिस वाला डण्डे के बल पर जेल के अन्दर कैदियों को धमका रहा था ताकि कोई किसी के साथ लड़ाई-झगड़ा न करे, लेकिन यहाँ पर वह कैदी बहुत डरे-डरे थे जो शरीफ हैं, जिन्होंने थाना नहीं देखा था, जेल तक आ गये। ऐसे कैदी जिनका स्वभाव सरल है। उन कैदियों को बहुत दुःख दर्द हो रहा होगा। ऐसे माहौल में डॉ. साहब के साथ उस कैदी को देख रहा था क्योंकि इस कैदी ने दूसरे कैदी के साथ ऐसा व्यवहार क्यों किया होगा। शायद अभी मेरे समझ में कुछ नहीं आ रहा है। एक कैदी के सारे कपड़े खून से सने हुए हैं। बहुत दुबला-पतला कैदी है। लेकिन इतनी खतरनाक चोट को कैसे झेल गया यह बड़ी बात थी। बाहर उस कैदी की तलवा परेड चल रही हैं। वह जोर-जोर से चिल्ला रहा है। बचाओ-बचाओ छोड़ो-छोड़ो मुझे छोड़ दो लेकिन उसकी सुनने वाला कोई नहीं है। जेलर साहब चिल्लाते हुए कह रहे है। साले क्यों बे कहाँ से ले आया था वह पत्थर और क्यों तूने उसे मारने की कोशिश की। वह कैदी हाथ जोड़ रहा था, कह कुछ भी नहीं रहा था। शायद वह बताना नहीं चाहता है कि वह क्यों उसे जान से मारना चाहता है। करीब दस मिनट की मार-पिटाई के बाद उसे नंगे पाँव उस अंधेरी रात को दौड़ाया गया। जिस तरह से उसके तलवों में डण्डों से वार किया था उसे

नहीं दौड़ाया जाता तो उसकी पाँव की नसें बन्द हो सकती थी इसलिए उसे नंगे पाँव दौड़ाया गया था। उसके दौड़ने से ऐसा लग रहा था मानो वह अपंग हो गया होगा। वह टेढ़ा-मेढ़ा होकर चल रहा था लेकिन दौड़ नहीं पा रहा था। अन्ततः दोनों को जेल के अन्दर बंद कर दिया था। मैं भी अन्दर चला गया। यह पूरी रात हराम हो चुकी थी क्योंकि इस तरह से ऐसे माहौल में रहना बहुत दुखःदायी था। मैं जैसे ही अपने बिस्तर पर जाकर लेटा मुझे नींद कहाँ आ पाती बस लेटे ही लेटे करवटें ले रहा था। मैं अभी सातों तालों के अन्दर बंद हूँ और चारों तरफ कैदियों का हुजूम है। बस मैंने अपनी आँखे बन्द कर ली हैं। लेकिन मैं ख्यालों की दुनिया में जी रहा हूँ। उस दिन की उस घटना और आज उसे देखकर ऐसा नहीं लगता है कि वह इतना खूँखार होगा। आज वह कैदी मेरे साथ इसी बैरक में रहता है। आज उस कैदी का नेचर बहुत सरल और सौम्य हो चुका है। वह कहता है कि मैंने ऐसा क्यों किया मुझे नहीं पता शायद उसका वह पागलपन उसे इस मोड़ पर ले आया होगा। आज उसका नेचर ऐसा है कोई भी व्यक्ति कुछ कह दे उसे कोई फर्क नहीं पड़ता बस हँसते हुए हर बात को टाल देता है। कई ऐसे खुरापाती कैदी है कोई उसे गाली भी दे दे वह कुछ नहीं कहता बस उसके मुँह से एक ही शब्द निकलता है। मैं कब छूटूँगा। वह इन दीवारों से बहुत दुखी है कहता है कि किसने बनायी होगी यह जेल जो आज इतने इतने लोगों को इन दीवारों द्वारा रोका गया हैं। कई सारी बातें इसकी दिमाग में गूँजती रहती हैं बस शाम-सवेरे उसके हाथों में झाड़ू और पोंछा रहता है पूरे कमरे की रोज साफ सफाई करता है। अब इतने सालों बाद वह सोचता है कि मुझे अब यह झाड़ू कब तक लगानी पड़ेगी और साथ ही अब वह कभी-कभी अपने भविष्य के बारे में भी सोचता है। कहता है। भाई मैं पढ़ा लिखा नहीं हूँ, अगर मैं भी आप लोगों की तरह पढ़ा-लिखा होता तो मैं भी बैठकर लिखता लेकिन मैं तो अनपढ़ हूँ। क्या करूँगा मैं अपने

इस जीवन में, क्या मैं इसी तरह हमेशा झाड़ू और पोंछा ही लगाता रहूँगा? हमारे जैसे अनपढ़ों के लिए काम भी क्या है। वह कैदी बहुत कुछ सोचता है लेकिन कुछ ही शब्द उसके बाहर निकलते है। कहता बहुत गहरी बात है लेकिन अगर समझने वाला इंसान उसकी बातों को सुने तो वह भी बहुत गहराई में चला जाएगा। कभी कहता है इससे अच्छा तो मर जाता तो अच्छा था, क्यों जी रहे हैं हम। आजीवन की सजा है, पता नहीं कब छूटना है। कई लोग तो यहीं मर गये मैं भी मर जाऊँगा क्या? वह इस तरह के प्रश्न करता है इन सवालों का जवाब मेरे पास नहीं रहता है क्योंकि उसकी आत्मा से जो सवाल बाहर आते हैं उसका उत्तर देना बहुत ही दुखःदायक होता है। मैं हंसतें हुए कह देता हूँ बेटा चिन्ता मत कर अच्छा सोच हमेशा अच्छा ही होगा और जल्दी ही इस कैद से रिहा हो जाएगा। कभी-कभी सोचता हूँ हमें अपने देश के कानून में संशोधन जरूर करना चाहिए। पहला अपराध उम्र को देखकर एवं अपराध की श्रेणी को देखकर ही उसका निर्णय होना चाहिए क्योंकि एक गुनहगार जब इन सलाखों के पीछे आकर अपने पापों का प्रायश्चित करता है और वह शपथ लेता है कि वह जीवन में कभी गलत काम नहीं करेगा। अगर दोबारा गलत काम करते हुए पकड़ा गया तो उसे ऐसी सजा मिले। उसका जीवन ही खत्म कर दिया जाए। आज हमें अपने कानून को सुधारने के साथ सख्त करने की आवश्यकता है क्योंकि एक तरफ जहाँ हम इंसानियत को देखकर उसका निर्णय करते हैं वहीं दूसरी तरफ हमें सख्ती से पेश आना जरूरी है। यह सब के लिए चुनौती है, क्योंकि एक तरफ जहाँ यह कहना सरल है वहीं दूसरी तरफ इसको लागू करना कठिन कार्य है। मैं भँली-भाँति समझता हूँ। आज हमारे तंत्र में भ्रष्टाचार चरम सीमा पर व्याप्त है जो मैं कहने जा रहा हूँ। शासन से लेकर प्रशासन, प्रशासन से लेकर न्यायप्रणाली तक आधे से ज्यादा अधिकारी। कर्मचारी जो भ्रष्टाचार में लिप्त हैं जिसकी कल्पना

करना असम्भव है। कोई यकीन नहीं कर सकता है कि हमारे तंत्र में कितनी कमियाँ है। यह भी सबसे रहस्यमयी है लेकिन मैं उन कर्मचारियों और अधिकारियों को सलाम करता हूँ जो भ्रष्टाचार मुक्त हैं। यह हमारे समाज के लिए खुशी की बात है लेकिन पारदर्शिता लाना सबसे महत्वपूर्ण है।

सुबह सलाखें खुली। मानसिक तनाव के साथ आज सुबह की शुरूआत हुई। हर दिन इन्सान का एक जैसा नहीं होता फिर जेल की सलाखें और यह भयानक लाल दीवारें दिल में ऐसे कम्पन्न कर देती हैं जैसे कि भूकम्प आ रहा हो। मेरे प्यारे भाईयों, जीवन में अच्छा काम करें ओर ऐसा काम करें जो समाज के हित में हो। ऐसे रहें कि कोई तुम पर उँगली न उठा सके। मेरे प्यारे मित्रों! इन सलाखों में बहुत दिक्कत और परेशानी से आज हर कैदी जूझ रहा है क्योंकि यह कैदखाना यहाँ हर तरफ चाहे जिस तरफ आपकी निगाहें जाएगी उसी तरफ आपको समस्या दिक्कत और परेशानी दिखायी देंगी और उसी के साथ-साथ चिन्ता, घबराहट इत्यादि से कैदी इतना आहत हो जाता है कि वह यहाँ कई गम्भीर बीमारियों से ग्रसित हो जाता है। मित्रों अगर मैं अपनी बात करूँ तो मैं पिछले नौ वर्षों से जेल की कई सलाखों में जा चुका हूँ। ऐसी गम्भीर परिस्थिति में कोई भी कैदी अपने आप को उस माहौल में मुश्किल से ढाल पाता है। शायद यह बहुत चिंता और परेशानी का विषय है। इतने वर्षों में मैं खुद कई गम्भीर बीमारियों से ग्रसित हूँ क्योंकि यह सलाखें इन्सानों को इतनी दिक्कतें देती हैं। इन्सान की रूह-रूह बीमारियों से घिर जाती है। यहाँ पर सबसे पहले कैदी मानसिक बीमारियों से घिरता है फिर शुगर हाई ब्लड प्रेशर और आँखों से अंधा हो जाता है। यह सभी बीमारियाँ इस जेल के तोहफे हैं और यह लाल दीवारें, हमारी आँखों की रोशनी को समाप्त कर देती हैं। मैं जब जेल में आया था तब मैं स्वस्थ था, लेकिन आज समय के साथ-साथ मैं हाई

ब्लड प्रेशर की दवाईयों और आँखों में चश्मा व डिप्रेशन की दवाओं पर निर्भर हूँ। प्यारे दोस्तों यह जेल खाना है यहाँ हर तरफ घबराहट व चिन्ता है। आज इस कैदखाने के अन्दर कई ऐसे कैदी हैं जो गम्भीर समस्याओं से पीड़ित हैं। आज दोपहर डॉ. साहब के ऑफिस के अन्दर एक बीमार कैदी आता है। वह पुराना कैदी है, उसे बहुत दिक्कत है, वह अल्सर की बीमारी से पीड़ित है वह आज दवाई लेने आया था। पहले भी वह दवाई लेने आता रहता था लेकिन उसकी सबसे बड़ी समस्या यह है कि वह एक असहाय और गरीब कैदी है। कई बार उसकी जेल अस्पताल से बाहर अस्पताल के लिए गार्ड भी लगायी गयी लेकिन उसकी गार्ड उपलब्ध नहीं हो पाई शायद उसकी पीड़ा यहाँ कोई समझ नहीं रहा है। यहाँ कोई किसी का नहीं यहाँ तो सिर्फ पैसे और पावर की आवश्यक्ता है। शायद उस कैदी की पकड़ अच्छी होती तो वह आज अस्पताल जाता और उसका इलाज हो पाता। आज जब वह अस्पताल की डिस्पेंसरी में आया तो कई तरह की बातें हो रही थीं। वह कैदी थोड़ा बोलने में तेज है। बस वही उसका हथियार है शायद यही आदत उसे बाहर अस्पताल ले जाने में सहायक होगी। यहाँ के अधिकारी किसी से नहीं डरते कोर्ट के सिवा। शायद वह हवालाती कैदी होता तो अभी तक उसकी गार्ड आ चुकी होती उसकी बदकिस्मती यह है कि वह कैदी है। उसे आजीवन कारावास की सजा सुनाई गई है। अब वह इस चार दीवारों से कहीं नहीं जा सकता यह उसकी सबसे बड़ी बदकिस्मती है। आज जब वह बोल रहा था कि डॉ. साहब मैं इस जेल की सलाखों में मर जाऊँगा, कृपया मुझे बाहर अस्पताल भिजवा दो। उसकी आँखों में जो आँसू थे शायद वह यह सोच रहा था कि उसे अभी घर जाना है। अपने जो छोटे-छोटे बच्चे हैं उनको आगे पढ़ाना है। शायद उसकी पीड़ा को मैं समझ सकता था। एक कैदी की पीड़ा को दूसरा कैदी ही समझ सकता है क्योंकि इसी हाल से मैं भी गुजर रहा था। वह कैदी गिड़गिड़ा

रहा था कि मुझे बचा लो जेल फार्मासिस्ट अपनी कुर्सी पर बैठे थे, उनके सामने डॉ. साहब। बातों ही बातों में मैं भी सामने खड़ा हो गया। जैसे ही बात आगे बढ़ी तो मैंने डॉ. और फार्मासिस्ट को यह कहा कि साहब एक हवालाती कैदी की गार्ड अगर नहीं आती है तो वह अपनी तारीख पर कोर्ट में शिकायत कर सकता है कि जेल वाले इलाज नहीं कर रहे हैं। लेकिन एक कैदी इसी चार दीवारियों के अन्दर घुटता है। इनकी मदद आप ही कर सकते हैं। आप लोगों के सिवा इन बेसहारा कैदियों का कौन है?

डॉ. साहब ने कहा कि देखो, कैदी तो जेल में ही मरने के लिए ही बना होता है क्योंकि कैदी की सजा ही यही है। मैंने कहा, साहब ऐसा नहीं है। डॉ. भगवान का रूप होता है, आप के हाथ में बहुत कुछ है। आप चाहो तो अभी भेज सकते हैं। आपको कौन रोकने वाला है। डॉ.- नहीं हम यहाँ से सिर्फ इमरजेंसी वालों को ही भेजते है। मैंने कहा कि डॉ. साहब आप ऐसे पेशेटों को तभी भेजोगे जब वह बचने लायक ही नहीं रहेगा। डॉ.- यार मैं क्या कर सकता हूँ। मैं तो सिर्फ इमरजेंसी में ही भेज सकता हूँ। उससे पहले इमरजेंसी क्या होती है। शायद आप नहीं समझ पाएगे। जेलखाने की इमरजेंसी यह होती है। जब कैदी चलने लायक न हो जब उसके प्राण जा रहे हों। आज तक जेल में जितने कैदी मरते हैं वह सब जेल के अन्दर ही साँसें बन्द कर लेते हैं यह है इन सलाखों के अन्दर की इमरजेंसी। शायद यह कैदी भी उसी दिन जाएगा, जिस दिन वह अन्तिम साँसे ले रहा होगा। भगवान करे उसे कुछ न हो वह दोबारा से स्वस्थ हो। जिससे अपने बच्चों को पाल सके यहाँ हर असहाय गरीब कैदी का यही हाल है। मैं मानता हूँ कुछ कैदी ऐसे हैं जिनका बड़े से बड़ा ऑपरेशन इस कारागार से हुआ हैं लेकिन वह भी यहाँ से तभी गये हैं जब वह मरने लायक हुए हैं। आखिर इन कैदियों के साथ इतना अभद्र व निर्दयी व्यवहार क्यों किया जाता है। यहाँ पर

जो हवालाती कैदी आते हैं। उनका इलाज हो जाता है। अगर उसकी पैरोकारी नहीं तो वह भी इसी चारदीवारी के अंदर दम तोड़ देता है। मैं तो सोचता हूँ शायद इस कानून के अंदर कुछ बदलाव हो तो आज कई बेगुनाह कैदियों की जान बच सकती है। उन्हें गंभीर-गंभीर बीमारियों से बचाया जा सकता है। अगर समय पर इलाज हो तो सरकार का धन ज्यादा व्यय नहीं होगा और इन बेजुबान कैदियों की जान बच पाएगी। मैं पिछले कई वर्षों से बी. पी. की नियमित दवाई ले रहा हूँ मैंने अपने को कई बार जेल में अनेकों विशेषज्ञों को दिखाया है। उन्होंने गम्भीर चिंता का विषय बता कर मुझे टी एम टी की सलाह दी। मैं खुद जेल अस्पताल का कैदी राइटर होते हुए मेरी आज तक यह जाँच नहीं हो पाई अगर मुझे आज कुछ हो जाता है तो क्या होगा? कुछ नहीं, क्योंकि मैं कैदी हूँ। मुझे जेल के बाहर मरा दिखा दिया जाएगा। यह कहकर कि कैदी की ज्यादा तबियत खराब होने पर हम सिपाहियों व डॉ. द्वारा उच्च संस्थान ले जा रहे थे रास्ते में इस कैदी की मृत्यु हो गई। इन जेल वालों का कौन क्या बिगाड़ सकता है? इनका कोई कुछ नहीं बिगाड़ सकता है क्योंकि उन्होंने जो लिख दिया वह ब्रह्मलेख है। जेलों में कई मंत्री नेता आए सब ने यह आश्वासन दिया कि हम कुछ करेंगे लेकिन आज तक इन सलाखों के अन्दर बेजान कैदियों को घुट-घुट कर मरने के सिवा और कुछ नहीं हासिल है। आप खुद सोच सकते है कि जब मैं एक ऐसा कैदी जो पूरी जेल अस्पताल की जिम्मेदारी सम्भाल रहा हूँ। जब मेरा इलाज नहीं हो सकता है तो एक गरीब कैदी का इलाज कैसे हो सकता है। मैं भी हमेशा चिंतित और चिंतन में रहता हूँ बस भगवान से प्रार्थना करता हूँ कि मैं सही-सलामत इन चार दीवारों से मुक्त हो जाऊँ चाहे मेरी मौत बाहर जाते ही क्यों न हो जाए उसका मुझे गम नहीं होगा। जेल में जितने कैदी आज-तक मरे शायद पाँच छः केसों में मैं खुद गवाह रहा। लेकिन मेरी मजबूरी आप नहीं समझ सकते हो ये

सलाखें ये कैदखाना, यह जंजीरों की अकड़न शायद हमारे जैसे कैदियों को डराती और धमकाती है। हमारी मजबूरी यह कहने पर मजबूर कर देती है कि वह कैदी यहाँ ठीक था। लेकिन दूसरे दिन पता चला कि वह मर गया। यह सलाखें कैदी को मजबूर कर देती हैं। यहाँ एक मिनट काट पाना बहुत मुश्किलों भरा होता है और वर्षों काटना तो महाभारत जैसे युद्ध। आज जेलों के अन्दर जितने भी पैसे वाले पावरफुल नेता हैं। यह पुलिसवाले जो अन्य अन्य अपराध मे बंद है। उन्हें अगर छींक भी आ गयी तो उनके लिए हर समय गार्ड तैयार है क्योंकि वह पुलिस के आदमी हैं, प्रशासन के आदमी हैं और वह पैसे वाले हैं। आज भ्रष्टाचार हर जगह इतना व्याप्त है। जिसको सौ, दो सौ रुपये न दो आपका काम नहीं होता अगर मेरे पास भी पैसे होते तो शायद हमारे जैसे असहाय कैदी बाहर बड़े अस्पतालों में इलाज करा रहे होते और कोई जेल के अन्दर नहीं मरता लेकिन यह खाकी वर्दी और कुछ सफेद वर्दी की गुंडागर्दी आज इस चारदीवारी के अंदर इतनी है कि कोई गरीब कैदी आवाज उठाकर बात नहीं कर सकता। आज अगर जेलों मे यह देखा जाए कि जो पैसे वाले या जेल के कुछ खास कर्मचारी अंदर हैं उनकी गार्ड का रिकार्ड देखेंगे तो खुद पता चल जाएगा कि कौन–कौन सा कैदी कब जेल से इलाज के लिए बाहर गया। जेल के अंदर अभी रणवीर हत्याकांड के सभी आरोपी कोई दिन शायद ऐसा होता होगा जब बाहर नहीं जा रहे होते। नहीं तो रोज दून अस्पताल या अन्य अस्पतालों में फर्जी तरीके से इलाज करा रहे होते हैं। आज का जमाना तो ऐसा है। पैसा फेंको तमाशा देखो। इन कैदियों की गार्ड सुबह नौ बजे आती है और दिन–भर घूम फिर परिवार से मिलकर और अन्य कई तरह की सुविधा देकर शाम को छः सात बजे वापस आते हैं। यह अपना इलाज कराने नहीं बल्कि घूमने जेल से बाहर जाया करते हैं। इनका कौन है बिगाड़ने वाला आज कहाँ है मानवाधिकार और कहाँ है हमारे देश की

न्यायप्रणाली जो इतने अत्याचार को नहीं देख रही है। शर्म आनी चाहिए उन अधिकारियों को जो भारत माँ की गद्दी में बैठकर अत्याचार कर रहें हैं और भ्रष्टाचार में लिप्त है। मैं तो कहता हूँ कि ऐसे अधिकारियों को गोली मार देनी चाहिए।

आज दोपहर के दो बज चुके हैं। सभी कैदियों को सलाखों के तालों से आजाद किया गया है। आजाद का मतलब यह नहीं कि जेल से रिहा कर दिया आजाद का मतलब अपनी बैरक के तालों से खोल दिया है। सभी कैदी अपने बैरकों से बाहर बरामदे में और कुछ कैदी चार दीवारों के अन्दर टहलेंगे यहाँ पर माहौल अजीबो-गरीब है मैं अस्पताल वार्ड में रहता हूँ। बगल वाली बैरक मुलाहिजा है और उसके बगल में अस्पताल का किचन, उसके सीधे सामने एक गेट और उसके अन्दर पाँच तन्हाईयाँ जहाँ पर टीबी वाले पेशेंन्ट है जो इस कदर खुले में टहलते हैं। मुझे लगता है हर टीबी वाला करीब-करीब, मैं बयाँ नहीं कर सकता कितने नये कैदियों को बीमारी से जकड़ता होगा। यहाँ की शासन प्रशासन इस संबंध में वाकई सोया हुआ है कौन पूछने वाला है इस कैद-खाने में कैदियों की हालात मत पूछो मानो कीड़े-मकोड़ों से भी बदतर है। मैं हर रोज यहाँ के कर्मचारियों व अधिकारियों को यहाँ की व्यवस्था के बारे में आगाह करता हूँ और साथ ही उन कैदियों को जो इस चार दीवारी से पीड़ित होते है उन्हें समझाता हूँ कि नशीली चीजें मत लिया करो। कभी-कभी मैं गुस्से में आकर गाली भी दे देता हूँ शायद यह सोचकर कि क्या पता मेरे दो शब्द से किसी की जिंदगी सँवर जाए। लेकिन मेरे कहने का यह मतलब यह कैदी सोचते होंगे कि यह हमें इस तरह से क्यों कहता होगा और आज इस कैदखाने में एक केस हो गया। यह केस बहुत ही आपत्ति जनक है यहाँ पर कभी ऐसा भी होता है कि किसी को गलत शिकायत करने पर किसी दूसरे कैदी को दंण्डित कर दिया जाता है किसी कैदी को बेवजह परेशान किया

जाता है। लेकिन आज ऐसा कैदी जेल अधीक्षक के आदेशानुसार अस्पताल वार्ड में रखा गया था। दो दिन पूर्व एक कैदी लड़का जिसकी उम्र करीब बीस-इक्कीस वर्ष की दुबला-पतला शरीर नशे मे डूबा हुआ जेल में उसकी एंट्री हुई। जिसका नाम हसनैन था, जो कि भगतसिंह कालोनी का रहने वाला है। उसके द्वारा यह बताया गया कि वह अपने होश-हवाश में नहीं है मेरे पूछने पर उसने कहा कि मैं पिछले दो-तीन वर्षों से स्मैक और चरस का नशा करते आ रहा हूँ। दोस्ती के चक्कर में उसने नशे को गले लगा लिया। आज वह दोस्ती और नशे के चक्कर में जेल की सलाखों तक पहुँच गया। इस लड़के ने बताया कि वह फतेहगंज से सस्ते मे स्मैक लेकर देहरादून आता है और उसे बेच देता है जिससे वह अपने नशे की लत को पूरा करता है। उसने बताया कि वह स्मैक के बिना नहीं जी सकता है क्योंकि अब उसका जीवन ही नशा है। वह रु. 1100 की स्मैक रु. 4000 में देहरादून लाकर बेचता था जिससे वह अपना नशा पूरा करता था। घर से पिता का साया उठ चुका था और पाँच छः भाई-बहन और एक बेसहारा माँ कैसे उन बच्चों को पालती होगी शायद उसकी आत्मा ही जानती होगी। उसका एक लाल आज नशे में इस कदर डूबा हुआ है कि जैसे वह नशे को ही अपना जीवन समझ रहा हो आज वह इस नशे में जेल की सलाखों तक पहुँच चुका है। क्या पता शायद वह इन सलाखों से डरकर सुधर जाए। लेकिन वह यहाँ भी नशे की गोली माँग रहा है वह कह रहा है मैं मर जाऊँगा। भईया मुझे स्मैक पिला दो नहीं तो एलप्रेक्स की गोली दे दो मैं देख रहा था। नशा क्या चीज है। नशा कैसे हमारे नौजवानों को अपनी चपेट में ले रहा है। मैं आज अपने आपको बहुत दोषी समझ रहा हूँ। शायद मुझे पता होता कि नशा इंसान को ऐसे तबाह करता है। यह मैंने जेल में आकर जाना और आत्मचिंतन किया, सोचा कि मैं दुनियाँ से नशे को खत्म कर दूँ। लेकिन एक आदमी अगर कोशिश करे तो शायद

दूसरा भी मदद करे। मेरी सोच तो यही है क्या पता इस सोच से मैं समाज का कल्याण कर सकूँ उसकी तड़पन उसकी बेचैनी उसके दर्द को देखकर मैं परेशान हो रहा था। मुझे दर्द हो रहा था। वह अपने हाथ-पैर पटक रहा था क्योंकि उसे नशा नहीं मिल रहा था। वह गिड़गिड़ा रहा था कि कोई उसे स्मैक दे दे और वह सो जाएगा। रात-दिन उसने इसी तड़पन के साथ बिता दिये वह रात को न सो रहा था और न ही दिन में। दिन में बस उसके दिमाग में एक ही सुर चल रहा था। उसे नशा चाहिए। वह कभी अंदर जाता तो कभी बाहर तो कभी किसी बैरक में जाता तो कभी तनहाई वाली बैरक में तो कभी टीबी वाले पेशेंटों के साथ मैंने उसे समझाया कि वह नशा न करे लेकिन वह कह भी रहा था कि अब छूट जाएगा तो नशा नहीं करेगा। खैर यह तो वक्त ही बताएगा। मैं दोपहर में सो रहा था क्योंकि सुबह से थका था ओ.पी.डी. करवाया, वापस अस्पताल आया मैं दो-तीन घण्टे सो गया। जैसे ही उठा तो समय करीब पाँच बज चुके थे। अचानक एक कैदी मेरे पास आया और मेरे कान में फुसफुसा रहा था। मैं नींद में था लेकिन जाग चुका था। मैंने बातों को नजरअंदाज करते हुए पानी के धारे पर गया। मुँह धोया फिर बिस्तर में आकर बैठ गया फिर वही कैदी मेरे पास आया और वह कहने लगा कि हमारे अस्पताल में बाहुबली कैदी के चेले ने जो परसों नया कैदी आया है जेल में जो स्मैक का नशा करता है, उसके साथ जबरन कुकर्म कर दिया है। मैं सुनते ही भौचक्का रह गया आखिर ऐसा कैसे हो गया और यह रिपोर्ट हाई कमान तक चली गयी है। खैर, मैं तैयार हुआ और बैरक से बाहर की तरफ को गया। सामने ड्यूटी वाला सिपाही बैठा था। वह कैदी नशेढ़ी भी वहीं पर खड़ा था और जिसने ऐसा कुकर्म किया वह कैदी भी वहीं पर पीछे की ओर खड़ा था। मैंने सीधे जाकर उस पीड़ित कैदी से पूछा बेटा क्या हो गया। भईया! सलमान नाम का लड़का जो हमारे बैरक में रहता है उसने मुझसे

कहा कि वह उसे स्मैक पिलायेगा अगर वह उसकी दिली इच्छा को पूरी कर दे तो। उस कैदी ने पहले मुझे एक बीड़ी चरस की पिलायी और कहने लगा अब तुझे स्मैक तभी दूँगा जब तू मेरे काम में आएगा। नशेढ़ी कैदी ने पूछा भईया क्या काम, उसने कहा कि मैं तेरे साथ सम्बन्ध बनाना चाहता हूँ अगर तुझे स्मैक चाहिए तो बता दे। नशा एक इंसान को इतना गिरा देगा उससे उसका स्वाभिमान ही छीन लेगा और इस गंदे काम तक ले जाएगा। मैं समझ नहीं पा रहा था, आखिर उस नशे की चाहत से उसे इतने गंदे कुकर्म से गुजरना पड़ा और उसने तो अपनी प्यास बुझा ली और दूसरे की प्यास तो तभी बुझती जब उसे नशा मिलता, स्मैक देने का वादा तो झूठा था। लेकिन अब जब बारी आयी, स्मैक पीने और पिलाने की तो उसने मना कर दिया। उसके पास स्मैक नहीं है वह लड़का यह भी बता रहा था कि उस कैदी ने मेरे मुँह में हाथ रखा और मेरे साथ जबरदस्ती की। इसी बात को लेकर अब जेलर के पास पहुँच गये। जेलर साहब ने मामले की तहकीकात की पता चला कि उसने ऐसा कुकर्म किया है। लेकिन उसे गाली के सिवा कुछ नहीं मिला और कहा कि तू नशेढ़ी है, झूठ बोल रहा है। हमारी जेल में ऐसा नहीं होता। यह लड़का शरीफ है तू साला नशेढ़ी है जेल को बदनाम करना चाहता है मैं जानता हूँ तुम्हारे जैसे नशेढ़ियों को। चार गाली देकर जेलर ने उसे भगा दिया था। फार्मासिस्ट भी वहीं पर मौजूद थे, वह पीड़ित लड़का कह रहा था। साहब मैं झूठ नहीं बोल रहा हूँ आप मेरा मेडिकल करो अगर मैं झूठा हूँगा तो आप मुझे दस जूते मारना। मैं चाहता हूँ ऐसे कैदी को सजा मिलनी चाहिए। फार्मासिस्ट ने जेलर से कहा, जेलर साहब, यह लड़का सही बोल रहा है। तो जेलर ने कहा, अरे भाई जेलों में ऐसा होता रहता है। अगर हम केस करेंगे तो हम बदनाम हो जाएंगे। कौन अदालत के चक्कर काटता रहेगा। ऐसे नशेढ़ी तो जेलों में आते रहते हैं। खैर उस कैदी की किसी ने नहीं सुनी

और वह वहाँ से अपनी बैरक में वापस आ गया। दूसरे दिन यह मामला शांत नहीं हुआ था डिप्टी जेलर आ चुके हैं। दोनों कैदियों को बुला लिया गया है। मैं अस्पताल गेट के बाहर एक पीपे पर बैठा था। हमारा अस्पताल कैदी राईटर उन दोनो कैदियों को लेकर डिप्टी जेलर के पास जा रहा था। शायद अस्पताल के कैदी राईटर ने दोबारा इस बात को खोला है। वह राईटर कैदी अधिकारियों का मुखबर है। मैं उससे ज्यादा मतलब नहीं रखता। खैर, मैं समझ नहीं पा रहा था कि क्या होगा। मुझे लग रहा था कि दोनों को अलग-अलग रखा जाएगा। लेकिन थोड़ी देर बाद दोनों को वापस जेलर ऑफिस से भेज दिया था। साथ में राईटर भी आ चुका था। ऐसा लग रहा था कि कुछ सही नहीं हुआ वह कुकर्मी कैदी हँसते-हँसते आ रहा था और पीड़ित लड़का अपनी मरी हालत पर रोते आ रहा था। मैंने पूछा क्या हुआ तो उस लड़के ने कहा भईया मुझसे जैसा पूछा मैंने वैसा जवाब जेलर साहब को दे दिया था। मैंने उस लड़के से फिर दोबारा पूछा बेटा तू क्या चाहता है। उसने कहा भईया। उसने मेरे साथ बहुत गलत किया है उसको सजा मिलनी चाहिए। थोड़ी देर बाद मैं डिस्पेंसरी में बैठा ही था सामने से देखा मेरी तरफ को डिप्टी जेलर आ रहे हैं। हमारे पास तीन-चार मरीज बैठे हैं। डिप्टी जेलर ने मुखबर कैदी को बुलाया पता नहीं क्या बात की मुझे नहीं पता, थोड़ी देर बाद मैं डॉ. के रूम में गया। जहाँ पर जेलर साहब बैठे थे और बातें कर रहे थे और वह कह रहे थे कि वह नशेढ़ी लड़का झूठ बोल रहा है ऐसे नशेढ़ी कैदी इसी तरह की हरकतें करते रहते हैं अपना मतलब निकालने के लिए हर बात बोल देते हैं। गाली देकर जेलर कह रहे थे वह हरामी है। नशेढ़ी हैं साले को नशा चाहिए इसलिए ऐसी हरकतें कर रहा है। मैं भी क्या कहता मेरी यहाँ कौन सुनने वाला है हमारे जैसे कैदी यहाँ पर सिर्फ मरने के लिए ही होते है। यहाँ तो सिर्फ बाहुबली गुंडागर्दी और नंगों की चलती है। *"जिसकी लाठी उसकी भैंस"* यह मुहावरा यहाँ

पर सही बैठता है। हकीकत तो यह है कि उस लड़के के साथ *"तीन सौ सत्तर"* हुआ है। लेकिन उस गरीब की सुनने वाला कोई नहीं। यहाँ जेल की यह चार दीवारी कुछ कहने नहीं देती बस यह मजबूर निगाहें, यह मजबूर आत्मा इन्ही चार दीवारियों के अन्दर घुट-घुट कर समाप्त हो जाती है लेकिन हमारा कानून हमारे देश की न्यायपालिका ऐसी घटनाओं से कई कदम दूरी पर है। इन कैदियों की आवाज वहाँ तक पहुँच नहीं पाती अगर पहुँच भी गई तो सुनने वाला कोई नहीं।

यह सलाखें इंसान को कितना झकझोर के रख देती हैं, यह आज देखने को मिल रहा है। मेरे सामने कई मानसिक रोगी कैदी खड़े हैं। जो कई वर्षों से इन सलाखों में कैद हैं। कुछ ऐसे है जिनको एक साल, दो साल, पाँच साल इन सलाखों में घुटते हुए हो गए हैं। इनमें से एक कैदी जो पिछले नौ सालों से इस कैद खाने में कैद है। दिखने मे गोरा नौजवान जेल की सफेद वर्दी बाल लम्बे चेहरे पर दाढ़ी और कुछ इस तरह से आ रहा था मानो वह अपने वश में नहीं होगा। वह एक स्टूल पर बैठा अपने सर नीचे झुकाये बैठा था। मैं उसे 2011 से जानता हूँ। वह कैदी स्वभाव का बहुत अच्छा था। मैं उससे कुछ भी कहता था तो वह मेरी हर बात को मानता था। शान्त स्वभाव का यह कैदी आज अपने आप को खो चुका है अपनी मानसिक संतुलन को भी खो बैठा है। क्या कारण है? क्या आप जानते हैं यह जेल की ऊँची-ऊँची दीवारें यह लोहे की सलाखें और अपनों का बिछड़ना, समाज से अलग रहना और इन सलाखों के अन्दर तरह-तरह के कैदी यही सब चीजें हैं जो इंसान अपने-आप को, अपने मानसिक संतुलन को खो बैठता है। आज सभी कैदी अपने घर अपने परिवार से दूर हैं और यह लगाव यह प्यार उसे अपनों से दूर रह कर और हासिल भी क्या हो सकता है। खैर यह कैदी हमेशा सोचकर परेशान रहता था कि मैं इस कैदखाने से कब रिहा हो पाऊँगा कब अपने बच्चों से मिल पाऊँगा। यह इस कैदी के लिए सबसे

बड़ा जीवनदान साबित होता है। आज वह कैदी अपना आपा खोए बैठा है। मानो उसकी दुनिया ही खत्म हो गयी होगी। बगल वाले बैरक में मानसिक रोगी डॉ. अभी अभी पाँच मिनट पहले आए हैं वे जेल के डॉ. के साथ बैठकर चाय पी रहे हैं जैसे ही उन्होंने अपने रजिस्टर को खोला तो मैंने सबसे पहले उसी कैदी को दिखाने बिठाया। डॉ. साहब के पास एक स्टूल लगा था। वह कैदी उस स्टूल पर बैठा था। कुछ घबराया हुआ था। डॉ. साहब के पास आया हुआ है। ऐसा लग रहा है जैसे कि उसे कुछ हुआ ही नहीं होगा बस उसके चेहरे पर चिन्ता दुखी उदासीनता का भाव प्रकट हो रहा है। डॉ. साहब ने पूछा, क्या नाम है तुम्हारा। कैदी– सर मेरा नाम शमशेरा है। डॉ.– तुम्हारे पिता का नाम क्या है? उस कैदी ने अपने पिता का नाम बताया और उम्र भी। उस कैदी की आवाज कँपकँपाती हुई आ रही थी लगता था कि वह घबरा गया है। डॉ.– क्या हो गया तुम्हें। डॉ. साहब ने अपना कलम अपने बालों से खेलते हुए कहा। कैदी– रुक–रुक कर कहते हुए सर मेरा दिल कर रहा है कि मैं अपना सर दीवार पर मार दूँ, थोड़ी देर बाद ऐसा लग रहा है कि मैं अपने कपड़े उतार दूँ, तो कुछ देर बाद ऐसा लग रहा है कि मैं अपने आप को खत्म कर दूँ। डॉ.– क्या कोई तुम्हें परेशान तो नहीं करता है। कैदी– नहीं सर कोई नहीं करता है। डॉ.– तो फिर क्यों तुम्हे ऐसा लगता है। कैदी– मुझे नहीं पता सर मुझे ऐसा क्यों लगता है। डॉ.– क्या तुम कोई नशा करते थे। कैदी– नहीं सर मैं बीड़ी पीता था लेकिन वह मैंने एक महीने से छोड़ दी है। डॉ.– क्यों छोड़ा कैदी– सर मुझे खाँसी हो गयी थी इसलिए छोड़ दिया था। डॉ.– सर हिलाते हुए अच्छा अच्छा तो क्यों तुम्हें ऐसा होता है। कैदी– पता नहीं सर। डॉ.– रात को नींद आती हैं तुम्हें। कैदी– नहीं सर, बस बैठा रहता हूँ सोचता रहता हूँ कि कब इन चारदीवारियों से मुक्त होऊँगा। डॉ.– ठीक है तुम जा सकते हो वह कैदी वहाँ से उठकर बाहर बेंच पर बैठ गया। मैं डॉ. साहब के

सामने खड़ा था। डॉ. ने मुझसे पूछा कि क्या होता है इसको। मैंने कहा सर, इसको जेल में लम्बा समय हो गया वैसे यह बहुत अच्छा लड़का है लेकिन इसे पता नहीं अचानक क्या हो गया? थोडा डिप्रेशन में है सर। इस लड़के को आज से दस दिन पहले शाम के समय आठ-दस कैदी उठाकर ले आए थे ऐसा लग रहा था मानो वह बेहोश है। लेकिन कुछ ही क्षणों के अन्दर वह गहरी-गहरी साँसे लेने लगा। जेल के डॉ. साहब ने उस कैदी से बात करने की कोशिश की परन्तु वह चुपचाप अपनी जगह पर बैठा था। साथी राईटर कैदी मेरे सामने खड़ा था। डॉ. साहब ने अंदर डिस्पेंसरी से टार्च मँगवाया और इस कैदी की आँख खोलकर चेक किया दो-तीन बार टार्च जलाकर उस कैदी की आँखों में देखा। अन्ततः डॉ. को पता चला कि वह ठीक है लेकिन डिप्रेशन का शिकार हो गया है। डॉ. साहब ने उसे तीन गोली दी उसने दवाई खाई। डॉ. साहब ने पूछा कि क्या तुम ठीक हो, वह कहने लगा हाँ साहब मैं ठीक हूँ। मैं अपने साथी कैदियों के साथ वापस उसी बैरक में जाना चाहता हूँ जहाँ से अभी मैं आया हूँ क्योंकि उसके साथी कैदी हमेशा उसके साथ ही रहते थे। वह सभी कैदी डॉ. साहब से कहने लगे सर, आप चिंता मत करिए हम सभी इसका ध्यान रखेंगे। अन्ततः डॉ. साहब ने उस कैदी को बैरक वापस भेज दिया। डॉ. ने मुझसे पूछा, अच्छा बताओ जब उसने दवाई खायी तो उसकी तबियत कैसी थी। मैंने कहा सर वह दूसरे दिन पूरी तरह सही हो चुका था लेकिन अब जब उसे दवाई नहीं मिलती है तो वह पूरी तरह से डिप्रेशन में चला जाता है। डॉ. साहब मेरी बात समझ चुके थे उन्होंने उस कैदी के लिए दवाई लिख दी है। अब दूसरा कैदी आ चुका है। मैंने देखा यहाँ पर जितने भी मानसिक कैदी आए है बहुत दयनीय स्थिति में थे हर कैदी के चेहरे पर एक अलग सा कलर था। मानो कई वर्षों से मुँह नहीं धोया होगा। लगता है एक खूबसूरत चेहरा गर्मी की आग से तप-तप के काला हो

गया होगा। मानो रो–रो कर बुरा हाल हो गया होगा। यह मुरझाया चेहरा, यह खोया चेहरा वास्तव में कितना भयभीत सा था। एक कैदी जिसकी उम्र करीब अट्ठाईस वर्ष है गोल–मटोल, लम्बे बाल, फटा स्वेटर व सफेद कलर का सरकारी पायजामा जिसकी मोहरी को पाँच छः फोल्ड किये वह बैठा था। वह इधर–उधर देख रहा था। गोल आँखे, शरीर से हृष्ट–पुष्ट वह बिना कुछ सोचे बैठा था। बड़ा पेट लिए वह ऐसा बैठा है मानो दस दिन का खाना खाकर बैठा होगा। यह कैदी सभी पागल कैदियों में से एक है जो सबसे अलग है। न तो उसे किसी चीज की चिंता है न ही किसी का डर। मैं उस कैदी के पास गया उससे हँसते हुए हाथ मिलाया और मैंने पूछा, क्या हाल है प्रमोद, वह कहने लगा ठीक हूँ यार, हँसते हुए वह हर बात का जवाब बिल्कुल सही देता है। लेकिन कभी–कभी दूसरी दुनिया में चला जाता है मैंने उससे पूछा तूने मुझे पहचाना, वह कहने लगा हाँ, हँसते हुए मैंने पूछा क्या नाम है मेरा बता? वह कहने लगा अनिल। बस यहीं पर वह मार खा जाता था मैं उसे हमेशा कहता था कि मेरा नाम जीतू है। लेकिन दो मिनट के बाद वह भूल जाता था। कभी वह कहता था कि तू मेरे गाँव का है तो कभी कहता था तू मेरा दोस्त है। लेकिन हर बात का जवाब हंसते हुए देता था। वह अपनी बातों का जवाब एकदम झटके से देता था। जैसे ही वह जवाब देता था। तो वह अपनी आँखों को घुमाकर फिर कहीं दूसरी दुनिया में चला जाता था। मुझे पता चला कि वह सबसे पहले जब जेल आया तो स्कूल का कोई झगड़ा था। वह जैसे ही जेल की सलाखों के अन्दर रहा तो वह डिप्रेशन में चला गया और पागल हो गया। ऐसा पुराने कैदी मुझे बताते हैं। यह जेल की सलाखें अच्छे–अच्छे को पागल कर देती हैं वह जब इन सलाखों से छूटा तो घर जा के उसने अपनी माँ को ही अपने पागलपन में मार दिया। फिर पुलिस ने उसे अपनी माँ की हत्या के केस में गिरफ्तार किया। आज उसे दस साल करीब इन

सलाखों के अन्दर हो गए हैं। उसे अगर बीस रोटी, चावल-दाल, सब्जी दे देंगे तो वह दो मिनट में सारा खाना चट कर जाता है। उससे मैं जैसा कहता हूँ वह वैसा ही करने लगता है कोई भी उससे कह दे प्रमोद गाना सुना तो वह गाना सुना देता है। प्रमोद, डाँस कर, वह नाचने लगता है। प्रमोद नंगा हो जा तो वह अपने आपको निर्वस्त्र कर देता है। पता नहीं ईश्वर ने उसे कैसा बनाया। यह जेल खाना है। हर कैदी उसे अच्छा मानता है। कई खुरापात कैदी भी हैं जो उसे गलत चीजे सिखातें है। जैसे कि गाली देना लेकिन वह एक बच्चे की तरह है उसे कोई अक्ल नहीं है बस उसे तो कुछ भी कहने को कहो बस वह शुरू हो जाता है। वह कैदी बैठा था और हंस रहा था। मानसिक डॉ. ने उससे पूछा क्या नाम है तुम्हारा? उसने अपना नाम बताया। जब उम्र पूछी तो वह कहने लगा 150 वर्ष है। डॉ. साहब और हम सभी हंसने लगे और साथ में वह भी जोर-जोर से हंसने लगा। उससे पूछा, आज क्या खाया वह कहने लगा रोटी, चावल-दाल, सब्जी। डॉ. ने पूछा कि कितनी रोटी खायी थी तुमने। तो कहने लगा पता नहीं। वह कुछ ही क्षणों में अपने दिमाग को कहीं दूसरी तरफ को ले जाता था। समझ में नहीं आता था कि वह क्या कहता है। इन सलाखों ने उसे पागल बना दिया था। शायद उसने लड़ाई-झगड़ा नहीं किया होता तो शायद वह आज स्वस्थ होता एवं सुख के साथ खुली हवा में जी रहा होता। इंसान भी न एक छोटी सी गलती करके अपने जीवन को किस कदर बर्बाद कर देता है। शायद उस विषय को मैं समझ सकता था। लेकिन जब इंसान इस रंग-बिरंगी दुनिया में जीता है। तो वह इन छोटी-छोटी बातों को ध्यान नहीं देता और जिसका नतीजा अन्त में यह सलाखें होती है। जब इंसान इन सलाखों के अंदर आता है रहता है। सोचता है, विचारता है तो स्वयं को तो पता चल जाता है कि एक छोटी सी गलती इंसान को खत्म कर देती है।

कल शाम को मेरे वार्ड में कैदियों की इतनी भीड़ थी कि सोने के लिए भी जगह नहीं थी। आधे बीमार कैदी तो बीच रास्तों पर सोये थे। मैं रात को देख रहा था कि सभी कैदी इस तरह लेटे थे मानो पूरा अस्पताल मृत्यु की जद में सो गया हो। कुछ कैदी शौचालय जाने के लिए भी अन्य कैदियों के ऊपर से चलकर जा रहे हैं। यह अस्पताल वार्ड इस तरह भर गया था कि चलने के लिए भी जगह नहीं थी। पूरे अस्पताल वार्ड में सोलह बेड थे और यहाँ पर कैदी मरीज लगभग पचास। आप सोच सकते हैं कि इस काल-कोठरी के अन्दर कैदी कैसे जीते हैं। करीब-करीब ज्यादातर बीमार कैदी हैं। कुछ मानसिक रूप से अस्वस्थ भी हैं। जो अपने आप से बात करते हैं। हंसते हैं, रोते है, गाना गाते है, इन पागल कैदियों के साथ रहना बहुत बड़ी हिम्मत वाली बात है। मैं आपसे हकीकत बयाँ करूँ तो सच यह है कि मैं अकेले जीना चाहता हूँ। जहाँ कोई न हो और मैं जब अकेले में रहता हूँ तो अपने आपको स्थिर महसूस करता हूँ बाकी माँ सरस्वती का आर्शीवाद है। आज इस कैदखाने के अन्दर मैं आपको इस कमरे के हर एक कैदी से मिलाना चाहता हूँ मैं बताना चाहता हूँ कि यह कैदी कैसे यहाँ पर आए हैं मैं सामने ही आठ नं. बेड के नीचे था मेरा बिस्तर उसी के पास लगा हुआ था। हकीकत बयाँ करूँ तो मैं ऐसे बिस्तर में सोता हूँ जिस पर अगर कोई दूसरा कैदी सोएगा तो वह एक पल में ही बिस्तर से नीचे गिर जाएगा। इतनी संकरी जगह है बस एक बार बिस्तर में लेट गये तो दोबारा हिल-डुल नहीं सकते हैं लेकिन मैं ऐसे ही सोता हूँ क्योंकि मुझे अकेले सोने की आदत हो गई है। मेरे सामने आठ नं. बेड है जिसमें एक बीमार कैदी है जिसकी उम्र करीब सत्तर वर्ष होगी। एक साधारण आदमी के वेश में पीले वस्त्र पहने हाथों मे माला लिए और बेड में एक चितकबरा कपड़ा उसके ऊपर कुछ धार्मिक किताबें बिछा रखी हैं। चौबीस घंटे में से आठ घंटे पूजा में इस तरह डूबे रहता है मानो यह

बहुत बड़े भक्त होंगे लेकिन यह कैदी किसी सरकारी विभाग में कार्यरत था। यह भ्रष्टाचार में चार साल की सजा काट रहा है शायद वह जीने का और समय व्यतीत करने का एक अच्छा तरीका है। जब इंसान कई गमों में डूबता है तो वह बहुत पीड़ा में होता है ऐसे वक्त में अगर कोई इंसान ईश्वर की शरण में चला जाए तो वह अपने आप को सुखी अनुभव करेगा लेकिन मैंने इस कैदी को अस्पताल से दवाई लेते हुए बहुत कम देखा हैं। सुनने में आया है वह किसी साहब का आदमी है। उसी के बगल में जमीन पर एक आजीवन कारावास का कैदी करीब 11 साल से अस्पताल में काम कर रहा है इसकी उम्र करीब 60 साल की है यह कैदी हत्या के केस में आजीवन कारावास की सजा भुगत रहा है। इसके साथ जेल में इसकी पत्नी भी बंद है। दोनों को बराबर सजा है। यह कैदी हर शनिवार को अपनी पत्नी से मुलाकात करने जाता है यह दर्द, यह पीड़ा दस वर्ष से दोनों इस कैदखाने के अंदर जी रहे हैं लेकिन अपने पापों का प्रायश्चित तो करना ही होगा। गलती तो दोनों की है। इन दोनों के साथ हुआ कुछ यूँ था कि यह दोनो पति पत्नी किसी अस्पताल में काम करते थे इन दोनो ने अवैध तरीके से किसी महिला का बच्चा गिरवा दिया और वह महिला तुरंत उसी वक्त मर गयी। सामने उसकी सास थी जैसे ही उसको पता चला कि मेरी बहू की मौत हो चुकी है। तो इन दोनों ने उस बुढ़िया औरत को भी जान से मार दिया। आखिर इतना बड़ा जुर्म इन दोनों ने किया है। दो जान लेना अपने आप में बहुत बड़ा अपराध है। किसी को भी दो पैसे के लालच में इस तरह की हरकतें नहीं करनी चाहिए। लेकिन आज ऐसा कौन देखता है। बस पैसे चाहिए किसी का भी कत्ल हो जाएगा। लेकिन उस अपराध का अंजाम, आपको पूरी जिंदगी इस भयानक कैदखाने के अंदर बितानी पड़ेगी। ये दोनों पल-पल घुट-घुट कर मर रहे हैं। इस तरह की घटना इस जेल में अक्सर देखने को मिल जाती है। उसी के बगल में सात

नं. बेड में एक कैदी जो धारा 376 के तहत जेल में पिछले 5 सालों से कैद है। पता नहीं क्यों आदमी इस तरह हैवानियत की हद पार कर जाते हैं। आज जेलों में हजारों की संख्या में कुछ कैदी ऐसे हैं। जो फर्जी 376 में बंद है लेकिन यह वह कैदी है जिसने 376 किया है। आज से पाँच साल पहले जब यह कैदी इस जेल में आया था तो मैंने इसे देखा था मैंने देखा था। एक खूबसूरत जवान हट्टा-कट्टा लड़का। कोई सपने में भी नहीं सोच सकता था कि पाँच साल इन सलाखों के अंदर रहकर उसकी हालत ऐसी हो सकती है। वाकई अगर हम गलत हैं तो ईश्वर उसकी सजा हमें इसी जन्म में देता है। मैं नहीं मानता कि दूसरे जन्मों का पाप इस जन्म में लगेगा। जो जैसा कर्म करेगा। उसे वैसा ही फल मिलेगा। यह मैंने अपने समक्ष प्रत्यक्ष देखा है। आज इस कैदी की हालत ऐसी है कि पूरा शरीर खत्म हो चुका है पैरों में सूजन है, आँखे पीली है, शरीर में खून नहीं है, चेहरे का रंग उड़ा उड़ा सा हैं, इस जेल ने इसे खत्म कर दिया है। आज जब मैं देखता हूँ तो बहुत पीड़ित महसूस करता हूँ, यह कैदी अभी कुछ दिनों के बाद छूटने वाला है। लेकिन ऐसे छूटने का क्या फायदा जब स्वयं ही दो पैरों पर सही सलामत नहीं चल सकता। आज न तो ढंग से यह कैदी बैठ पता है और न ही उठ पाता है। इंसान को गलत कर्मों से बचना चाहिए। मेरा आज यह मानना है। खैर, इसी के नीचे जमीन में एक कैदी जिस पर हत्या का केस चल रहा है। इस कैदी को करीब तीन साल जेल में हो चुके हैं अभी कोर्ट में केस चल रहा है। पता नहीं क्या होगा। जहाँ पर चार आदमी आकर गलत तरीके से उँगली उठाएं कोर्ट में आकर झूठ ही बोल दें कि जज साहब इसी ने खून किया है। चाहे उस कैदी ने किया हो या नहीं लेकिन उसे सीधे आजीवन कारावास की सजा सुनाई जाएगी। यह साँस का रोगी है बहुत बीमार रहता है मेरी समझ में नहीं आता यह तो पहले ही मरा है यह कैसे दूसरे को मार सकता है। इस कैदी की

हालत इतनी दयनीय है कि अगर एक धक्का दे दिया तो यह कैदी गिर कर मर जाएगा। इसके अंदर इतनी शक्ति नहीं है कि यह अपने आप को संभाल सके खैर इसी के बगल में छः नं. बेड जिसमें एक कैदी जिसने बलात्कार किया था। वह पुलिस का जवान था। उसने अपनी वर्दी की अकड़ में दरिंदगी की हद पार कर दी। आज कोर्ट ने उसे दस साल की सजा दी है। लेकिन अभी तीन साल भी पूरे नहीं हुए हैं उसके पैर में गैंगरीन हो गया है। डॉ. बताते हैं कि पैर कटने वाला है। वह रात भर सोता नहीं है शायद उसकी नींद खत्म हो चुकी हैं मैं जब रात को कभी उठता हूँ। तो मैं देखता हूँ। वह अपने हाथों को सर में लगाये बैठा होता है। इस कैद-खाने के अंदर रात को यह एक ऐसा कैदी है जो सोता नहीं है। खैर! उसी के नीचे जमीन में एक कैदी है जो हत्या में आजीवन कारावास की सजा भुगत रहा है हुआ यह था कि उसके दो भाई-दो बहनें है एक बहिन जो बड़ी है उसका किसी लड़के के साथ प्रेम प्रसंग था। एक दिन आपत्तिजनक स्थिति में उसने अपनी बहन को देख लिया। ऐसी स्थिति में उसने दोनों को धारदार हथियार से मार दिया। वह कहता है। बात इज्जत की थी। अपनी इज्जत पर अगर कोई हाथ डाले तो सभी का खून कर दूँगा। एक अविवाहित लड़की अगर किसी व्यक्ति के साथ अवैध तरीके से संबंध बनाती है तो यह गलत है, हमारे भारतीय परम्परा के हिसाब से। लेकिन आज वह इतने वर्षों बाद कहता है कि मैंने गलत किया था। यह कैदी यहाँ पल-पल तड़पता है, रोता है। सोचता है कि काश अगर ऐसा न हुआ होता तो..... उसी के ऊपर एक बूढ़ा कैदी सरदार जो हड्डियों का ढाँचा लिए टेढ़े-मेढ़े अंदाज में लेटा था उम्र करीब 70 साल, कद करीब 5 फुट, शरीर दुबला-पतला सिर में पगड़ी बाँधे, पीला कुर्ता पायजामा पहने यह कैदी जोर-जोर से साँस ले रहा है ऐसा लग रहा है मानो जैसे अभी मृत्युलोक को पधार जाएगा। लेकिन यह एक पम्प (दवाई) इसके जीवन को एक-एक दिन का सहारा दे

रहा है कहते हैं न कि बुढ़ापे का सहारा लाठी होती है वैसे ही आज इसके जीने का सहारा पम्प (सांस की दवाई) है। एक दिन की एक डोज है। इसी के सहारे यह बुजुर्ग सरदार कैदी इस कैद खाने में जी रहा है। इस बुजुर्ग के ऊपर बलात्कार का जुर्म है। लोग बताते हैं कि इसने आठ साल की बच्ची के साथ बलात्कार किया है और आठ साल की ही कोर्ट द्वारा सजा भी हुई है लेकिन हकीकत बयां करूँ तो यह दो साल भी नहीं जी पाएगा क्योंकि इस कैदी की हालत इतनी दयनीय हो चुकी है कि इसके शरीर की हड्डियों ने मांस को छोड़ दिया है। बस एक सूखा कंकाल तंत्र हमारे सामने है। लेकिन अभी भी इसकी अकड़ ऐसी है कि अगर किसी को धमका दे तो वह खड़ा-खड़ा गिर जाए। कहते हैं कि रस्सी जल गयी लेकिन बल नहीं गया। यही किस्सा अभी मुझे इस बुजुर्ग कैदी को देखकर याद आया। उसी के नीचे जमीन पर एक कैदी लेटा है। जो चोरी के केस में जेल में आया है। अगर मैं इसकी सच्चाई को आपके सामने बयाँ करूँ तो आप सोचेंगे कि वाकई ऐसा भी होता है। हुआ यह कि दो साल पहले इस कैदी का एक्सीडेंट हो गया था। इसने ईलाज करवाया तो थोड़ा ठीक हो गया। यह कैदी नशा करता था। नशे के इन्जेक्शन भी लगाता था। इस इन्जेक्शन के द्वारा इसकी हड्डी में इन्फेक्शन हो गया। इन्फेक्शन इतना फैल गया कि दोबारा अस्पताल जाना पड़ा। गरीबी इतनी थी कि पैसे नहीं थे। लोगों से उधार माँगकर प्लास्टिक सर्जरी करवायी लेकिन इतना खर्च उठाने के बाद दवाई का खर्च उठा पाना उसके वश में नहीं था और घर में पत्नी और एक बेटा उनका खर्चा। उसके लिए बहुत परेशानी वाली बात हो गई। अब पैर में दूसरे दिन पट्टी होनी होती थी। वह इतना तंग आ गया कि वह पुलिस के पास गया हाथ पैर जोड़े कि साहब मेरे ऊपर कोई भी केस लगा दो मुझे जेल में डाल दो मैं मर जाऊँगा। मैं दुखी हो गया समझ में नहीं आ रहा है। घर मे खाने के लिए पैसे नहीं हैं। कहाँ से पैसे आएंगे मैं अपना

इलाज करवाऊँगा या फिर बच्चों को पालूँगा। साहब कोई भी केस लगा दो मुझे जेल में डाल दो वहाँ मेरा ईलाज हो जाएगा। मैं बच जाऊँगा। उसकी पत्नी किसी कम्पनी में नौकरी करती थी पाँच छः हजार रुपये महीने के कमाती है बस अपना और बच्चे का खाने भर का खर्च निकल जाता है। आज उसे दो साल जेल में हो चुके है उसका लगातार इलाज चल रहा है और पैर भी करीब-करीब ठीक हो चुका है। आज वह ठीक है। यह गरीबी भी क्या चीज है। इन्सान को क्या-क्या नहीं करने पर मजबूर करती है। आज एक मजबूरी ने उसे जेल में डाल दिया है। उसी के ऊपर बेड में एक बूढ़ा कैदी जिसकी उम्र 83 साल है। वह पूर्व सैनिक रहा है। लेकिन उससे नशे में एक खून हुआ है। वह पिछले छः सालों से यहाँ कैद है। 83 साल में भी उसके अन्दर जीने की बहुत लालसा है। आँखों से दिखता नहीं पैरों से चल नहीं पाता एक पैर कट चुका है जिसमें गैंगरीन हुआ था और उसी के साथ बीपी का भी मरीज है। इस कैदी का केस सुप्रीम कोर्ट से भी खत्म हो चुका है। अब बारी है दया याचिका की। राज्यपाल के पास दया याचिका लगी है। जेल में जितने भी विजिटर आते हैं। उनसे कहता है कि मुझे छोड़ दो इतना समय हो गया है। आँख खराब है, पैर खराब है, मेरे ऊपर दया करो बस इसी उम्मीदों के सहारे वह जी रहा है कि कभी तो छूटूँगा इस कैदखाने से। लेकिन वह बहुत कंजूस है। चाय भी पीता है तो मुझसे पैसे लेकर। मेरी आदत है। ऐसे बुजुर्ग लोगों की सहायता करना मुझे अच्छा लगता है। मैं उसे जेल के रुपये, टोकन देता रहता हूँ। जेल के नाई के पास लेकर जाता हूँ नाई से कहता हूँ, कि अच्छे से कटिंग करना, क्रीम लगाकर शेव करना, बीस रुपये का टोकन जैसे ही मैं अपनी जेब से निकालकर नाई को देता हूँ तो वह बुजुर्ग कैदी हाथ जोड़ने लगता है। खुश हो जाता है वह मेरे हमेशा हाथ जोड़ता है। मुझे अच्छा नहीं लगता है। क्योंकि हाथ तो मुझे जोड़ना चाहिए था। मैं हमेशा सोचता हूँ कि

पहले मैं नमस्कार करूँ लेकिन उससे पहले ही वह बुजुर्ग व्यक्ति मेरे हाथ जोड़ लेता है। क्या कर सकता हूँ। ठीक उसी बेड के नीचे एक कैदी जो दहेज के केस में पिछले सत्तर सालों से इस कैदखाने में कैद है उसकी कंडीशन आज की तारीख में बहुत दयनीय है। उसे अभी अपना कुछ भी नहीं पता लेकिन थोड़ी देर बाद ठीक हो जाता है। कभी जोर-जोर से गाना गाता है। तो कभी हल्ला करने लगता है। अपने सर में हमेशा एक कपड़ा बाँधे रहता है। काले बालों वाले खुरदरे कम्बल में लेटा है, पता नहीं कैसे सोया होगा। उसे इस दुनिया से कोई मतलब नहीं है। शायद कब छूटेगा? कुछ पता नहीं। कल-परसों तक तो थोड़ा काम भी करता था। जैसे झाडू पोंछा लगाता था। बहुत अच्छा काम करता था। लेकिन आज से वह बहुत ज्यादा ही परेशान हो गया है। वह जोर-जोर से चिल्ला रहा है क्या कहें इससे कुछ कह भी नहीं सकते पुराना कैदी है। सभी को पता है। 17 वर्ष उसे इस काल कोठरी में हो चुके है। इस कैदखाने में आदमी पागल नहीं होगा तो क्या होगा। खैर उसके सामने बेड में एक कैदी सोया हुआ है। बिहार का रहने वाला यह कैदी इसका पैर बचपन से ही टूटा है। वह ढंग से नहीं चल पाता है उसके सामने एक वॉकर रहता है जिसके सहारे वह चलता है। अभी वह बलात्कार के मुकदमें में फँसा हुआ है उसका केस इस प्रकार से है। एक लड़की थी। यह कैदी उसके मकान में किराये पर रहता था। धीरे-धीरे वह इसे चाहने लगी लेकिन इसकी तरफ से कोई पहल नहीं हुई। कुछ समय बाद लड़की की रजामंदगी से दोनों के आपस में शारीरिक संबंध हो गये। एक साल बाद लड़की ने जबरदस्ती शादी करो कहने लगी वह लड़की कोठों में भी जाया करती थी। जब उसने उससे कहा कि या तो तुम मुझसे शादी करो नहीं तो मुझे पाँच लाख रुपये दो नहीं तो जेल जाओ। इस कैदी के कहने पर कि न वह शादी कर सकता था और न ही उसके पास इतना पैसा था। उसके दिल में था कि जब मैंने कोई

गलती नहीं की तो मेरे ऊपर कोई केस कैसे लग सकता है। बस जैसे ही इसने लड़की को मना किया। उसने 376 का मुकदमा दायर कर दिया। आज उसे सात साल की सजा हो चुकी है। अब क्या हो सकता है। आज ऐसे केस हमारे देश में बहुत देखने को मिलते है। ऐसे किसी भी व्यक्ति को फँसाना बहुत गलत है। चंद रुपये के चक्कर में किसी की जिंदगी के साथ खेलना ठीक नहीं है। आज क्यों लोग कानून को गलत तरीके से इस्तेमाल कर रहे हैं। कोई दुश्मनी में किसी के ऊपर मर्डर का केस लगा देता है तो किसी के ऊपर बलात्कार का तो किसी के ऊपर दहेज का तो किसी के ऊपर नशीले पदार्थ का तो किसी के ऊपर जबरन छेड़खानी का, ऐसा नहीं होना चाहिए। आज हमारे समाज की मित्र पुलिस को सही ढंग से जाँच करनी चाहिए। जिससे कि गलत किसी को भी न फँसाया जाए। असली अपराधी जेल जाये। यह हर व्यक्ति चाहता है किसी की जिंदगी के साथ खेलना अच्छी बात नहीं है। बुरे कर्मों का फल हमेशा बुरा ही होता है। खैर उसी के नीच जमीन में एक कैदी जो हत्या के केस में जेल में बंद है। यह कैदी बचपन से ही दौरे की बीमारी से ग्रसित था। एक दिन की बात है। गाँव में एक छोटी बच्ची थी। इस कैदी ने बच्ची को गोद में उठाया अचानक इसे दौरा पड़ गया। देखते ही देखते दोनों जमीन पर गिर पड़े बच्चे की मौत हो गयी और यह कैदी बेहोशी की हालत में पड़ा रहा जब पाँच मिनट बाद देखा कि गाँव के सभी लोग इकट्ठा हो गये हैं। बच्चा मर चुका है बस क्या था। इसे आज आठ वर्ष इन सलाखों में हो चुके है। इतने वर्षों से अपनी गलती की सजा भुगत रहा है। उसने जानबूझ कर ऐसा काम नहीं किया लेकिन पुलिस द्वारा यह दिखाया गया कि इसने बच्चे को पकड़कर मार डाला। सच्चाई भी तो कोई चीज है। आखिर यह लोग क्यों ऐसा कर रहें है? खैर! यह आज 75 प्रतिशत पागल हो चुका है। इसकी एक आदत है। चाहे कोई भी हो वह सभी के हाथ-पैर दबाता रहता है। शायद क्या

उसे मजा आता होगा यह तो वही जाने। लेकिन मुझे लगता है उसे अच्छा लगता होगा। वह कहता है कि मुझे देवता लगा है। बस दौड़ता रहता है। उसी के पास एक बेड लगा है। जिसमें एक कैदी जिसकी उम्र करीब पचास साल की है। वह पिछले पाँच-छः दिनों से पाइल्स के रोग से पीड़ित है उसके टॉयलेट में खून निकलता है। उस कैदी से डॉ. साहब ने कहा है कि जब खून आए तो यह मेरा राईटर है इसे बता देना और यह रिपोर्ट मुझे देना। उस कैदी ने निकले हुए खून को मुझे दिखाया जैसे ही मैंने वह खून देखा मैं हक्का बक्का रह गया। पूरा टॉयलेट सीट खून ही खून से सना था। मैंने उससे कहा ठीक है। मैं डॉ. साहब को बता दूँगा। वह बहुत परेशान है। शायद मैं उसके दर्द का अहसास कर सकता हूँ। क्योंकि मैंने उसका खून देखा। एक बार तो मैं घबरा गया था। लेकिन यह मेरे लिए एक आम बात सी हो गई थी। आए दिन ऐसे पेशेंट मेरे पास आते रहते है तो मुझे इन चीजों को देखने की आदत बन गई है। वह बी. पी. का भी पेशेंट है। उसे ग्लूकोज भी चढ़ रहा है। शायद उसे बाहर अस्पताल भेजें यह डॉ. के ऊपर निर्भर करता है कि वह क्या डिसीजन लेंगे। लेकिन यह जेलखाना है। यहाँ कब क्या हो जाए कुछ नहीं पता हालाँकि इंसान अमर नहीं है। एक न एक दिन हर किसी को मरना है। लेकिन यहाँ मरना बहुत दुख:दायक है। यहाँ पर हर कैदी यही चाहता है। बस यहाँ मौत न आए एक बार घर चला जाऊँ। अपने दरवाजे पर अपनी चौखट पर मर जाऊँ यही ईश्वर से प्रार्थना करते हैं। सभी कैदियों की यही दुआ रहती है। यहाँ अगर कोई मर जाए तो शायद उसकी आत्मा को शांति नहीं मिलेगी। खैर यह कैदी अभी जेल में नया-नया है। इसका बेटा और इसकी पत्नी भी इसी जेल में है। महिलाओं के लिए अलग से बैरकें बनी है जहाँ पर महिलाएँ रहती है। खैर आगे क्या होगा यह वक्त ही बताएगा। इसने अपने बारे में बताया वह कह रहा था कि हमारा जमीन का विवाद था। जिस व्यक्ति से हमारा

विवाद था। उस व्यक्ति को किसी ने मार दिया है। लेकिन अब हमारा विवाद होने के कारण हमें जेल में डाल दिया है। अब समय आने पर पता चलेगा क्या होगा? उसी के नीचे जमीन में एक कैदी जो पिछले नौ सालों से इस काल कोठरी में जी रहा है वह इतना पीड़ित हो गया कि उसे जेल में कई बीमारियों ने जकड़ लिया और आज वह इन्सुलिन पर निर्भर है। एक काला कम्बल जेल का, जेल की सफेद वर्दी पहन कर जमीन पर लेटा है। जेल के सफेद कपड़े न तो लम्बाई में ही फिट बैठ रहें है और न ही चौड़ाई में। इतना साबुन भी नहीं मिलता कि कपड़े धो लें। ऐसी गरीबी वह भी इस कैदखाने के अन्दर। उसी के बगल में एक बेड लगा है जिसमें एक कैदी लेटा है उसका भी पैर टूटा है लम्बी-लम्बी, दाढ़ी, मूंछे, सफेद कैदी ड्रेस पहने यह कैदी पता नहीं कौन सी सोच में डूबा है। शायद वह अपने बच्चों के बारे में सोच रहा है कि उसके बच्चे कैसे होंगे। पढ़ाई कर रहे होंगे या नहीं, खाना खाया होगा या नहीं कपड़े हैं या नहीं शायद वह इन्ही ख्यालों में खोया हुआ है। वह भी वॉकर लेकर चलता है वह पिछले आठ सालों से इस कैदखाने में कैद है उसे हत्या के मुकदमे में निचली अदालत ने बरी कर दिया था। दूसरी पार्टी द्वारा हाईकोर्ट में अपील की गई। हाईकोर्ट ने इसे फिर आजीवन कारावास की सजा में तब्दील कर दिया। आज इनका केस सुप्रीम कोर्ट में चल रहा है घर के सभी भाई आज इन सलाखों में कैद हैं। इस कैदी का एक छोटा भाई अभी जमानत पर छूटा है क्योंकि केस के समय वह नाबालिग था इसलिए उसे सुप्रिम कोर्ट ने जमानत दे दी है। अब आगे क्या होगा यह तो वक्त ही बताएगा। जमीन पर तीन-चार कैदी लेटे हैं जिनमें से तीन तो पागल कैदी हैं जो हर समय चिल्लाते रहते हैं। अब करें भी तो क्या करें न तो इन्हें समझा सकते हैं और न ही इन्हें मना कर सकते हैं यह तो बस हमें ही उल्टा सिखा देंगे यह दोनों पागल भाई-भाई हैं। एक छोटा तो दूसरा बड़ा। दोनों

ने अपनी माँ को मार डाला। डंडे से बुढ़िया माँ पर वार कर दिया जिससे 90 साल की बुढ़िया माँ को इन्होंने मौत के घाट उतार दिया। अब यह दोनों पिछले एक साल से जेलों में बंद हैं। अच्छे घर से दोनों तालुक रखते हैं। एक बड़ा भाई है जो इनसे मिलने आता रहता है जो इन्हें खर्चा व कपड़े इत्यादि देकर जाता है। जब कपड़े आते हैं तो दोनों के लिए एक ही जैसे कपड़े लाते है। शायद भाई से प्रेम है शायद दोनों की दवाई चल रही है। बड़ा वाला कद में छोटा और पतला है। छोटा वाला कद में लंबा-चौड़ा है लेकिन जब बड़ा वाला छोटे वाले को मारता है तो छोटा वाला चिल्लाकर दौड़ता रहता है बचाओ-बचाओ मार दिया। समझ में नहीं आता कि छोटा वाला इतना पहलवान होकर भी क्यों डरता है शायद उसे बड़े भाई से डर है। दोनो गंदी-गंदी गालियों की बरसात करते रहते हैं। इन दोनों का झगड़ा वाकई देखने लायक रहता है। सही बताऊँ तो इनके साथ रहकर कभी हम भी पागल न हो जाएं। रात-दिन इनके साथ रहना कोई छोटी बात तो नहीं। एक प्रकार से यूँ समझ लीजिए कि यह कैदखाना किसी पागल खाने से कम भी नहीं। बीच रास्ते पर एक कैदी जिसे ग्यारह साल इस काल कोठरी में हो गये हैं। एक जमीन के चक्कर में उन्होंने दूसरी पार्टी वाले को ही मार दिया। पंजाबी हैं, करीब सभी भाई जेल में हैं। इस कैदी के पिता भी इसी कैदखाने में थे, कुछ समय पहले उनकी तबियत खराब थी लेकिन उनका इसी कैदखाने के अंदर स्वर्गवास हो गया। मेरे सामने यह कैदी बहुत दयनीय हालत में है, पहनने को कपड़े नहीं। गंदे कपड़े पहने है बाल, दाढ़ी लम्बी है। अपने दोनों पैरों को आपस में मोड़कर कुछ मुँह ही मुँह में बोल रहा है। पता नहीं इनकी भाषा को समझने के लिए खुद को भी इन्हीं की तरह ढालना होगा। क्योंकि यह भी दिमागी रूप से अस्वस्थ है। इसी के सामने वाले बेड में एक बुजुर्ग कैदी है। जिन्होंने सर में टोपी पहन रखी है और सफेद वर्दी पहने हैं। यह खाँस रहे है।

इनकी उम्र भी करीब 78 वर्ष है। यह भी हत्या के जुर्म में इन सलाखों में कैद हैं। यह बोलते क्या हैं? समझ में कम ही आता है लेकिन जो भी बोलते हैं हम उसे समझने की कोशिश करते हैं। यह बुजुर्ग करीब पाँच सालों से कैद हैं। सामने फर्श के बीच रास्ते में दो-तीन कैदी और सोए हैं। कुछ ऐसे कैदी हैं जिनको अपना बिस्तर लगाने का भी होश नहीं है बस लेटे हैं। वो ही जेल की वर्दी, सफेद चादर लिए लेटे हैं। चेहरे पर मायूसी, कोई पूरब की तरफ लेटा है तो कोई पश्चिम की तरफ। बस अपने आप में बातें कर रहें हैं। सामने बेड में कानूनगो साहब भ्रष्टाचार करके जेल आए हैं मैं तो कहता हूँ इन्हें गोली मार देनी चाहिए थी। क्यों इन्हें जेल भेज दिया? समाज की देखभाल के लिए रखा। लेकिन यह समाज को कहाँ देखते, लोगों से पैसे लेते कि लाओ भाई हजार पाँच हजार रुपये तभी काम करूँगा। नहीं तो हमारे दफ्तर के चक्कर काटते रहो। ऐसे हैं हमारे देश के रक्षक। यह कानूनगो साहब शायद सजा में आए हैं। यह जितने भी भ्रष्टाचारी है यह हमारे देश के गद्दार हैं इन्हें माफ करना स्वयं जुर्म करने जैसा है। इनकी उम्र करीब 60 साल है। इनको थोड़ा अपनी उम्र का लिहाज करना चाहिए था। लेकिन ऐसे बेशर्म लोगों को शर्म कहाँ? यह भ्रष्टाचारी है। जो हमारे देश को दीमक की तरह खत्म कर रहे हैं। यह जिस थाली में खा रहे है उसी में छेद भी कर रहें है। भला यह कहाँ का नियम है? ऐसा भी होता है। इसी के बगल में एक 60 वर्षीय बुजुर्ग इनको भी शर्म नहीं आयी दस हजार रुपये की रिश्वत ले ली। अरे भाई, क्यों हमारे देश को खोखला करने के चक्कर में हो। अब समय आ गया है जब भ्रष्टाचार को रोकने के लिए कड़े कानून बनाएंगे। जिससे कि भष्टाचार खत्म हो सके। आज ही शाम को एक बुजुर्ग कैदी जिसकी उम्र 83 वर्ष की है। वह दिखने में तो अभी भी जवान लगता है लेकिन उसके चेहरे पर पड़ी झुर्रियों को देखकर ऐसा लग रहा है कि वह एक बुजुर्ग व्यक्ति है। अभी मुझे भी

नहीं पता कि यह कौन से केस में है। लेकिन इतनी उम्र में जेल आना अपने लिए दुखद घड़ी है। कैसे इन चार दीवारियों में यह बुढ़ापा कटेगा। यह तो स्वयं को देखना पड़ेगा। शायद यह पीड़ा उसके लिए बहुत बड़ी पीड़ा है। वह बहुत डरा सा महसूस कर रहा है शायद जेल की दीवार देखकर डर गया है। इन लाल दीवारों को देखकर तो अच्छे-अच्छे भी काँप उठते हैं, इन बुजुर्ग व्यक्ति की तो बात ही अलग है। यह सफेद बाल, यह निराश और झुर्रियों पड़ा चेहरा। हर कोई समझ सकता है उस पीड़ा को। खैर जब हम गलत करते हैं तो उसका नतीजा भी गलत ही होता है। उसके नीचे जमीन पर लेटा एक कैदी जो पिछले नौ सालों से मेरे साथ ही है। सबसे पहले वह मुझे पिथौरागढ़ लॉकअप में मिला इसके ऊपर हत्या का मुकदमा है। जो हकीकत में इसने किया था। लेकिन वह अब समझ गया है कि मैंने गलत किया है। यह कैदी पहाड़ में काम करने के लिए आया था। लेकिन एक छोटे से लालच ने उसे यहाँ तक भेज दिया। मैंने सुना था एक रात की बात थी। एक महिला बाजार से अपने घर को पैदल वापस आ रही थी। रास्ते में इसने उसे देखा कि महिला अकेले जा रही है जैसे ही उसकी नजर उस महिला पर पड़ी तो यह कैदी उसके पीछे-पीछे गया पता नहीं क्यों पीछा कर रहा था। जब वह महिला के नजदीक पहुँचा तो उसने देखा कि महिला ने सोने के आभूषण पहन रखे हैं उसे लालच आ गया। उसने महिला को धक्का दिया पहाड़ी इलाका था। महिला गिरी इस कैदी ने उस महिला ने जितने सोने के जेवरात पहने थे निकालकर घर वापस आ गया। दो दिन तक वह अंजान बना घर ही पर रहा जैसे ही गाँव वालों को पता चला कि महिला की हत्या हो चुकी है। उसके सारे गहने चोरी हुए है तो गाँव के लोगों ने थाने में रिपोर्ट दर्ज करवायी। पुलिस ने जाँच की तो पता चला कि इसने उस महिला की हत्या कर दी है और उसके सोने के आभूषण जमीन में छिपा दिए। जैसे ही पुलिस ने उसे पकड़ा

तो उसने सब कुछ पुलिस को बता दिया। आज पिछले नौ वर्षों से वह कैदी इसी काल कोठरी मे सड़ रहा है। समझ में नहीं आता कि एक इंसान दूसरे इंसान की चंद लालच के चक्कर में क्यों जान ले लेता है। आज वह कई बीमारियों से ग्रसित है। उसके हिप में एक ऐसा जख्म हो गया है कि अब वह सही नहीं हो पा रहा है। शायद ईश्वर ने उसे उसकी गलती की सजा दी है। जो इस काल-कोठरी में रहने के साथ-साथ वह इस तरह पीड़ित हो रहा है। वह अब यहाँ पर ना तो जी सकता है और न ही मर सकता है। शायद अभी उसे इस काल कोठरी में कितनी दिक्कतों का सामना और करना पड़ेगा। यह तो आने वाला वक्त ही बताएगा। इंसान को जीवन में अच्छा कर्म करना चाहिए नहीं तो यह सलाखें इंसान को इस तरह खत्म कर देंगी कि इंसान दोबारा इंसान की योनि में आने के लिए डर से काँपेगा। खैर गलत करने का नतीजा गलत ही होता है। उसी के सामने एक कैदी जो आजीवन कारावास की सजा भुगत रहा है। हकीकत बयाँ करूँ तो इस कैदी को रंजिशन एक केस में फँसाया गया है लेकिन दुश्मनी ऐसी होती है कि आज वह बिना कुछ किये इन सलाखों में जीने को मजबूर है। हमारे कानून की आँखों में तो पट्टी बंधी है। हमें आज यह पट्टी खोलने की आवश्यक्ता है। जिस दिन यह पट्टी खुल जाएगी उस दिन जेलों में बंद लाखों बेगुनाह कैदी जेल से रिहा हो जायेंगे। यह इतनी मानसिक परेशानी से इस कैदखाने में जूझ रहा है। शायद यह मानवाधिकार का सबसे बड़ा हनन होगा। कैसे कहे कि यह अपराध मैंने नहीं किया है किसके पास जाकर कहें कि यह अपराध नहीं किया है। लेकिन जो सामने दुश्मन खड़ा है वह कह रहा है कि इसी ने मारा है। तो कौन क्या कह सकता है। वह जज भी कुछ नहीं कर सकता है। उसी के नीचे एक कैदी जो आजीवन कारावास की सजा में पिछले सात वर्षों से जेल में है वह बैरक का कैदी राईटर है। वह पूरी बैरक में गिनती करता है। कितने हवालाती कैदी हैं। कितने

तारीख पर कोर्ट गये है और कौन मुलाकात पर जाएगा। यह सभी चीजों का विवरण और देखभाल यही कैदी करता है। यह दहेज के केस में बंद है। इसके साथ इसके तीन भाई और हैं जो इस समय इन्हीं सलाखों के अन्दर अलग-अलग बैरकों में रहते है। गलती करे एक और भुगतें चार लोग जिनका कोई लेना देना नहीं है। क्या हमारा कानून यह कहता है कि बेगुनाहों को जेल में कैद करो क्या हमारी न्यायप्रणाली यह कहती है कि एक बेगुनाह को जेल में बंद करो लेकिन आज यहाँ हजारों की संख्या में ऐसे भी कैदी हैं जो बेगुनाह है। हकीकत तो, हुआ यह था कि यह लड़का दिल्ली में नौकरी करता था। दो साल पहले उसने शादी की थी। उस लड़की का किसी लड़के के साथ प्रेम प्रसंग चल रहा था। वह पुराना प्यार उसका चलता आ रहा था। अचानक उसके पेट में गर्भ ठहर गया। जैसे ही घर वालों को पता चला तो उसने अपने पति के आने से पहले ही आत्महत्या कर ली और ससुराल वालों ने उसके ऊपर दहेज हत्या का मुकदमा कर दिया यह कहकर कि तुम लोगों ने हमारी लड़की को मारा है। उसने आत्महत्या क्यों की। तुम लोगों ने उसे सताया होगा। लेकिन हकीकत तो यह है कि वह लड़की कहीं अन्य जगह प्रेम प्रसंग में लगी हुई थी। जिसमें पूरी गलती उसके माँ-बाप की होनी चाहिए थी। क्यों नहीं माँ-बाप ने अपनी लड़की को सही दिशा में लगाया, क्यों नहीं माँ-बाप ने अपनी लड़की को अच्छी शिक्षा दी। आज यही नतीजा है जो उसने गलत कदम उठा दिया है। मैं तो इसका दोषी माँ-बाप को मानता हूँ। अपने बच्चों को अच्छा संस्कार दें तो जरूर बच्चे सद्मार्ग पर चलेंगे। आज उसके गलत रास्तें पर चलने से चार घर बर्बाद हो चुके हैं आप खुद सोच सकते हैं कि अगर आपके साथ भी ऐसा हो जाए तो आपके ऊपर क्या बीतेगी वहीं सामने एक किनारे में कैदी लड़का जो लड़ाई-झगड़े में जेल में बंद है उसे चार साल की सजा हो चुकी है। वह लड़का जेल में मेरे साथ ही राइटर कैदी है अच्छा पढ़ा-लिखा है।

सामने एक कैदी जिसकी उम्र तकरीब पैंतीस वर्ष होगी उसका पूरा पैर टूटा है वह लाठी के सहारे चलता है अभी उसे यहाँ छः महीने हो चुके हैं उसकी पत्नी उसे मिलने आती है। आज उसका सहारा उसकी पत्नी है। जो अपने पति से मिलने आती है। बहुत प्यार करती है। उसके बात करने के अंदाज से मुझे पता चला। उसका प्यार करने का अंदाज इस तरह था कि जैसे कई वर्षों से जुदा होकर मिले होंगे। यह प्यार उसे पल- पल तड़पाता है। वह एक सैकेण्ड भी यहाँ नहीं रहना चाहता। बस उसके मुँह में जो भी बात होती है वह बात अपनी पत्नी की होती है। उसकी दिली-भावना को मैं समझ सकता था। आखिर यह एक-एक पल वह कैसे जी रहा था। मैं उसकी पीड़ा को महसूस कर सकता था। वह हमेशा अपनी पत्नी के लिखे हुए पत्र पढ़ता तो कभी खुद पत्नी के लिए प्यार भरा खत लिखता बस जैसे ही अपनी पत्नी का पत्र खोलता था वैसे ही उसकी आँखों से आँसू निकलते थे यह कैद-खाना है। यहाँ इन आसुँओं की पीड़ा को हर कैदी समझ नहीं पाते हैं बस चंद कैदी ही होते है जो उस आँसू की पीड़ा को समझते हैं। यह पीड़ा, यह दर्द, यह बिछड़न शायद मैं समझ सकता हूँ। क्योंकि मैं भी किसी से प्यार करता हूँ। तड़पन क्या होती है। उसका अहसास मैं कर सकता हूँ। क्योंकि आज इतने वर्षों में इस कैदखाने में अपने से बिछड़ा हुआ हूँ। अपनों से दूर मैं अपने आप को कैसे रख रहा हूँ। खैर आगे जमीन पर एक कैदी लेटा है। जिसे मैं छः साल पहले अल्मोड़ा जेल में मिला था। अब यहाँ यह भी राइटर है। बहुत चतुर है, इतना चतुर भी क्या बनना है। जिसमें चार हँसे और मजाक उड़ाएं। कभी-कभी अधिक तेज बनना भी अपने लिए दुख:दायी हो जाता है। यह आजीवन कारावास का कैदी है इसी चतुराई के कारण आज यह कैदी इन सलाखों मे कैद है। यहाँ रहकर भी यह कैदी अन्य कैदियों की मुखबरी करता है। बीच रास्ते में एक कैदी जो पिछले 17 सालों से इस कैदखाने में कैद है। वह जब

इन सलाखों में आया था। पूरे होशोहवास में था लेकिन अब जेल की सलाखों ने इसे इस तरह चूर-चूर कर दिया कि उसे न तो अपने सोने का पता है। न अपने खाने का पता है और न ही अपना नाम। बस अपनी ही पागलपन की दुनिया में कैद यह कैदी घुट-घुट कर जी रहा है। अब बस उसके दिल में एक ही चाहत है। वह पन्द्रह दिन के लिए छुट्टी जाना चाहता है। जब भी कोई अधिकारी यहाँ आता है तो उनसे हाथ जोड़कर यही प्रार्थना करता है। साहब मुझे सिर्फ पन्द्रह दिन के लिए छुट्टी दे दो। उसे नहीं पता कि इन 17 सालों में घर का रास्ता भी बदल गया होगा। लेकिन वह अब भी 17 साल पुराने ख्यालों में जी रहा है। जब कभी मैं इससे बात करता हूँ तो वह मुझे और एक अन्य कैदी को अपना भाई समझता है वह मुझे कुन्दन कहता है और दूसरे कैदी को धनी। मैं जब भी उसके पास से गुजरता हूँ तो वह मुझसे हमेशा यही कहता है। कि यार कुन्दन यह पराया देश है। यहाँ ज्यादा रहना ठीक नहीं हैं। हमें घर जाना है यहाँ नहीं रहना है। ऐसा करते हैं एक महीने की छुट्टी जाते हैं। तीनों साथ जाएंगे फिर वापस यहीं आ जायेंगे। बस इन्ही बातों के साथ उसका यह बोलना समाप्त हो जाता है। यह अभी यहाँ पर लेटा है उसके पास न तो बिछाने के लिए कोई कपड़ा है और न ही ओढ़ने के लिए। बस इसकी दुनिया ही यह जमीन है। इसे न तो बिस्तर चाहिए और न ही अन्य कपड़े बस जमीन में लेट जाता है। इस कदर लेट जाता है। न तो उसे इस फर्श पर लेटने में कोई संकोच होता है और न ही कोई दिक्कत। क्या करें इस कैद खाने ने इसे ऐसा बना दिया है। 17 वर्ष काटने के बाद अब यह कब छूटेगा कुछ नहीं पता इसे हत्या के जुर्म में आजीवन कारावास की सजा है। खैर मेरी तरफ से इसका जो भी खर्च होता है मैं दे देता हूँ। इसी के बगल में एक बुजुर्ग कैदी भ्रष्टाचार के केस में पिछले साल जेल में आया। सही-सलामत जेल में आया था। लेकिन पता नहीं क्यों उसका दिमागी संतुलन खराब

हो गया। अब वह किसी से बात नहीं करता है वह बात करता है तो सिर्फ इन दीवारों से और हँसता है तो सिर्फ इन दीवारों को देखकर। पता नहीं क्या बात करता है क्या सोचता है यह तो यही जानता होगा। लेकिन आखिर क्यों इतनी जल्दी यह दिमागी रूप से अस्वस्थ हुआ यह सबसे अहम् बात है? वैसे इस चारदीवारी के अन्दर हर कैदी अपने आप को कैसे सही रखेगा। क्योंकि सबसे ज्यादा उसके दिमाग पर जोर पड़ता है। वह चिंतित रहता है। सोचता ज्यादा है। ज्यादा परेशान रहता है। इतने वर्षों में न जाने हजारों ऐसे कैदियों से मुलाकात हुई जो मानसिक रूप से अस्वस्थ थे लेकिन अपराध करना या बेगुनाह होना दोनों चीज इस कैदखाने में बहुत घातक हैं। जब कोई इंसान बेगुनाह होता है तो वह ज्यादा चिंतित और दु:खी रहता है और अपराध करके आदमी जब इस कैदखाने में आता है। तो वह भी चिंता में घिरा रहता है। बस यही इस कैदखाने की कहानी है।

आज सोमवार है। पूरे जेल के कैदी परेड के लिए तैयार हैं सभी को पता है। जेल अधीक्षक राउंड पर आएंगे। मैं भी तैयार हो चुका था। सबसे पहले करीब सुबह आठ बजे आँखे हल्की सी खुल चुकी थीं आँखे खुलते-खुलते फिर से एक बार मेरी आँखे बन्द हो चुकी थीं। टीवी खुला हुआ था मैं अपने फट्टे में (बिस्तर में) लेटा था। अचानक मुझे ध्यान आया आज परेड है टीवी में समाचार चल रहा था कि आज सुषमा स्वराज अपना सम्बोधन करने वाली हैं यूएन में। मैंने सामने दराज से अपना चश्मा लिया आँखों में लगाया और न्यूज सुनी जिसमें आतंकवाद पर काफी टिप्पणी भी हो रही थी। अभी दो दिन पूर्व में हुए आतंकी हमले पर, आज रक्षामंत्री मनोहर पारिकर ने, उड़ी हमले पर सेना की सुरक्षा स्थिति पर हुई चूक को स्वीकारा है। मैं दिल ही दिल में सोच रहा था कि काश अगर मुझे इस कैदखाने से रिहा कर दें, मैं उस देश को जो आतंकवाद को पनाह देते है जो आतंकवाद पैदा करते

है मैं उन देशों को उड़ा देना चाहता हूँ। खत्म कर देना चाहता हूँ। ताकि आने वाले भविष्य में उस धरती पर आतंकवाद पैदा होने से भी डरे खैर यह मेरी सोच है। सिर्फ इस चारदीवारी के अंदर सोचकर क्या कर सकता हूँ। मैं उठा, ब्रश किया और सीधे नहाने चला गया। पाँच मिनट में नहा कर तैयार हो चुका था। आज करीब बीस दिन के बाद मैं तैयार हो रहा हूँ। मेरे कहने का मतलब यह है कि आज बीस दिन बाद मैंने सफेद कुर्ता व पाजामा पहना है जो जेल से मिला हुआ है। खैर थोड़ी देर बाद जेल के फार्मासिस्ट अपने कार्यालय में पहुँच चुके हैं मैं उनके पास गया। उनके पैर में चोट लगी है। मैंने उनके पैर में पट्टी की। समय तकरीबन 9:30 बज चुके हैं। अभी अधीक्षक परेड में नहीं आए हैं। मैं ओ.पी.डी. रूम से बाहर निकला और सामने तीन नं. वाले गेट पर पहुँचा मैंने देखा कि अभी अधीक्षक आए हैं या नहीं। मैं उन्हें देखकर सीधे अन्दर आया और एक बेड में जाकर लेट गया। अचानक ही एक नम्बरदार भाग कर ओ.पी.डी. में गया मेरी नजर उस पर गयी मैं समझ गया कि वह भागते-भागते क्यों आ रहा है। मैं तुरंत बेड से उठा और सीधे ओ.पी.डी. रूम की तरफ गया। मैं ओ.पी.डी. रूम में पहुँचा तो वहाँ पर नंबरदार कैदी खड़ा कह रहा था कि अधीक्षक आ चुके हैं। फार्मासिस्ट उठे और सीधे मेरे साथ परेड पर चल पड़े जैसे ही हम अस्पताल गेट से बाहर निकले तो सामने चार नं. गेट खुला था। उसका मतलब यह था कि अधीक्षक परेड में जा चुके हैं। हम भी तेजी से आगे को बढ़े सामने गेट पर नम्बरदार था। उसने बताया कि अधीक्षक एक-दो के अहाते में गये हैं। हम भी सीधे वहीं की तरफ को बढ़े सामने एक दो का अहाता गेट है। नम्बरदार अपनी ड्यूटी पर मुस्तैद है। मानों कोई बार्डर पर ड्यूटी दे रहा हो। इस तरह खड़ा था नंबरदार, ऐसे तो जेल के सिपाही भी खड़े नहीं होते हैं उसकी यह कड़क ड्यूटी और अनुशासन पर मुस्तैद था। सामने जैसे ही गेट खुला अन्दर प्रवेश किया।

पूरे फील्ड में कैदी ही कैदी पूरा गोल घेरा बनाकर खड़े थे। सभी के हाथों में कार्ड थे और अपनी-अपनी जगह पर खड़े थे। जैसे ही हम उनके पास पहुँचे तो तकरीबन तीस-चालीस कैदियों से वह मिल चुके थे तकरीबन बीस-पच्चीस आदमियों का काफिला जिसमें एक अधीक्षक एक जेलर एक डिप्टी जेलर व दो हेड कॉस्टेबल व एक अहाते का सिपाही व जेल के अलग-अलग विभाग के कैदी राइटर जिसमें एक मैं ऐसा कैदी था। जो अस्पताल की तरफ से परेड में आया था। मेरे हाथ में एक पेन व डायरी थी जो भी अस्पताल से सम्बंधित समस्या होती थी मैं उसे डायरी मे नोट कर लेता था। कई कैदी हवालाती अपनी-अपनी समस्या रख रहे हैं। किसी को अपनी हवालात मंगवानी है तो किसी को अपना जुर्म इकबाल करना है। चाहे उसने अपराध किया है या नहीं अगर वह जुर्म इकबाल करता है तो वह जल्दी रिहा हो जाएगा। नहीं तो उसका कोर्ट में केस चलेगा। कई वर्षों तक फिर उसका निस्तारण होगा। यहाँ तो इस कैदखाने में यही सब चलता है। क्या करें? हमारे देश का कानून ही कुछ ऐसा है। जितने चोर हैं जितने भ्रष्टाचारी हैं उन्हें हमारे कानूनी अधिकारी जेल से जल्द रिहा कर देते हैं। पता नहीं क्यों? ऐसा कानून बनाया हुआ है। समझ में नहीं आता आज इसी वजह से हमारे समाज में चोरी व भ्रष्टाचार व सरकारी खजाने पर लोग मनमर्जी मौज कर रहे हैं। बैंकों से करोड़ों का लोन निकालते हैं। बस तीन वर्ष जेल में रहते हैं फिर आजादी। जिंदगी भर उन करोड़ों रुपये से मौज लेते है। ऐसा तो हमारे देश का कानून है। अभी चोरी और सरकारी सम्पत्ति में कानून को और कड़ा करने की आवश्यक्ता है जिससे कि इस अपराध पर रोक लग सके। सामने खड़ा एक कैदी जो हत्या के मुकदमे में बंद हैं और उसी के साथ कई केस अलग-अलग राज्यों में चल रहे हैं। वह कह रहा है कि मुझे यूपी में भेज दिया जाए मैं यहाँ नहीं रहना चाहता हूँ। अरे भाई यह महेन्द्र सिंह की जेल है। यहाँ हर बड़े से बड़ा डॉन

भी वही पानी पीता है। जो एक छोटे से छोटा अपराधी यहाँ पर है। अधीक्षक ने अपनी बात उससे कही। थोड़ा आगे पहुँचे तो एक नाईजीरिया का कैदी कह रहा था कि सर मेरी माँ का स्वर्गवास हो गया है। मैं अपना केस जल्दी से खत्म करके अपने घर जाना चाहता हूँ। जेलर साहब भी वहीं पर थे। उन्होंने कहा कि देखिए यह कोर्ट का मामला है। आज एक प्रार्थना पत्र कोर्ट में दे देना इसका फैसला कोर्ट ही करेगी। खैर वहाँ से आगे बढ़े ही थे कि एक कैदी अपने हाथ में कुछ एक्सरे और कुछ कागज लेकर खड़ा था। उसने कहा कि सर मैं कुछ कहना चाहता हूँ। जेल के डॉ. साहब ने मेरी बीमारी के कागज मँगवाये हैं। मैं सामने खड़ा था और फार्मासिस्ट भी खड़े थे। फार्मासिस्ट ने उस एक्सरे को देखा और मेरे हाथ में दे दिया यह कहकर कि इस कैदी को अस्पताल बुलाना मैंने उसके कागज लिए और एक हाथ में रख लिए थोड़े आगे को बढ़े ही थे कि एक कैदी कह रहा है कि साहब मैं कब छूटूँगा। मुझे छः वर्ष जेल में हो चुके हैं। आठ साल की सजा है। वहीं सामने कैदियों का राइटर खड़ा है। अधीक्षक ने कहा हाँ भाई इसकी चेक डेट कब है। उस राइटर ने कहा कि सर अभी चेक डेट आने वाली है, जब चेक डेट आ जाएगी तो हम इन्हें बता देंगे। अधीक्षक ने उस कैदी से कहा कि चिंता मत करो जब तुम्हारी डेट आएगी तो हम तुम्हे बता देंगे कि तुम कब छूटोगे। अधीक्षक का काफिला आगे को बढ़ा और भी कई छोटी-मोटी समस्याएँ आ ही रही थी। सामने ही एक कैदी जो अधीक्षक को कह रहा था कि साहब यहाँ नाई हमसे पैसे लेता है बीस रुपये बाल काटने के, दस रुपये शेव करने के। अधीक्षक ने पूछा तुमसे कितने पैसे लेता है। साहब बीस रुपये। अधीक्षक ने कहा तुमने बीस रुपये क्यों दिए? तुम हमारे पास क्यों नहीं आए इसकी शिकायत करने को। शायद इस कैदी का उस नाई कैदी से झगड़ा हो गया था इसलिए यह शिकायत कर रहा है। अधीक्षक ने आदेश दे दिया है इन

दोनों को गुमटी पर बुलाया जाए और पूछताछ की जाए। आगे बढ़े तो फिर एक कैदी बोल पड़ा साहब गुमटी पर चप्पल सिलवाने गया था। उसने मुझसे पचास रुपये ले लिए उसे भी अधीक्षक ने गुमटी पर बुला लिया है हम सीधे यहाँ से गुमटी पर गये वहाँ पर एक कैदी जिसको पूरा कारोबार गुमटी का दिया गया है। अधीक्षक ने पूछा कि यहाँ एक लिस्ट लगवाओ हर एक कार्य की ताकि यहाँ किसी को कोई समस्या न हो अगर कोई समस्या हो तो हमें सूचित करो। इन्ही बातों को विराम देते हुए अधीक्षक आगे की तरफ को बढ़े। सामने तीन-चार का अहाता नंबरदार बहुत मुस्तैदी के साथ खड़ा है। सीधे अधीक्षक का काफिला तीन-चार अहाते के अंदर गया सामने तकरीब तीन सौ कैदी एक लम्बी लाईन में खड़े हैं। एक कैदी जिसकी समस्या है कि वह अपने केशवार के साथ रहना चाहता है। वह कह रहा था कि मेरा भाई है। उसकी तबियत खराब है मैं उसके साथ जाना चाहता हूँ। डिप्टी जेलर ने उसे बहुत डाँटा और कहा जहाँ हो वहीं रहो यहाँ सब भाई-भाई हैं। वहाँ क्या तू अपने हाथ से खिलायेगा उसे। डिप्टी ने उसे डाँटते हुए कहा, अधीक्षक अचानक रूके देखा सामने एक पागल कैदी जो बहुत दयनीय हालत में खड़ा है गंदे कपड़े पहने हुए वह ही जेल की सफेद वर्दी धूल मिट्टी जमी हुई, पैरों में चप्पल नसीब नहीं और लंबी-लंबी सफेद काली दाढ़ी और सिर में बड़े-बड़े बाल साफ झलक रहा था कि उसने कई दिनों से न तो नहाया था और न ही कपड़े धोए थे। अधीक्षक ने देखा और कहा क्या यह हमेशा ऐसे ही रहता है। फार्मासिस्ट ने कहा कि सर, यह मानसिक रोगी है अधीक्षक- यह दवाई खाता है। मैंने जवाब दिया- जी सर इसे हम दवाई खिलाते है। लेकिन यह ऐसे ही गुमसुम रहता है। मैंने उसका नाम लिख दिया है और उसे अस्पताल में भर्ती भी करवाना है। आगे बढ़े तो छोटी-छोटी समस्याएँ हर कैदी रख ही रहे थे। एक कैदी जिसके बड़े-बड़े बाल, लम्बी मूँछे, जवान लड़का कार्ड लिए खड़ा

था। उसने अधीक्षक को कुछ कहा, हँसते-हँसते। उसके बाद उसने कहा साहब क्या आज कल जनरल ओ.पी.डी बंद हो गई है क्या? अधीक्षक पीछे को मुड़ते हुए कहने लगे हाँ! भाई क्या आजकल ओ.पी.डी. नहीं हो रही है। फार्मासिस्ट ने जवाब दिया, सर आजकल मैं अकेला हूँ इसलिए जनरल ओ.पी.डी नहीं हो पा रही है। लेकिन हम इमरजेंसी केस रोज देखते हैं। सामने खड़े हेडवार्डन ने कहा सर हम जितने भी इमरजेंसी होते हैं सभी को अस्पताल ले जाते हैं लेकिन अगर बात अस्पताल ले जाने की है तो यहाँ हर दूसरा कैदी कहता है कि मैं बीमार हूँ ऐसे में सभी को वहाँ ले जा पाना असंभव है। अधीक्षक ने कहा, देखिए इमरजंसी केस तो देखेंगे ही साथ में जनरल ओ.पी.डी. भी देखिए। ऐसा करिए आज से ही ओ.पी.डी. अस्पताल में ही करवा लो एक टाईम फिक्स करो और सभी कैदियों को दस-दस करके दिखा दीजिए। ऐसे ही दूसरे अहातों को भी। मैं भी हाँ मे हाँ भर रहा था। यह जेल खाना है मैंनें आज तक ऐसा अधिकारी नहीं देखा लेकिन जहाँ 90 प्रतिशत मछली गंदी हो चुकी हो वहाँ अगर एक मछली साफ सुथरी होती भी है तो उसका कोई फायदा नहीं। खैर अगर ऐसे ही मार्गदर्शन पर और भी अधिकारी चलें तो एक दिन हमारा भारत भ्रष्टाचार मुक्त भारत बन जाएगा। आगे बढ़ते-बढ़ते हम पाँच-छः अहाते के तरफ को गये सामने नंबरदार कैदी खड़ा है और उसके बगल में सिपाही जिसने न तो दाढ़ी बनायी है और न ही अपनी वर्दी ढंग से पहनी है। ऐसे तो हमारे जेल के सिपाही हैं। जिनके कोई कायदे नियम नहीं है। ड्यूटी पर आते हैं तो चप्पल में। हाथ में बीड़ी और सन् सत्तर की टोपी पहने हुए ऐसे बदहाल स्थिति इन जेलों के सिपाहियों की है। शायद यह जेल का असर है। खैर जैसे ही अधीक्षक गेट के अंदर प्रवेश हुए। वैसे ही सिपाही ने सलाम किया। ऐसा लगा मानो सिपाही ने दस दिन से खाना नहीं खाया होगा। हम सभी आगे की तरफ को बढ़े कुछ न कुछ समस्याएँ तो हर तीसरे

कैदी की रहती ही हैं। एक कैदी है जो कह रहा है, मुझे तीन चार के अहाते मे डाल दीजिए। अधीक्षक ने पूछा कि तुम्हें इस अहाते में क्यों किया गया है। वह चुपचाप खड़ा रहा सामने कैदी राइटर खड़ा था। उसने बताया कि साहब तकरीब छः दिन पहले रात को दो कैदी आपस में लड़ गये थे। जिसमें से एक कैदी यह था। इसलिए इसे यहाँ डाला हुआ है। अधीक्षक यह सुनकर सीधे आगे की तरफ को बढ़े। एक कैदी जो नाईकी के जूते, लीवाईस की जींस और शर्ट पहने खड़ा था। जैसे ही डिप्टी ने उसे देखा डिप्टी आग बबूला हो गया। कहने लगा। क्यों बे कहाँ जा रहा है तैयार होकर। वह कहने लगा साहब मेरी कोर्ट में तारीख थी। लेकिन गार्ड नहीं आयी फिर वह कहने लगा कि सर मैं बगिया कमान नहीं जाऊँगा। मुझे कहीं और डाल दो। लेकिन मैं वहाँ नहीं जाऊँगा। मुझे कोई और सजा दे दो लेकिन मैं वहाँ नहीं जाऊँगा जैसे ही उस कैदी ने ऐसा कहा तो फिर डिप्टी जेलर ने उसे बहुत डाँटा और फटकारा और कहा साले तू हमारे स्टाफ के साथ बदतमीजी करेगा। वह कहने लगा कि अधीक्षक साहब मैं मुलाकात कर रहा था। जैसे ही मुलाकात खत्म हुई तो यह हेड कांस्टेबल ने मेरे साथ व मेरे घरवालों के साथ बदतमीजी कर दी। आप ही बताईये मैं क्या करता? मुझे गुस्सा आ गया था इसलिए मैं थोड़ा बोल गया। अधीक्षक ने कहा अरे चूतिया तुझे अपने घर वालों की इतनी फिक्र थी तो तूने क्यों इतनी बत्तमीजी कर दी। तू प्यार से बात करता तो सब ठीक हो जाता। वह कैदी कहने लगा कि साहब इस सिपाही ने मुझसे कहा कि तू भंगी, चमार है। मैं जानता हूँ तेरी औकात क्या है। बताईये सर गुस्सा नहीं आएगा तो क्या होगा वह सिपाही कहने लगा। सर मैंने ऐसा कुछ नहीं कहा यह कैदी झूठ बोल रहा है। साथ में जेलर साहब ने कहा कि नहीं-नहीं हम जानते हैं तुम यह सारी बात मिलाकर कह रहे हो तुमने उस दिन तो ऐसी बात नहीं की थी आज क्यों कह रहे हो। अचानक अधीक्षक ने कहा कि देख

बेटा, तुझे बगियाकमान किया है। अभी हमारा कहना मान, तुझे चार-पाँच दिन बाद छोड़ देंगे। सभी वहाँ से आगे की तरफ को बढ़े ही थे अचानक उस कैदी ने सिपाही को धमकी दे दी कि मैं तुझे बताऊँगा कि मुझसे बदतमीजी करने का अंजाम क्या होगा। मैं कोर्ट मे तेरे खिलाफ कार्यवाही करूँगा। यह सुन वह सिपाही आग-बबूला हो गया। कहने लगा कि तू मुझे धमकी दे रहा है। लगा दे मेरे खिलाफ मैं भी देख लूँगा। सभी वहाँ से आगे की तरफ को बढे इस अहाते में भी तकरीब तीन सौ कैदी रहते हैं। आगे बढ़ते ही तन्हाई बैरक जिसमें करीब बीस-तीस कैदी है। जो बदमाश व नंगे किस्म के कैदी हैं। उन्हें आम कैदियों के साथ नहीं रखा जाता है। नम्बरदार कैदी ने गेट खोला और अंदर की तरफ को बढ़े वहाँ पर एक कैदी बदमाश जिसके हाथ में करीब दो महीने पहले लड़ाई में चोट लग गई थी। उसने एक कैदी को मार दिया था। वह कह रहा है कि साहब मेरे हाथ में पिछले दो महीने से दर्द है। आप क्यों नहीं यहाँ किसी सर्जन को बुलाते हो यहीं पर लोगों का ईलाज भी हो जाएगा। अधीक्षक ने कहा सर्जन कितने महीने से नहीं आए हैं। मैंने कहा, सर आज तक सर्जन नहीं आए हैं। फिजीशियन तो आए थे लेकिन अब वो भी नहीं आ रहे हैं। अधीक्षक ने कहा कि ठीक है मैं सी एम ओ से बात करूँगा। फार्मासिस्ट ने बताया कि सर सिस्टम में यह है कि पहले हम एक पत्र सी एम ओ को बनाते हैं जिसमें बीमारी का जिक्र किया जाएगा और यह कहा जाएगा कि जेल में हर माह चिकित्सक विशेषज्ञों को भिजवाने की कृपा करें। जिससे कि यहाँ पर बीमार कैदियों का इलाज हो सके। आगे बढ़े तो सामने विशाल गेट खुला। अधीक्षक का काफिला आगे गेट की तरफ को बढ़ा सामने ही एक गेट है। चारों तरफ लंबी-लंबी दीवारें। अगर यहाँ पर पेड़-पौधे फूल के बाग नहीं होते तो यह दीवारें काटने को आती वह तो शुक्र है। यह हरियाली यह पेड़, यह फूल हमारे साथ में है। कैद मे होते हुए भी इन

फूलों ने हमारा साथ नहीं छोड़ा। सामने तन्हाई बैरक जहाँ पर अन्डरवर्ड डॉन और अन्य प्रदेशों के बदमाश यहाँ पर रहते हैं। इन्हीं के साथ यहाँ पर उनको भी रखा गया है। जो पुलिस कैदी हैं। खैर यहाँ से बाहर की तरफ को मुड़े सामने अस्पताल का गेट खुला नम्बरदार कैदी अपनी ड्यूटी पर खड़ा था। सामने एक सिपाही जिसकी एक टाँग टेढ़ी एक आँख टेढ़ी पेट निकला हुआ टोपी पहने खड़ा था उसने अपनी वर्दी ऐसे पहनी थी जैसे कि कोई अनजान बच्चा बिना किसी फिक्र के कपड़े पहने हो खैर उसने सलाम किया ऐसा लग रहा था। कि जैसे वह कबूतर भगा रहा होगा। अधीक्षक ने देखा। सभी कैदी खड़े थे। कुछ नये कैदी जो आज ही जेल आए हैं और कुछ अन्य बीमार कैदी व कुछ पुराने कैदी कार्ड लिए खड़े थे जिसमें से पाँच छः पागल कैदी भी। एक कैदी तो हमेशा यही कहता है। साहब मुझे पन्द्रह दिन की छुट्टी दे दो मैं घर जाना चाहता हूँ। जेलर ने कहा ठीक है हम तुम्हें छोड़ देंगे। वह पागल कैदी खुश हो गया। इस पागल कैदी को 17 साल इस कैदखाने में हो गये हैं। इन सलाखों ने इसे पागल बना दिया है। खैर यह जेलखाना है यहाँ तो कैदी आते-आते पागल हो जाता है कहाँ तो बात 17 साल की। अधीक्षक सीधे अस्पताल वार्ड में गये जहाँ पर सभी कैदी अपने-अपने बेड पर लेटे थे सामने आर ओ लगा था। अभी इसको लगे हुए दो माह हो चुके है लेकिन इसकी सर्विसिंग होनी है। समस्या इस बात की है। कि लिमिट से ज्यादा पानी इस्तेमाल हो रहा है। करीब रोज 60 से 70 लीटर पानी निकलता है। इसलिए इसकी सर्विसिंग होनी है। डॉ. साहब ने अधीक्षक को कहा अधीक्षक ने डिप्टी से कहा देख लीजिए। सर्विसिंग वाले को बुला लीजिए। सामने ही बेड नम्बर 11 पर एक कैदी बैठा था। अधीक्षक ने कहा यार मैं तुझे बुलाना भूल गया। मैं कहीं चला गया था। इसलिए नहीं बुला पाया उस कैदी ने कहा सर मैं आपसे इसलिए मिलना चाह रहा था कि मेरी गार्ड नहीं आ पा रही है। मुझे

इलाज के लिए चंडीगढ़ जाना है। लेकिन गार्ड अभी तक नहीं आ पा रही है। खैर यहाँ से आगे की तरफ बढ़े तो एक बुजुर्ग कैदी जिसकी उम्र 80 साल है उनका आधा पैर कट चुका है और वह कह रहे हैं साहब आँख से देख नहीं सकता हूँ मेरा ऑपरेशन करवा दीजिए। डॉ. ने मुझे ऑपरेशन करवाने के लिए कहा है। इसी के साथ-साथ मुझे बीपी की समस्या भी है। जिससे ऑपरेशन में दिक्कत आ रही है। अधीक्षक ने आश्वासन दे दिया है कि उसका ऑपरेशन हो जाएगा। सभी आगे की तरफ को बढ़े मैं ओ.पी.डी. रूम में ही रूक गया अभी भण्डारा जाएंगे शायद जहाँ पर। सौ कैदी खाना बनाते हैं उसके बाद बच्चा बैरक जहाँ पर चालीस बच्चे कैदी हैं। फिर कार्यशाला जहाँ पर सौ कैदी काम करते हैं। फिर यह काफिला महिला बैरक जाएगा उसके बाद यह काफिला अधीक्षक के ऑफिस में पहुँचकर खत्म होगा। लेकिन हमारा काम तो चलता रहेगा। आज मुझे कई ओ.पी.डी. के पर्चे चढ़ाने हैं। हम यहाँ के कैदी हैं जैसे हुक्म आएगा, करना पड़ेगा। लेकिन जेल में अभी तक का सफर जैसा रहा पता नहीं चला कि कब इतने वर्ष कट गये ऐसा महसूस हो रहा है जैसे कि कल ही आया हूँगा। यह विचार हमेशा दिल में रहता है। पता नहीं यह मुझे ही लगता है या फिर अन्य कैदियों को भी लेकिन अधिकतर कैदियों को ऐसा लगता है। यह मेरे अन्य कैदियों से पूछने पर पता चला है। मैं सीधे ओ.पी.डी. रूम में आया करीब 60 कैदियों की पूर्व में फिजिशियन द्वारा दवाई लिखी गई थी। फिर तकरीब 150 कैदी जो बीपी की दवा शुगर की दवाएं व साँस की दवा खाते हैं। उनका पर्चा चढ़ाना है उसके बाद कुछ कैदियों को दवाई दी फिर वापस अपने कमरे में चला गया। थोड़ी देर आराम किया। उसके बाद दिन का खाना, फिर सो गया दिन में सोना इस कैद में बहुत जरूरी है दिन में नहीं सोए तो दिल बहुत बेचैन रहता है। पता नहीं क्यों? आज शाम के 6 बजे मैं अपने बिस्तर से उठा। सामने देखा दूरदर्शन चैनल लगा था। उसमें

गढ़वाली गाने चल रहे थे। मैं उठा एक गाना सुना और अचानक एक मैसेज आया कि ओ.पी.डी. में बुला रहे हैं। मैं उठा और ओ.पी.डी में गया। देखा वहाँ दो चार कैदी दवाई लेने आए थे मैंने उन्हें दवाई दी और बाहर की तरफ चल दिया। थोड़ी देर बाद देखा अफरा-तफरी मची हुई है। सामने से डिप्टी जेलर अन्दर की तरफ को जा रहे थे जहाँ नये कैदी रहते हैं। जहाँ पर कुछ बीमार कैदी व पाँच छः मानसिक कैदी रहते हैं। जिसमें से दो चार जेलर के आदमी व दो चार डॉ. के आदमी भी रहते हैं। खैर यह जेल खाना है। मैं वहाँ से बिना ध्यान दिये हुए बाथरूम की तरफ को गया। थोड़ी देर बाद देखा कि सभी कैदी अपना-अपना सामान लिए बाहर बरामदे मे खड़े थे मैंने पूछा क्या हुआ। तो उन्होंने कहा कि अभी-अभी बाहर से सौ आन्दोलनकारी आए हैं। उन्हें रखने के लिए जगह नहीं है। इसलिए बच्चा बैरक वाले इस बैरक में आएंगे और बच्चा बैरक में आन्दोलनकारी जाएंगे। चारों तरफ अफरा-तफरी मची है। समझ में नहीं आ रहा है कि यह क्या हो रहा है। खैर जैसे ही मैं वार्ड में गया मैंने देखा कि कई कैदी वार्ड में आ चुके थे थोड़ी देर बाद पता चला कि यह वह कैदी हैं जिनको बीमारी के बेस में अस्पताल में रखा गया है। उसमें से कुछ ऐसे है जो सही हैं। लेकिन वह डॉ. साहब के जानने वाले हैं इसलिए उन्हें यहाँ पर रखा गया है। बाकी सभी कैदी बैरक चले गये हैं। दो कैदियों को जो बदमाश किस्म के हैं। उन्हें तन्हाई में डाल दिया आज अस्पताल बैरक की कंडीशन ऐसी है कि पैर रखने के लिए जगह नहीं है। वाह! रे जेल खाना। क्या है तेरी महिमा? यहाँ कैदी को पूछने वाला कोई नहीं। समझ में नहीं आ रहा है कि कैसे क्या होगा। करीब दो-तीन दिन ऐसे ही रहना होगा क्योंकि आन्दोलन कारी यहाँ से कब रिहा होंगे कुछ कह नहीं सकते हैं। लेकिन इतना जरूर पता है कि वह दो-तीन दिन के अन्दर चले जाएंगे क्योंकि आन्दोलन वालों को जेल में ज्यादा नहीं रखा जाता है, थोड़ी देर में देखा। बच्चा बैरक से सभी

बच्चे अपने हाथों में थाली, बैग व काले कम्बल लेकर आ रहे थे। मैं बाहर गेट के सामने था। मैं यहाँ का राइटर कैदी हूँ इसलिए बाहर आ जा सकता हूँ। मुझे रोकने–टोकने वाला कोई नहीं। बकायदा मैं गलत काम न करूँ तो। अगर मैं इस कैदखाने में कुछ गलत करता हूँ तो मैं भी पूरे दण्ड का हकदार हूँ। सामने भण्डारा है करीब चालीस कैदी आ चुके हैं। आन्दोलनकारियों के लिए खाना बनाने। अंधेरा हो चुका है अभी मैं वार्ड में हूँ। अन्दर इतने कैदियों की भीड़ को सही करना बहुत कष्टदायक है। कई कैदी ऐसे हैं जो जमीन में नहीं सो सकते हैं उनके लिए बेड की व्यवस्था की। जो कैदी कुछ स्वस्थ हो चुके थे उन्हें जमीन में लिटाया और उन कैदियों को बेड में किया जिनकी तबियत ठीक नहीं है। जो सही बैठ–लेट नहीं सकते हैं। तकरीब आधा घण्टा लगा। इस माथापच्ची में। मैं पूरी तरह से लाल–पीला हो चुका था। खैर मैं सभी को सही सलामत लिटा कर अपने बिस्तर पर आ गया। कितनी परेशानी है इस कैद खाने के अन्दर....

कल सुबह से शाम तक पूरे जेल में हंगामा मचा हुआ है। शायद कोई बड़े अधिकारी यहाँ आने वाले है मुझे भी आदेश मिला है। कि सभी दवाईयाँ देखी जाएं। जितनी एक्सपायरी दवाईयाँ है। हटा दी जाएं और एक्सपायरी दवाईयों को तोड़कर फेंक दी जाए मैं एक कैदी हूँ। जैसे आदेश मिलेगा। उसी तरह से उस आदेश का पालन करूँगा। मैं कोई प्रश्न नहीं पूछ सकता और न ही आदेश को इन्कार कर सकता हूँ और न ही ऊँची आवाज में बात कर सकता हूँ। यह है कैदखाना इस कैदखाने मे कैसे रहा जाता है यह मैं ही जानता हूँ और जो कैदी यहाँ है। वह ही जानते हैं यह ऐसा अहसास है जो बहुत कष्टदायी और दुख:दायी होता है। मैंने हर एक दवाई को देखा, कई दवाईयाँ ऐसी थी जो एक्सपायरी थीं और तकरीब हजारों गोलियाँ गिनती से अलग थीं। जिनको यहाँ से हटाकर गोदाम में डाल दिया है। कई इन्जेक्शनों को तोड़

दिया है और कई दवाईयों को पानी में डाल दिया है। कितना बोरिंग काम है। एक-एक गोली को खोलो और एक आधी बाल्टी पानी में डालते रहो। वैसे इन्जेक्शन तोड़ना ज्यादा बुरा नहीं। मजा आ रहा था। मैं देख रहा था कि हल्का सा नीचे करके कैसे टूटता है और हल्का सा ऊपर करके कैसे टूटता है बस तोड़े जा रहा था तोड़े जा रहा था। पूरे जेल में सफाई का दौर जारी है चलो अच्छा हो गया। कम से कम इसी बहाने सफाई तो हो गई है। चारों तरफ चूना सफेदी हो रही थी। कई कैदी हाथों में झाड़ू लिए ब्रश लिए बैठे थे तो कई पुताई कर रहे थे। कुछ खुश थे तो कुछ दु:खी थे। मैं देख रहा था। अपने आप ही महसूस कर रहा था। कि देखो यह कैदखाना क्या है? इतनी जिल्लत भरी जिंदगी यहाँ की। आज अस्पताल में पूरे जोर-शोर से सफाई चल रही है। आज उन जगहों पर भी सफाई की गई है जहाँ कभी सफाई होती ही नहीं थी लेकिन चलो अच्छी बात है। ऐसे लोगों को यहाँ आते रहना चाहिए। मेरे द्वारा मेहनत करके पूरे अस्पताल ओ.पी.डी. को साफ सुथरा करवा दिया है। किसी भी प्रकार की कोई कमी नहीं है जितने भी रजिस्टर हैं। सभी रजिस्टरों को छुपा दिया गया है ताकि देखे नहीं और ओ.पी.डी. रजिस्टरों को ठीक कर दिया है। रोज मैं ही ओ.पी.डी. लिखता हूँ। मैंने आज सारा काम कर दिया है। अब बारी है अस्पताल वार्ड की। पूरे वार्ड में हंगामा चल रहा है। कोई कह रहा है कि मैं अपना सामान यहाँ से नहीं हटाऊँगा। तो कोई कह रहा है मैं तो आजीवन कारावास का कैदी हूँ। इतना सामान तो रहेगा ही। कोई कह रहा है कि आखिर कौन आ रहा है। दूसरा कैदी कह रहा है। यार सुना है, बड़े-बड़े लोग आने वाले हैं। इस बात को सुनकर दूसरा कैदी कह रहा है। अरे यार मैं तो कहूँगा कि हमारी उम्र 80 वर्ष हो चुकी है। न तो हम आँखों से देख सकते हैं और न ही पैर से चल सकते हैं। दूसरा कैदी भी उसका समर्थन कर रहा है कोई कह रहा है। भई जेल में कई दिक्कतें हैं। एक कैंसर के रोगी को

हायर सेंटर रैफर किया है उसे तीन महीने से गार्ड प्राप्त नहीं हुई है। ऐसी समस्या है क्या करेगा? यहाँ एक कैदी जिसके दोनों हाथ-पैर बंधे हैं। वैसे तो जेल ही एक सबसे बड़ी समस्या है। एक बात तो सच है। कि जुगाड़ हमारे हिंदुस्तान में आज हर जगह-जगह पर विद्धमान है। देखो! कुछ कैदी ऐसे भी हैं। जिनका जुगाड़ पुलिस लाइन में है। उन्हें कोई इतनी बड़ी समस्या भी नहीं है। वह कैदी घूमने के लिए अस्पताल का बहाना लेकर चले जाते हैं। लेकिन वह कैदी जिनका जुगाड़ नहीं है उनका क्या? खैर यह जेल खाना है जितनी तारीफ करें उतनी ही कम है। पूरे वार्ड से कम से कम पन्द्रह-सोलह बैग हटा दिये गये हैं और जितने जमीन में बिस्तर लगे हैं वह भी हटा दिये गये हैं। ताकि यहाँ पर खाली-खाली साफ-सुथरा दिखे खैर यह तो वह ही बात है *"जिसकी लाठी उसकी भैंस"* दो-तीन कैदी ऐसे हैं जो दिमागी रूप से अस्वस्थ हैं। उनके हाथ में पोंछा दिया गया है और वह मानसिक विक्षिप्त कैदी पोंछा लगा रहे हैं। उन्हें नहीं पता कि पोंछा कैसे लगेगा। लेकिन बस वो भी लगे हैं उन्हें जैसा कहा गया है। वह भी वैसे ही लगे पड़े हैं। मैं जैसे ही वार्ड की तरफ को आ ही रहा था सामने अस्पताल वार्ड का गेट, अचानक मेरे कदम रूक गये मैं खड़ा था, देख रहा था कि बेडों के नीचे प्लास्टिक व सीमेंट के कट्टों में कैदियों ने सामान रखे थे जो बहुत ही भद्दे लग रहे थे। उसके बाद मेरी नजर एक बेड के नीचे पड़ी जहाँ पर चार-पाँच बैग इस तरह रखे थे जैसे उन्हें रखा नहीं बल्कि फेंका हो। मैंने एक कैदी को बुलाया उससे कहा कि इन बैगों को अच्छी तरीके से रखो ताकि दिखने में अच्छा लगे। उस कैदी ने वैसे ही रखा जैसा मैंने उसे बताया। फिर पाँच कदम आगे बढ़ाया मेरे दोनो हाथ जेब के अन्दर थे मैं देख रहा था कि कहीं कोई दिक्कत तो नहीं है। मैं जाकर 11 नम्बर बेड पर जाकर रूका। जहाँ पर एक गंदी थाली रखी थी उस थाली में कोई खाना भी नहीं खाता होगा। उसे देखकर ऐसा लग रहा था।

जैसे मानों एक साल से कहीं गंदगी में फेंका हो। खैर मैंने उस कैदी को बुलाया और कहा बेटा यह थाली यहाँ से तुरंत हटाओ उसने थाली तुरंत हटा दी अब तीन बेडों में कम्बल नहीं थे। दूसरा राईटर आया वह कहने लगा हाँ भाई हमारा कम्बल कहाँ है। उसने कहा सर मैंने बेड शीट के अन्दर बिछाया हुआ है। हकीकत में बेडों की कंडीशन खराब है। सारे गद्दे अंदर से खोखले हैं लेकिन जब उसके ऊपर चादर बिछाई जाती है तो ठीक-ठाक ही लगती है। लेकिन पता तब चलता है जब कोई उसके ऊपर लेटे। खैर तीन नये कम्बल निकाले गये थोड़ी देर बाद डॉ. साहब आए उन्होंने देखा कि कुछ कम्बल पुराने लगे हैं। उन्होंने तुरंत गोदाम से नये कम्बल निकलवाये और पुराने हटा दिये लेकिन यह कम्बल थोड़ी देर के लिए ही हैं। जब सब चले जाएंगे तो कम्बल भी चले जाएंगे यह सब दिखावा है। आखिर क्यों नहीं रोज इस तरह सफाई रखी जाती है। यह कमी है। हम कैदियों की। अगर हम कैदी सोचे कि सफाई रहे, साफ सुथरा रहे तो गंदगी हो ही नहीं सकती लेकिन क्या करें यहाँ तो तरह-तरह के कैदी हैं हर किसी की सोच एक जैसी नहीं है यहाँ पर हर कैदी अपने आप को अलग तरीके से रखता है। कई कैदी ऐसे है जो कि महीनों में एक बार नहाते हैं तो ऐसे कैदियों से क्या उम्मीद लगाये कि जब वह अपने शरीर की सफाई नहीं रख सकते है तो क्या वह अपनी जगह को साफ रखेंगे। हाँ अगर हम जागरूक करेंगे तो जरूर हमारे बीच में एक अच्छी सोच आएगी। मैं आशा करता हूँ कि जरूर अच्छा होगा। अगर हमारी सोच अच्छी रही तो हमारी सोच सकारात्मक होनी चाहिए। घड़ी की सुई रोज की तरह आगे बढ़ रही थी। वह रूकने का नाम नहीं ले रही थी। बस अपने ही समय से चल रही थी। समय करीब तीन बज चुके हैं। अभी-अभी अन्दर के सूत्रों से पता चला है कि बाहर से कई उच्च अधिकारी जेल में पहुँचे हैं और महिला बैरक मे गये हैं। सारे गेटों के कैदी नम्बरदार अपनी ड्यूटी पर चाक-चौबंद

हो चुके हैं और साथ ही जेल के सिपाही भी टोपी पहनकर सावधान की स्थिति में खड़े है। अभी हमें पता नहीं है कि कौन आने वाले हैं? लेकिन कुछ-कुछ पता है कि मानवाधिकार के आई जी और अन्य प्रशासनिक अधिकारी जेल में पहुँचे हैं। मेरे दिल में कई चीजें चल रहीं है जो मैं कहना चाहता हूँ लेकिन मजबूर हूँ। अगर मैंने कोई भी बात कही तो मैं कल ही दण्डित के तौर पर यहाँ से अन्य जगह दिखाई दूँगा। इसलिए कुछ कहना मानो अपने पैर में कुल्हाड़ी मारने जैसा है। खैर मैं कुछ कह नहीं सकता मैं अभी बाहर गेट की तरफ को जा रहा हूँ। गेट बंद है, मैंने गेट को खटखटाया सामने नम्बरदार ने गेट खोला उसका चेहरा गुस्से से लाल हो रहा था। जैसे ही उसने मुझे देखा तो वह कुछ ठीक सा हो गया। मैं बाहर को निकला मेरे सामने गेट था। उस गेट से मुलाकात घर दिखाई दे रहा था। सभी अधिकारी वहाँ पर कुछ बात कर रहे हैं। थोड़ी देर बाद सबसे आगे अधीक्षक और जेलर जेल में आए हुए सभी अधिकारियों को हाथ का इशारा करते हुए एक संकेत दे रहे थे कि सर यह कार्यशाला है। जहाँ पर अलग-अलग तरीके का काम होता है जिसमें दरियां, लकड़ी वेल्डिंग, टेलरिंग आदि कई काम होते हैं जो यहाँ पर रह रहे कैदी ही करते हैं। सभी अधिकारी व अन्य आए हुए लोग कार्यशाला की तरफ को बढ़ ही रहे थे कि सामने नम्बरदार ने गेट खोला सामने सिपाही अपनी ड्यूटी पर मुस्तैद खड़ा था। मैं सीधे वापस अपने ओ.पी.डी. में आया फिर मैंने देखा कि कहीं कोई दिक्कत तो नहीं अगर कुछ गड़बड़ पाया जाएगा तो बात हमारे ऊपर ही आएगी। इसलिए मैं भी पूरी मुस्तैदी के साथ अपनी ड्यूटी कर रहा था। वार्ड और बैरक से बाहर सभी कैदी अपना-अपना कार्ड लिए खड़े हैं। मैं ओ.पी.डी. से वार्ड की तरफ को गया। मैं देख रहा था कि कहीं कोई समस्या तो नहीं है लेकिन सभी बीमार कैदी अपने बेड पर बैठे थे। एक बुजुर्ग कैदी मुझसे कह रहा था कि बेटा बताओ क्या कहूँगा? मैंने कहा चाचा आप

कहना कि मैं एक बुजुर्ग 84 वर्ष का हूँ न तो आँखों से देख सकता हूँ और न ही पैरों से चल सकता हूँ। कहना कि मेरे द्वारा राज्यपाल को मर्सी हेतु अर्जी दी है। मुझे छोड़ दो। वह बुजुर्ग व्यक्ति सहमा सहमा सा था। उसने सिर हिलाते हुए मुझे हाँ का इशारा किया मैं आगे की तरफ को गया। जहाँ पर एक पूर्व फौजी कैदी ने कहा, यार जीतू भाई बताओ कुछ तो कहना ही पड़ेगा। हाँ, जरूर क्यों नहीं! अगर कहना है तो यह कहना कि जेलों में कैदियों की संख्या बहुत हो चुकी है जिससे कि कैदियों को सोने के लिए कई दिक्कतों का सामना करना पड़ता है या फिर कैदियों को जमानत पर क्यों नहीं रिहा किया जा रहा है। दूसरी बात यहाँ पर 1500 कैदी हैं। हर रोज कई कैदी बीमार होते हैं जिनका उपचार सही तरीके से नहीं हो पाता अगर यहाँ पर कुछ उपकरण जैसे ई.सी.जी. मशीन एक छोटा सा लैब और एक एक्सरे मशीन हो जाती है तो कैदियों को परेशानियों का सामना नहीं करना पड़ेगा। आज कैदियों का सही उपचार नहीं होने से कई कैदियों की जेल में मौत हो जाती है। सही उपचार व अच्छी व्यवस्था हर नागरिक का अधिकार है चाहे वह समाज में हो या फिर इस कैद में। आज हर एक जाँच के लिए सी.एम.ओ. व आई.जी. की परमीशन लेनी होती है। जब तक परमीशन आती है। तब तब यहाँ कैदी आधे से ज्यादा बीमार हो जाता है और अन्य कैदियों को भी बीमारी फैला चुके होते हैं। जिसकी वजह यह लैब न होना है। इसी के साथ किसी कैदी को चोट लग जाती है। पता चला कि हड्डी टूट गई और उसे पहले कोर्ट की परमीशन चाहिए। जब तक परमीशन आती है तब तक वह हड्डी इस तरह से अलग हो जाती है वह दोबारा जुड़ने का नाम नहीं लेती। यह एक गंभीर समस्या हमारे कैदखाने में है। इस विषय पर बोलना सही रहेगा। इसी के साथ पुलिसगार्ड की समस्या है। कई कैदी जो बीमार हैं। वह आज इस कैदखाने से बाहर नहीं जा पाते जैसे एक उदाहरण कैंसर का रोगी है चार महीने हो चुके

हैं। चार महीने पहले उसे डॉ. ने हॉयर सेंटर रैफर किया था। लेकिन अभी तक गार्ड उपलब्ध नहीं हो पाई है। वहीं दूसरी तरफ एक पैसे वाला पावरफुल कैदी जो घूमता रहता है। उसकी जान-पहचान होती है तो उसकी गार्ड उसी दिन आ जाती है जिस दिन लगाई जाती है। आखिर ऐसा क्यों? कहीं न कहीं हमारे समाज में भ्रष्टाचार एक आँधी की तरह उठ रहा है और फैल रहा है जो मानवधिकार का हनन है। ऐसी कई समस्याएँ आज इन कैदखानों के अंदर हैं। खैर मैं वहाँ से इन्हीं शब्दों के साथ पीछे को मुड़ गया। जेल में अधिक बोलना अच्छा नहीं। यहाँ पर दीवारों के भी कान होते हैं। अभी यह बात अधिकारियों को मिल जाएगी तो हमें दण्ड मिल जाएगा। मैं एक बेड में लेट गया आँखे बन्द की और दो मिनट आराम से लेट गया। अभी-अभी हल्ला हो गया है। लगता है। आ गये है। लेकिन जैसे ही मैं खड़ा हुआ तो पता चला कि सभी लोग जेल के भण्डारे में चले गये जहाँ पर बाहर जितने भी कैदी खड़े हैं। सभी कैदी फिर से बैठ गये। हल्की हल्की गुनगुनाहट सभी कैदियों में चल रही थीं लेकिन थोड़ी देर बाद पता चला कि वह जेल की कैण्टीन में हैं। उसके बाद वह तन्हाई में, वहाँ से अहातों में। अब बारी थी हमारे अस्पताल के सभी राइटर कैदी व अन्य कैदी अपनी-अपनी जगह खड़े हो गये। मैं सीधे गेट पर खड़ा था उसके बगल में एक मेरा साथी राइटर कैदी भी खड़ा था। हमारे सामने 17 नम्बर बेड लगा था। सभी अंदर अस्पताल ग्राउंड में हैं। आई जी साहब कुछ बता रहे हैं और अस्पताल के बारे में बात चल रही है। आगे से तेजी में डिप्टी जेलर गेट पर आकर खड़े हो गए वह अपनी पूरी वर्दी में खड़े थे और विश्राम की अवस्था में खड़े थे। चारों तरफ नजर दौड़ाते हुए। सीधे खड़े डिप्टी जेलर के मन मे थोड़ी शान्ति जरूर होगी क्योंकि सफाई इतनी थी। दो पागल कैदियों को सुबह से पोंछा मारने में लगाया हुआ था। खैर अब वह सीधे अस्पताल वार्ड में आते ही उनकी नजर मुझ पर पड़ी। उन्होंने

मेरा चेहरा देखा अपनी निगाहें ऊपर से नीचे की तरफ फिराते हुए पूछा कि यह कौन है वह अंग्रजी में बोल रहे थे थोड़ा तो समझ रहा था पर पूरा नहीं मुझे नहीं पता कि वह कौन हैं। लेकिन मैं समझ गया था कि वह कोई बड़ा अधिकारी है। वह पूर्व सुप्रीम कोर्ट के चीफ जज थे। वर्तमान में हमारे देश के मानवाधिकार के अध्यक्ष हैं। उनके साथ उत्तराखंड के जेल आई.जी. हैं। साथ ही उत्तराखंड के पुलिस आई.जी भी। वह सभी अपनी वर्दी में थे मैं उन्हे पहले से ही जानता हूँ। क्योंकि वह जेल में आते रहते हैं। साथ में वरिष्ठ अधीक्षक और अन्य कई अधिकारी व साथ में जेलर मौजूद थे। उन्होंने मुझसे बात करनी शुरू कर दी वे अधीक्षक से कह रहे थे कि यह कैदी कौन से केस में है और यहाँ कैसे है। अधीक्षक ने बताया कि यह कैदी अस्पताल में डॉ. साहब के साथ काम करता है और मरीजों की देखभाल करता है शायद उनको आश्चर्य हो रहा था कि यह कैदी है और ऐसा काम भी करता है वह अंग्रेजी में बात कर रहे थे। उनके साथ दो आदमी थे जो कोट पैंट पहने थे। वह हिन्दी का अनुवाद करके अंग्रेजी में उस अधिकारी को बता रहे थे। मुझे पहले से ही पता था। कि वह जरूर मुझसे बात करेगें क्योंकि मेरे रहने का जो तरीका था। वह अन्य कैदियों से अलग था। मैं सभी कैदियों से अलग लग रहा था। लम्बी मूँछे जो मैंने दो दिन पहले ही काली की थीं और स्पाइक बाल, नाईकी के जूते पहने हुए खड़ा था। उन्होंने मुझसे पूछा कौन से केस में हो मैंने कहा सर मैं एन डी पी एस में हूँ। उन्होंने आई जी साहब से बात की और आई जी साहब ने मुझसे पूछा। एन डी पी एस में क्या है मैंने कहा सर चरस का केस है। उन्होंने हँसते हुए मानवाधिकार अध्यक्ष को बताया। उन्होंने पूछा? कितना चरस था तुम्हारे पास। मैंने जवाब दिया। सर बारह किग्रा.। वह कह रहे थे यह बारह किलो चरस कहाँ से ले आए थे। मैंने कहा, सर, मैं नेपाल से लाया था। फिर उन्होंने पूछा कि तुम्हें कितना पैसा मिलता है। क्या तुम

पहुँचा रहे थे या बेच रहे थे मैंने शान्ति पूर्वक जवाब दिया सर मैं थोक का काम करता था। यह सुनकर वे सभी मुझे देखने लगे उन्होंने मेरी उम्र पूछी मैंने कहा, सर, मेरी उम्र 28 वर्ष है। उस समय मेरी उम्र 18 वर्ष की थी। उन्होंने कहा तुमने यह सब क्यों किया। मैंने कहा उस समय मेरे अन्दर बचपना था मुझसे गलती हो गई थी और बेरोजगार भी था। बस पैसे कमाने की लत थी। इसलिए चरस का व्यापार करना शुरू कर दिया। मैं कहना कुछ और चाह रहा था लेकिन मुँह से एक भी शब्द नहीं निकल रहा था मैं काफी घबरा गया था कि मैं कैसे कहूँ दो मिनट के लिए मैं भूल ही गया था। खैर मैं ज्यादा नहीं बोल पा रहा था और यही बातें करते हुए वे आगे की तरफ को बढ़े। सामने 11 नम्बर बेड में जाकर रूके उस कैदी को कैंसर है वह उस केस में है। जिसने पाकिस्तान के एक कैदी को जम्मू कश्मीर में मार दिया था। इसी केस में यह कैदी इस जेल में है। यह घटना तब की थी जब पाकिस्तान की जेल में एक हिंदुस्तानी कैदी को जान से मार दिया था। इस कैदी से सभी ने बात की। मानवाधिकार अध्यक्ष को पता नहीं था कि यह कैदी कौन है। हमारे पहाड़ों में पढ़े लिखे तो हैं। लेकिन अंग्रेजी भाषा का उपयोग कम होता है। इसलिए यहाँ के लोगों को अंग्रेजी भाषा कम ही आती है। लेकिन आई. जी. साहब ने अंग्रेजी भाषा में उनको बताया कि यह वह ही कैदी है। कई सारी बातें बताने के बाद उस कैदी ने कहा कि मुझे इस जेल में दो साल हो चुके हैं यहाँ पर बहुत दिक्कतें हैं। सबसे पहली बात यह है कि यहाँ पर कैदियों की संख्या बहुत ज्यादा है और दूसरी बात पुलिसगार्ड की बहुत दिक्कत है। गार्ड नहीं होने से मेरा ईलाज नहीं हो पा रहा है। एक कैंसर का मरीज जिसे चार महीने से ईलाज के लिए हॉयर सेंटर नहीं भेजा जा रहा है। आखिर कैदी यहीं मरने के लिए है। यह कैदी भी एक इंसान है। इंसानियत भी कोई चीज होती है जो यहाँ नहीं है। करीब दस मिनट बात करने के बाद वह सभी

अधिकारी यहाँ से निकलने के बाद जेल के मेन गेट पर पहुँच चुके हैं। जहाँ पर अधीक्षक और जेलर का ऑफिस है। खैर बहुत अच्छा लगा बात करके लेकिन हिंदुस्तान में रह कर हिन्दी भाषा नहीं बोल पाना यह तो बहुत बड़े दुख की बात है।

सुबह आठ बजे मैं योगा करके जैसे ही अंदर अपने वार्ड में आने को था अचानक मेरा ध्यान डिस्पेंसरी की तरफ गया वहाँ पर मेरा साथी राइटर कुछ लिख रहा था। मेरे हाथ में एक दरी और पानी की बोतल जो मैंने डिस्पेंसरी के एक कोने में रखी। मेरा ध्यान दवाईयों की तरफ था। कि कौन-कौन सी दवाई खत्म है। जो खत्म होगी उसे इन्डेंट तो करवा लूँगा। अचानक एक कैदी ओ.पी.डी. के अंदर आ गया। मैं यही सोच रहा था कि शायद यह कैदी दवाई लेने आया होगा लेकिन वह बिल्कुल अलग बात कर रहा था। मानो वह पागल हो गया हो। उसे मेरे साथी कैदी ने बाहर जाने को कहा। वह बाहर जाकर खिड़की में से फिर बातें कर रहा है। कह रहा है मेरी गाड़ी की चाभी कहाँ है। मुझे घर जाना है मैं समझ गया। यह दिमागी रूप से संतुलन खो बैठा है। नौजवान युवक हट्टा-कट्टा तंदरूस्त अगर किसी के एक हाथ मार दे तो आदमी गिर जाए। फिर मैंने एक चीज देखी है। जो मानसिक रूप से अस्वस्थ होते है या फिर जो पागल होते है। उनके अंदर इतनी शक्ति आ जाती है कि वह दस आदमियों को इक्ट्ठे लिटा दें। खैर! मैंने उसे डांटा-फटकारा और वह चला गया। मैंने पूछा मेरे साथी कैदी से तो उसने बताया कि वह पागल हो गया है। सुबह ही अस्पताल आया है। चीफ साहब उसे भर्ती कराकर गए हैं। मुझे नहीं पता था। खैर नौ बज कर दस मिनट पर हम ओ.पी.डी. करने जेल की गुमटी पर गये। आज दवाई का नम्बर भण्डारा, कार्यशाला और पाँच-छः बैरक का है। सारे कैदी दवाई लेने आए हैं। बहुत सारी भीड़ मैं बहुत असहज महसूस कर रहा हूँ। क्योंकि मुझे ज्यादा भीड़ पसंद नहीं। खैर समय बिताने के लिए कुछ

अच्छा काम करें। इन चार दीवारियों के अंदर कुछ अच्छा सोचें, अच्छा करने की कोशिश करें, यह सबसे महत्वपूर्ण है खैर मैंने दवाई बांटी। कुछ बीमार थे लेकिन अधिकतर मानसिक रूप से अस्वस्थ। उनको लगता है नीली-पीली, हरी गोली से ही सही होंगे। कुछ नशे के इस्तेमाल के लिए आते हैं। खैर यह जेल खाना है फार्मासिस्ट दवाई लिख रहे हैं। उनके देखने का तरीका मुझे अच्छा लगता है। उनके अन्दर की भावना वाकई इन चार दीवारियों के अंदर कैदियों के प्रति अच्छी है। पूर्ण ओ.पी.डी. होने के बाद हम दस मिनट और गुमटी पर रुके और इंतजार था कि कोई बीमार तो नहीं है। अगर बीमार होगा तो कोई न कोई आएगा। मुझे बहुत दुःख होता है उन लोगों को देखकर जो दवाई नशे मे इस्तेमाल करते है ऐसा नहीं करना चाहिए। यह बहुत खतरनाक और जानलेवा साबित हो सकता है। इस कैदखाने में किसी को समझाना मानो महाभारत खेलने जैसा है। सामने चारों तरफ कैदी नम्बरदार डण्डा लिए खड़े हैं। कोई अपने अहाते से बाहर नहीं आ सकता। यहाँ के अपने कुछ कायदे-कानून हैं अगर आ गया तो उसे न जाने कितनी गंदी-गंदी गालियों व लाठी डण्डों का सामना करना पड़ेगा। नम्बरदार कैदी आता है वह बताता है कि अब दवाई वाले कोई नहीं हैं। हमारे फार्मासिस्ट उनसे मजाक करते हुए चले जाते हैं और मैंने बाहर देखा दवाई की ट्रे बड़ी है उसे रेहड़ी में ले जाना पड़ेगा। मैंने साथी कैदी को भण्डारा भेजा कि वह रेहड़ी ले आएगा। वह रेहड़ी लेने गया और दस मिनट बाद वापस आ गया। मेरे साथ तीन कैदी और हैं जो मेरे साथ काम करते हैं। एक मुझसे सीनियर है और बाकी जूनियर। लेकिन जो मैं कहूँगा वही होगा। शायद मेरे काम में ज्यादा दम था। मैं मेहनत से काम करता था। अन्य कैदियों से अच्छा और जल्दी काम करने की आदत थी। आज मुझे बहुत अफसोस होता है कि काश मैं ऐसी मेहनत से बाहर काम करता तो आज इन सलाखों के अंदर भटक नहीं रहा होता। सोचता हूँ।

हे! भगवान काश, मुझे पक्षी बनाकर इस पिंजरे से आजाद कर दे। लेकिन ऐसा होना असंभव है। मुझे अपने पापों का प्रायश्चित करना होगा। मैंने गलत तो किया ही है लेकिन मैंने अपने दिल-दिमाग को अच्छे मार्ग की तरफ ले जाने को अपने आप को प्रेरित किया है। अभी हम सभी वापस डिस्पेंसरी आ गये हैं। कुछ कैदियों के पर्चे हैं। जिन्हें डॉ. साहब को दिखाना है। मैंने एक पर्चा बनाया है। डॉ. साहब अपने ऑफिस में बैठे हैं बातें चल रही हैं। मरीजों को भी देखा जा रहा है। कुछ समय बाद बाहर मुलाहिजे के बगल में तन्हाई है। जहाँ से जोर-जोर से चीखने-चिल्लाने और गेट हिलाने की आवाज गूँज रही है। पता नहीं वहाँ क्या हो रहा है। शायद सुबह एक कैदी आया है। जो थोड़ा दिमागी रूप से अस्वस्थ हो चुका है। शायद उसी की आवाज आ रही है। मैं उठकर गया। बाहर नम्बरदार कैदी चाभी लिए बैठा है। मैंने पूछा वहाँ कौन है। जो इतने जोर-जोर से चिल्ला रहा है। उसने उसे गाली बकते हुए कहा, परसों आया, साला नशेढ़ी था। नशा नहीं मिला पागल हो गया। मैंने नम्बरदार कैदी से गेट खोलने को कहा नम्बरदार ने तुरंत खोला वो तन्हाई के गेट पर सीधा खड़ा था और मुझे देखकर कह रहा था कि तू अभी आ रहा है। इन लोगों ने मुझे मारा-पीटा अंदर बंद किया है। तू यहाँ से चला जा। नहीं तो तुझे भी मारेंगे मेरी समझ में नहीं आ रहा था कि क्या करूँ। थोड़ी देर मैं उसकी बातें सुनता रहा। अब वह कह रहा था बाकी यहाँ सारे फर्जी पुलिस हैं एक तू है जो दिल्ली से आया है। तू दिल्ली पुलिस है। उसका चेहरा लाल हुआ है और पसीना ही पसीना पानी की तरह बह रहा है। वह बाहर आने को खूब मेहनत कर रहा है। गेट को खोलने की कोशिश कर रहा है लेकिन अभी यह अपने संतुलन में नहीं है। मैं वापस आ गया, मैंने डॉ. साहब को उसकी कंडीशन के बारे में बताया उन्होंने कहा इसे दवाई खिलाओ। मैंने उस कैदी को डॉ. के परामर्श अनुसार दो गोली खिलाई वह खा नहीं रहा था। लेकिन

जबरदस्ती खिलाया। अब सारे अधिकारी चले गये हैं। मैं और मेरा साथी कैदी डॉ. साहब के ऑफिस में थे, गर्मी बहुत है। पंखों से भी गर्म हवा चल रही है इसलिए मैं डॉ. साहब के ऑफिस में जाकर किताब पढ़ने लगा। वहाँ पर कूलर लगा है कमरा ठण्डा है। मेरा साथी कैदी दवाईयों के इंडेंट बना रहा है। मुझे यहाँ पर बहुत अच्छा लग रहा है क्योंकि बाहर बहुत गर्मी है लू चल रही है। ऐसे में बाहर निकलना बहुत मुश्किलों भरा है। पढ़ते-पढ़ते मुझे नींद आने लगी और थोड़ी देर तक मैं पढ़ता रहा मैं सोच रहा था। ये राईटर लोगों का दिमाग किस तरीके से भगवान ने बनाया होगा। वह अपनी कल्पना से ही सारी दुनिया का लेखा-जोखा लिखते हैं। शायद भगवान ने इन्हें समाज में कुछ अच्छा करने के लिए भेजा है। लेकिन कुछ लेखक अपने लेखों से लोगों को गलत संदेश देते है। ऐसा नहीं होना चाहिए। खैर मैंने थोड़ा आराम किया उठकर जूते पहने और बाहर चला गया। अभी-अभी तन्हाई से उस पागल कैदी को खोल दिया है। दोपहर के दो बज चुके हैं। जेल खुलने का समय है। इसलिए उसे भी खोला वह सीधे वहाँ से भागकर बाथरूम में आ गया। उसने उस बाथरूम की कुंडी लगाई और थोड़ी देर तक रहा। वह बहुत हाँफ रहा था। शायद उसके दिल-दिमाग में अब तन्हाई का डर भर गया था। उसे लग रहा था कि मुझे बंद करके मार देंगे। मैं बगल वाले बाथरूम में था। उसकी सारी हरकतें सुन रहा था। मुझे भी थोड़ा डर लग रहा था क्योंकि वह कुछ भी कर सकता था। वह अपने को चोटिल कर सकता था या फिर दूसरों को भी। खैर वह बाथरूम से कुंडी खोलकर सीधे पीछे की तरफ को दौड़ने लगा मुझे नहीं पता अब वह कहाँ जाएगा और क्या करेगा। उसने सीधे डिस्पेंसरी का दरवाजा खोला और उस ऑफिस में घुस गया। जहाँ पर डॉ. साहब बैठते हैं। मैं अपना चश्मा भी वहीं छोड़कर आया था और यह डर भी सता रहा था कि चश्मा गिर के टूट न जाए लेकिन उससे ज्यादा चिंता अब यह सता

रही थी कि उसने अंदर घुसकर चारों तरफ से कुंडी लगा दी है और मेरे साथी कैदी राइटर को डरा धमका रहा है। कह रहा है, तू बैठ जा नहीं तो तुझे मार दूँगा। उसके हाथ में डॉ. साहब की टार्च थी। मैं उसे आवाज मार रहा था बाहर आ जा। तुझे जेल से छोड़ रहें हैं वह तो पागल था। अलग ही बातें कर रहा था। अब वह इतना चिल्ला रहा था। कि वह गंदी-गंदी गाली दे रहा था। पूरी भीड़ जमा हो गई है। अब समझ में नहीं आ रहा है क्या किया जाए, बंदी रक्षक परेशान, वह भी पूरे पसीने से गीला हो गया और डरा हुआ है। आगे क्या जवाब दिया जाए सामने दीवार है। जो ऑफिस से सटी हुई है सिपाही उसके ऊपर चढ़ने की कोशिश कर रहा है उसकी निगाहें चारों तरफ है और हल्ला कर रहा है। जैसे ही उसकी निगाहें सिपाही पर पड़ीं वैसे ही उसने सीरप की बोतल मारना शुरू कर दिया। अचानक साथी कैदी जो अंदर फँसा हुआ था। वह फुर्ती से बाहर कुंडी खोलकर भाग निकला लेकिन तुरंत ही उसने दरवाजे पर कुंडी लगा दी उसके अंदर इतनी शक्ति थी। वह कुछ भी कर सकता था लेकिन वह डर रहा था। इसलिए वह दरवाजे बंद कर रहा था। अब वह कह रहा था कि पुलिस बुलाओ। हम सभी बाहर से आवाज दे रहे थे कि तू बाहर आ जा पुलिस वाले आए हैं। लेकिन उसके दिमाग में पता नहीं क्या चल रहा था। वह डरा हुआ था। खतरा इस बात का था कि वह कहीं अब अपने आप को कुछ न कर ले वहाँ पर खुजली वाली दवाईयों की शीशियाँ रखी हुई थीं। अगर वह उसे पी ले तो वह मर सकता है। खैर अब यहाँ पर पूरी जेल की फोर्स खड़ी है, सारे कैदियों की भीड़ जमा है। ऐसा हो रहा है। मानों कोई मेले की भीड़ आई हो हर कैदी उसे देखना चाहता है। उसके बाद यहाँ पर लोहे की जंजीर लाई गई है। चीफ का आदेश था। कार्यशाला जाओ वहाँ से सीढ़ी ले आओ तब अंदर जाकर उसे निकाला जाएगा। मुझे यह तरीका ठीक नहीं लग रहा था क्योंकि वह हमला भी कर सकता था।

मैंने हेड वार्डन को बताया कि मैं दरवाजा तोड़ता हूँ यह सबसे अच्छा तरीका होगा। अगर सीढ़ी से अंदर जाते हैं तो वह हमला करेगा। इसलिए मैं दरवाजा तोड़ देता हूँ। हेड वार्डन नाराज हो रहा था कि आखिर जब डॉ. साहब चले गये थे तो तुम लोगों ने अस्पताल बंद क्यों नहीं किया यह बोलकर वह चुप हो गये और कहने लगे, तोड़ दो दरवाजा। मैंने दरवाजे पर चार लात मारीं और दरवाजा टूट गया। थोड़ा जवानी का जोश था और फिर डर कि कहीं कि वह कुछ गलत कदम न उठा ले। उसके हाथ में टार्च थी और वह कह रहा था कि मैं मार दूँगा। यहाँ मत आओ। जैसे ही दरवाजा टूटा वह सीधा खड़ा डरा-सहमा और भयभीत सा नजर आ रहा था। तीन चार कैदी और जेल स्टॉफ अंदर घुस गया और उसे दबोच लिया गया। उसने पूरे ऑफिस को अस्त-व्यस्त कर दिया था। ऐसा लग रहा था जैसे कोई भूकम्प आ गया हो। खैर उसे पकड़ा उसके शरीर में पसीना ही पसीना हो गया था। वह अपने आप को छुपाने की कोशिश कर रहा था। लेकिन अब वह जेल के नंबरदार कैदियों और प्रशासन के हाथों जकड़ा हुआ था। एक लम्बी जंजीर लायी गई। उसके दोनों हाथ बाँधे गये और उसे एक खिड़की में बाँध दिया, अब उसे मारा जा रहा है। वह जोर-जोर से चिल्ला रहा है। बहुत भीड़ जमा है सारे कैदी उसे देख रहे हैं कि यह कैसा कैदी है। बड़ी जल्दी पागल हो गया। कोई कह रहा है। यह सब जानबूझकर कर रहा है कोई कुछ तो कोई कुछ कह रहा था। थोड़ी देर बाद जेलर आए मैंने उनको बताया कि ऐसी ऐसी बात है वह दूर से देखकर वापस चले गये। लेकिन उसके पागलपन की वजह यह है कि वह बाहर बहुत शराब पीता था। अब वह जेल में पिछले पाँच दिनों से है उसे कोई नशा नहीं मिल रहा है। शायद वह इसी वजह से ऐसी हरकतें कर रहा है और वह पिछले दो दिनों से नहीं सोया है। इसलिए अब आज उसे डॉ. को दिखाकर दवाई देंगे अगर यह सो जाएगा तो सही हो जाएगा। नशा इंसान

को खत्म कर देता है। इंसान के दिमाग को नष्ट कर देता है जिससे वह मानसिक रूप से अस्वस्थ हो जाता है और जीवन को सुचारू रूप से चलाने के लिए तैयार नहीं हो पाता। आज जेलों में बहुत नौजवान लड़के अपनी जिंदगी के साथ खेल रहे हैं। कारण सिर्फ एक ही है। वह है नशा। नशा चाहे किसी भी चीज का क्यों न हो नशा तो नशा ही होता है जो जीवन को अंधकार में धकेलता है। इसलिए नशा नहीं अपने अच्छे जीवन का चुनाव करो जिससे समाज में एक प्रेरणा बन सके और चार लोगों को लगे कि नशा हमारे लिए अच्छा नहीं होता जो जीवन को खोखला कर देता है।

एक दिन शाम का समय जेलों की दीवारों पर सन्नाटा पसर चुका था। सभी कैदी अपनी-अपनी कोठरियों में बंद हो चुके थे। मैं और मेरा साथी कैदी जो बाहर टहल रहे थे। अभी-अभी डॉ. साहब भी निकले हैं। हमने अस्पताल ओ.पी.डी. को बंद कर दिया है। चाभी बजाते हुए सामने नम्बरदार कैदी हमारी तरफ को आ रहा है। वह कैदी पुराना है। हमारी अच्छी जान पहचान है। हम अपनी जिंदगी के महत्वपूर्ण पलों की बातें कर रहे थे, यह जेल है। यहाँ पर बाहर की बातें करनी अच्छी लगती हैं। हमारा शरीर तो सिर्फ जेल में है। लेकिन यह दिल हमेशा अपने घर में अपने परिवार में समाज में ही रहता है। यह जगह एक आम आदमी के लिए नहीं है। यह जगह उनके लिए है जो अपराधी है। लेकिन आज हजारों बेगुनाह जेलों की सलाखों में सड़ रहे हैं। ऐसे मे उँगली उठती है हमारे शासन-प्रशासन और कानून के ऊपर। अभी-अभी अंदर बैरक से आवाज आ रही है। रिपोर्ट... रिपोर्ट... रिपोर्ट..... एक कैदी की तबियत खराब है। दूसरा कैदी आवाज मार रहा है। जीतू भाई, जीतू भाई मैंने घबराते हुए हाँ की आवाज दी। मैं गेट से दौड़कर सामने आया। देखा सामने एक बुजुर्ग कैदी जमीन में लेटा हुआ है वह उसके पास बैठा हुआ है। मैंने अचानक जल्दी से जेल सिपाही को बुलाया और

गेट खुलवाया मैंने सबसे पहले उस बुजुर्ग कैदी की नाड़ी देखी जो बहुत धीमी-धीमी चल रही थी। बेहोशी की हालत में वह जमीन पर पड़ा था, उसकी आँखे सूखी-सूखी सी आसमान की तरफ, चेहरा डरावना मानो यमराज आ गया हो। 80 वर्ष का यह बुजुर्ग कैदी इसको पीलिया की शिकायत थी। अभी बीच में दिल्ली एम्स भी गया था। इस बुजुर्ग कैदी ने मुझे बताया था कि मेरे साथ पुलिस वालों ने बदसलूकी की। मुझे गाड़ी से खींच कर ले गये। जिससे कि मेरे सिर, हाथ, पैर में चोटों के निशान भी देखने को मिल जाएंगे। बेटा मुझे दोबारा दिल्ली मत भेजना। पुलिस वाले मुझे मार देंगे। मैंने कहा बाबाजी, आप परेशान मत हो आपका ईलाज कराने के लिए हम आपको दिल्ली भेज रहें हैं। वह बुजुर्ग कैदी बहुत रो रहा था। 80 वर्ष की उम्र में आँखों से आँसू निकलना शायद उस दर्द का अहसास कोई नहीं कर सकता। अभी मैं देख रहा हूँ। इस बुजुर्ग कैदी को शायद बचे या नहीं मुझे नहीं लगता कि यह बचेगा। क्योंकि यह बुजुर्ग कैदी अपने जीवन की अंतिम सांसे ले रहा था। बहुत दुर्भाग्य पूर्ण है। अगर घर में मरने का अवसर मिलता तो शायद अच्छा होता। एक कलंक केस का था। दूसरा कलंक जेल में मरने का जो बहुत दुर्भाग्यपूर्ण है। खैर मैं भागते-भागते जेलर के ऑफिस में पहुंचा जहाँ पर जेलर, फार्मासिस्ट, जेल के डॉ. आदि मौजूद थे। सभी आपस में मजाक कर रहे थे। हँस रहे थे मैं भी हाँफते-हाँफते जेलर के ऑफिस में पहुँचा मैंने डॉ. साहब और जेलर साहब को बताया कि अस्पताल वार्ड में एक बुजुर्ग कैदी की तबियत बहुत खराब है। सभी को पता था। उसका इलाज दिल्ली एम्स में चल रहा है। उसकी तबियत के बारे मे मैंने अभी सभी को बताया। जेलर साहब कह रहें है। वह जिंदा है या मर चुका है? मैंने उनसे कहा- साहब जल्दी चलिए नहीं तो वह मर जाएगा। जेलर साहब कह रहे हैं। कोई बात नहीं कागज वैसे भी तैयार हैं। यह जेलखाना है। यहाँ कोई मरे या जिए एक कागज में लिख

दिया जाएगा कि उसकी मृत्यु जेल से बाहर हुई। किसी का कुछ नहीं बिगड़ेगा चार कैदियों को समझा दिया जाएगा कि यह कह देना कि जेल में ठीक था। हमारे सामने नहीं मरा। बस कैद में कैदी क्या बोल सकता है। जैसा अधिकारी कहेगा वैसा कैदी को मानना पड़ेगा। मजबूरी है। यहाँ बाप पिटेगा तो बेटा देखेगा। यह ही यहाँ की सबसे बड़ी समस्या है। डॉ. साहब और सभी अधिकारी जेल के अस्पताल में आ गये हैं। डॉ. ने उस बुजुर्ग कैदी को देखा कंडीशन तो खराब ही है। डॉ. ने जेलर को कहा, गार्ड और एंबुलेंस की व्यवस्था तुरंत करवा लो यह कैदी बाहर जाएगा। यह सारा खेल देखते-देखते बीस-तीस मिनट हो गये। हम दो-चार कैदियों ने उस बुजुर्ग कैदी को स्ट्रेचर में डालकर जेल के मेन गेट पर पहुंचा दिया। मैंने फिर एक बार उस कैदी को देखा अब उसकी आँखे बंद थीं। मैंने नाड़ी देखी अब तो नाड़ी भी नहीं चल रही थी शायद वह अपना शरीर छोड़ कर चला गया। आत्मा तो अमर है। उस शरीर में कुछ नहीं रहा इसलिए आत्मा चली गई बहुत दुःखद है। खैर जो पैदा हुआ है उसको मरना जरूर है। यह हमारी नजर में तो मर चुका है। लेकिन डॉ. की नजर में और जेल वालों की नजर में शायद न मरा हो। आज जिस तरह से टेक्नोलॉजी की दुनिया है। शायद बाहर होता या यहाँ पर तुरंत ईलाज किया जाता तो शायद वह जिंदा होता हमारे प्रशासन में बहुत दिक्कतें हैं। इसी उलझनों के बीच हमारा जीवन खत्म हो जाता है। हमें जो व्यवस्था चाहिए होती है वह मिल नहीं पाती है। सरकारी नियमों के बीच कैदी फँसकर रह जाता है जिससे उसकी मृत्यु जेलों में ही हो जाती है और जेल वाले उसे जेल से बाहर मरा दिखा देते हैं। अब क्या किया जाए। जेलर और डॉ. अपनी नौकरी तो देंगे नहीं। यहाँ कैदियों की दुर्दशा इतनी भयानक है कि न तो शासन सुनने वाला है और न ही प्रशासन। इसलिए नहीं सुनने वाला है कि वह एक गुनहगार है। वह दोषी करार दिया गया है। उसे जंजीरों में जकड़ा गया है। ऐसी स्थिति में कोई

पूछने वाला नहीं जिसके हाथों में हथकड़ी पड़ गयी वह चोर है। ऐसी मानसिकता हर व्यक्ति में होती है क्योंकि कोई नहीं जानता कि वह बेगुनाह है या अपराधी अभी बाहर से एंबुलेंस आने वाली है शायद आ रही है। सामने बड़ा गेट खुल गया और हमारे सामने एक सुंदर दृश्य है। जहाँ पर बहुत सारी लाईटें जगमगा रही हैं। मैं सोच रहा हूँ। कौन सा दिन आएगा। जिस दिन में इस कैदखाने से आजाद हूँगा। मैं इन काल कोठरी के अंदर मरना नहीं चाहता हूँ। मैंने आज अपनी आँखों के सामने मरते हुए देखा है। मैं ऊपर वाले से दुआ मांग रहा हूँ। इस बुजुर्ग कैदी की आत्मा को शांति मिले और इनके चाहने वालों को साहस दे और मुझे स्वस्थ रखना। जिससे मैं अपनी सजा काटकर यहाँ से बाहर जाऊँ। समाज में ऐसा काम करूँ जिससे समाज के नौजवानों को एक अच्छा संदेश मिल सके। वह अपराध से घृणा करें, अपराध से दूर रहें, गलत काम करेंगे तो जेल जाएंगे और जेल जाएंगे तो परेशान, दु:खी और जीवन को अंधकार में धकेल देंगे। मैं समाज में यही कहना चाहता हूँ कि गलत काम न करें जिससे कि इतने भयभीत जीवन को देखना न पड़े। हमने उस बुजुर्ग कैदी के शरीर को एंबुलेंस में डाला और बाहर भेज दिया। मर तो चुका है। लेकिन यह जेल वालों का अपना दिखावा है। डॉ. साहब भी एंबुलेंस में बैठे और चले गये। आधे रास्ते में उसे डॉ. द्वारा मृत घोषित कर दिया गया। अभी हम चारों कैदी बैरक में वापस आ गये। थोड़ी देर बाद पता चला उसे मोर्चरी में लिटा दिया गया है। अब उसकी जेल वालों की तरफ से रिपोर्ट बनेगी, उसमें सारा डिटेल डाला जाएगा, हमनें इस कैदी को यहाँ से भेजा। उसकी तबियत खराब थी। अस्पताल ले जाते समय आधे रास्ते में मौत हो गई। मतलब जेल में नहीं मरा यह दिखा दिया जाता है और चार कैदियों का बयान लिखवाया जाता है। वह बयान भी जेल का बाबू लिखता है और कहता है कि तुम्हें ऐसा बयान देना है बस जैसे जेल में जेलर कहेगा वैसा ही

होगा। यह जेल की पुरानी रीति है। यहाँ पर अधिकतर गरीब कैदी होते हैं। जो जेल से मिलने वाली मशक्कत पर ही निर्भर रहते हैं। उनके घर से मुलाकात पर कोई नहीं आता इसलिए उन कैदियों की मजबूरी हो जाती है। जैसे जेलर का आदेश होगा कैदी को मानना पड़ेगा। नहीं तो कई समस्याओं से गुजरना पड़ेगा। कुछ दिन बाद उसकी पोस्टमार्टम रिपोर्ट आनी है। पता नहीं उसमें क्या आएगा। अब यह जानने का विषय था। थोड़े दिन की इंतजारी के बाद पता चला उसकी मृत्यु सिर के अन्दर चोट लगने से हुई है। मैं समझ नहीं पा रहा था कि आखिर सर के अंदर चोट लगने से उसकी मौत कैसे हो सकती है। यहाँ तो वो गिरा नहीं, फिर ऐसा कैसा हो गया। अब उनके घर वालों ने शायद हंगामा किया है। जेल वालों के ऊपर यह आरोप लगाया है कि जेल वालों ने हमारे आदमी को मारा है। इसमें बहुत लंबी-चौड़ी जाँच हुई परंतु अन्त में कुछ नहीं हो पाया। मेरे भी बयान थे। मैंने भी वही बयान दिया। जो जेल वालों ने लिखा था। खैर मुझे ऐसा लगता है। उसके सिर में चोट जो लगी वह चोट दिल्ली एम्स ले जाते समय लगी। पुलिस का ऐसा अभद्र व्यवहार। बुजुर्ग कैदी ने मुझे अपनी आप बीती बताई थी उसने बताया था कि उसे पुलिस वालों ने एंबुलेंस से बाहर घसीटा था। वह पेशाब करना चाहता था इसलिए पुलिस ने उसे ऐसे परेशान किया कि उसे चोटिल होने पर मजबूर कर दिया। पाँच माह पहले यह बुजुर्ग कैदी मुझसे बातें करता था। कहता था जीतू जी मुझे दवाई दे दो मेरे पेट में गैस हो जाती है। वह रोज अपने लड़के को दवाई खिलाने अस्पताल लाया करता था। वह बुजुर्ग स्वस्थ और तंदरूस्त था। उसके तीनों बेटे जेल में है। जिसमें से एक मानसिक रोगी है वह दवाई नहीं खाता है। इसलिए उसके पिता रोज उसे दवाई खिलाने लाते थे। 80 वर्ष की उम्र में इतनी तंदरूस्ती कम ही देखने को मिलती है। अचानक ऐसा हादसा, बहुत अफसोस होता है। खैर उम्र भी हो चुकी थी। लेकिन जेल में मरना

यह बहुत दुःखदायी हुआ। पता नहीं इंसान इतना लालच क्यों करता है। थोड़ा लालच के चक्कर में आज जेल आना पड़ा। इनका केस जमीन का था। गाँव के पड़ोसी ने थोड़ी जमीन दबा दी। दोनो गुटों में तू-तू मैं-मैं हो गयी और हाथापाई भी। जिसमें एक व्यक्ति की मौत हो गई और यह चारों बाप-बेटे जेल आ गये। जिसका नतीजा आज देखने को मिल रहा है। इंसान के जीवन में, जर, जोरू, जमीन यह तीन चीजें इंसान के फेरे में पड़ जाती है तो इंसान का जीवन अंधकारमय हो जाता है। ऐसा देखने को मिला है। इन तीन चीजों से इंसान को हमेशा बचकर रहना पड़ेगा। जीवन में अच्छा करें, अच्छी सोच रखें। विवादों से बचें ऐसा करने से आप खुश तो रहेंगे ही आपका जीवन व आपका परिवार भी आनन्दमय रहेगा।

कोई व्यक्ति गैंगस्टर क्यों बनता होगा। शायद मैं बता सकता हूँ। कुछ न कुछ वजह जरूर होती है। जिससे एक व्यक्ति आम जिंदगी से गैंगस्टर बनता है। किसी के माँ-बाप यह नहीं चाहते है कि उसका लाल कोई गलत काम करे बल्कि वह तो यह चाहते है कि उनका बेटा अच्छा काम करे जिससे कि उसके माँ-बाप का नाम रोशन हो। इंसान के गैंगस्टर होने के पीछे कुछ मुख्य वजह यह है। गरीबी, बेरोजगारी, बदले की भावना, किसी को अत्यधिक जलील करना, ज्यादा पैसे कमाने की चाहत, बदमाशी करके नाम कमाना, किसी को झूठे केस में गलत तरीके से फँसाना और अन्य कई कारण ऐसे हैं जिससे आज व्यक्ति गैंगस्टर बनने को आतुर है। जो मैंने अहसास किया इसी में से कुछ एक कारण जो इस गैंगस्टर के जीवन में आया होगा। इसलिए गैंगस्टर बन गया। मुझे नहीं पता कि यह गैंगस्टर क्यों बना, क्या कारण रहा, शायद गरीबी एक कारण थी। एक पहाड़ का लड़का बदमाश बने, समझ में नहीं आ रहा था। शायद संगत का असर भी हो सकता है। जैसी संगत वैसा ही इंसान बनता है। एक छोटी सी जगह का लड़का मुम्बई जाकर न जाने

क्या-क्या किया। अन्त में उसने एक रास्ता चुना वह रास्ता था गैंगस्टर का। वह रास्ता अपराध की दुनिया में पैर रखने का, चोरी से शुरू, अन्त उसका बड़े-बड़े आतंक फैलाने वाला रहा। लोगों की हत्या ऐसे मानो प्याज काट रहा हो। शायद यह इसका धंधा बन गया था। अगर बिना मेहनत पैसे मिल जाएं तो फिर कोई मेहनत क्यों करे गोली चलाओ एक ही बार लाखों करोड़ो ले लो। लेकिन बुरे का अन्त बुरा ही होता है। पूरे देश में आतंक फैलाने वाला बदमाश आज सलाखों के पीछे है। पूरे ऐशो आराम की जिंदगी गुजार रहा है। मानों यह जेल नहीं उसका अपना बंगला हो। जब मन करे जहाँ मन करे घूम फिर ले जो मर्जी चाहे खा पी ले। शायद जेल ऐसे लोगों के लिए इतनी सुरक्षित जगह है जैसे शेर के लिए जंगल। शेर की दहाड़ जैसे गूँजती है। वैसे ही ये जेल की सलाखों को गुँजाते है। एक ऐसे ही बदमाश जो इस कारागार के तन्हाई में है। लंबा-चौड़ा शरीर, लंबे बाल, सफेद कुर्ता-पायजामा, पहने हुए दिखने में कोई हॉलीवुड का विलन हो। वाकई इसका यहाँ पर अपना एक अलग रुतबा है। यह न तो जेलर को देखकर डरता है और न ही अधीक्षक को देखकर। सिपाही तो चार कदम दूरी ही से बात करते हैं। क्यों ये ऐसा हो गया? शायद उसे अपनी जिंदगी से प्यार नहीं होगा। अगर अपनी जिंदगी से प्यार होता तो वह इतना बड़ा गैंगस्टर नहीं बनता उसको पता है मरना तो है ही मरता क्या नहीं करता। फिर तो पूरी दुनिया खत्म हो जाए। उसे कोई फर्क नहीं पड़ता इसलिए यह ऐसा रहता है। डर उसके दिल में है ही नहीं उसे तन्हाई में इसलिए रखा गया है क्योंकि वह गैंगस्टर के साथ ही उसे कैंसर की बीमारी भी है। उसके गले में कैंसर है। वह बताता है कि उसे तीसरी बार कैंसर हुआ है। वह यह भी बताता है। कि उसने अपनी जिंदगी में बहुत आतंक फैलाये हैं। लोग उसके बारे में बताते हैं कि वह बहुत खतरनाक बदमाश था। उसने बहुत पैसा और नाम कमाया लेकिन बुरे काम करके। आज तक उसने

सौ से ज्यादा मर्डर किये हैं। लेकिन खुद को कभी आँच तक नहीं आई। शायद उसका दिमाग बहुत तेज था। बताते हैं कि यह अपने आदमियों को भी मार देता था। अगर किसी ने थोड़ी चालाकी कर दी तो वह सीधे गोलियों से छलनी-छलनी कर देता था। आज उसके हर जगह चर्चे हैं। उसकी जगह-जगह प्रापर्टी है लेकिन हराम की कमाई। ऐसी कमाई दूसरे के हाथ का खाना छीनकर अपने मुँह में डालना अपनी भूख मिटाना सबसे बड़ा पाप है। कुछ अच्छा करते जिससे समाज में अच्छा नाम होता लोगों के दिल को सुकून मिलता यह जेल की दीवारें और इसके अंदर का भय शायद इनसे बहुत दूर है। सलाखों मे रहना इनकी शान है। जंजीरों से इन्हें प्यार है और जेल की लंबी-लंबी दीवारों से इन्हें बचाव है। खुले में रहते तो हजारों लोगों से दुश्मनी ऐसे में जेल एक ऐसी जगह है जो सुरक्षित है जहाँ पर आराम से रह सकते हैं। पूरी गार्ड से लैस यह हाईटेक जेल जहाँ पर यह खूँखार गैंगस्टर मौज-मस्ती और अन्य ऐसे सामानों से लैस जो जेल में आ नहीं सकते इनके पास मोबाईल से लेकर हर आरामदायक चीजें यहाँ मौजूद हैं। कहने वाला कोई नहीं क्योंकि यह बड़े गैंगस्टर हैं। अगर कुछ कह दिया तो धमकी मिलेगी। तेरे बच्चों को मरवा दूँगा। तुझे भी और तेरे पूरे परिवार को खत्म कर दूँगा। ये है गैंगस्टरों की दादागिरी। खैर जेल ऐसी जगह है। जहाँ पर इंसान सुधर भी सकता है और बिगड़ भी। यह आत्म निरीक्षण की बात है। यह गहराई वाली बात है। समझने वाला समझ सकता है। अपराध इंसान क्यों करता है। जेल में आता है और एक दिन ऐसा आता है। उसके ऊपर इतने केस हो जाते है कि इन सलाखों से निकल पाना बहुत मुश्किल हो जाता है। इस गैंगस्टर को चालीस साल की सजा है। चालीस साल की सजा का मतलब पूरी उम्र जेल। पूरी उम्र जेल का मतलब जेल की सलाखों में कैद होने के बाद लाश ही बाहर जाएगी। इस जेल में लगातार नौ-दस साल हो चुके है लेकिन अभी भी बाहर पूरा नेटवर्क फोन से चलता है

अभी भी इसका खौफ चारों तरफ है। दिन में और रात में कोई फर्क नहीं। यहाँ तो बस मस्ती ही मस्ती हो रही है। आप सोच रहे होंगे कि जेल में कैसी मस्ती। हाँ, जेल में यह कैदी पूरी मस्ती करते हैं। यहाँ पर जितने भी गैंगस्टर आते हैं। सब आपस में ऐसे गले मिलते हैं। मानो ईद मिल रहे हों। यह अपराधियों के किये वह जगह है जहाँ आराम से रह सकते हैं। चैन की साँस ले सकते हैं। यहाँ पर इनके लिए हाथ-पैर दबाने वाला अलग। बर्तन धोने वाला अलग और बिस्तर बिछाने वाला अलग। वाह! क्या मौज है। मानो यह जेल के राजा होंगे। इनके पास बहुत सारे लोग मिलने आते हैं कोई कुछ कहता है तो कोई कुछ। यहाँ इनसे लेने तो कम ही आते है, देने वाले अधिक। मेरे कहने का मतलब है इनके जितने भी आदमी यहाँ आते है वह पैसे ही देते है। लेने वाला कम ही आता है। यह गैंगस्टर सिर्फ लेने वाला है देने वाला नहीं। रात होते ही चार नींद की गोली खाता है। तब सोता है। यह सरकारी तंत्र है यहाँ कई ऐसे सिपाही हैं जो इसके लिए बाहर से नशे की गोलियाँ, चरस, स्मैक आदि अन्य नशीली चीजें ले आते हैं। बस सिर्फ चन्द रुपये के लालच की खातिर। आज हमारा देश क्यों पीछे है। हमारा तन्त्र क्यों खराब है। इसके पीछे कौन है जो दीमक की तरह खोखला कर रहे हैं। हमारे ही सरकारी तन्त्र के अन्दर कुछ ऐसे लोग है जो पैसे कमाने के चक्कर में अपने आप को ही सुपुर्द कर देते हैं। लेकिन यह बहुत चिंता का विषय है। ऐसे तो एक दिन हमारा देश अंदर से खोखला हो जाएगा। हमें कुछ करना पड़ेगा जिससे सरकार के तन्त्र को सही रखा जाए। इतना भ्रष्टाचार! इन सरकारी दागियों को शर्म भी नहीं आती कि खाकी वर्दी पहनकर उस भारत माँ की सौगन्ध खाने के बाद ऐसा गलत कदम उठा रहे हैं। शायद इनको पता नहीं है। कि यह हराम का पैसा इनको नहीं लगेगा। जिस प्रकार से यह पैसा कमाया उसी तरह मुफ्त में ही चला जाएगा। नहीं तो बच्चों में गलत प्रभाव दिखेगा। इसलिए मैं उन सरकारी

तन्त्र के कर्मचारियों को व अधिकारियों को बताना चाहता हूँ कि किसी से रिश्वत लेना पाप है। पता नहीं वह व्यक्ति कैसे कमाकर ले आ रहा है। कितनी मेहनत से कमा कर ला रहा होगा। खैर मैं दूसरी तरफ चला गया। कैद मे रहकर कैद में ही गलत काम शायद यह सुनकर सभी दंग रह जाएंगे। कि जेल की सलाखों के अंदर भी ऐसा होता है। यहाँ अधिकतर कर्मचारी अधिकारी ऐसे हैं जिन्हें पैसा चाहिए हर काम हो जाएगा। चाहे कितना ही अवैध काम या वस्तु क्यों न हो इसी तरह इस गैंगस्टर के लिए भी यहाँ पर कुछ अधिकारी और कर्मचारी ऐसे ही काम करते हैं। पैसा चाहिए बस मोबाईल तक ले आते हैं और नशीली चीजें शराब तक अंदर आ जाती है। यह सब मेरा आँखो देखा हाल है जो मैं पिछले कई वर्षों से देख रहा था। पैसा फेंको तमाशा देखो ये गैंगस्टरों की सुविधा डॉ. द्वारा दूध, अण्डे, ब्रेड, मक्खन, पनीर सभी चीज दिये जा रहे हैं क्योंकि डर है। डॉ. अगर डाइट नहीं देगा तो यह गैंगस्टर डॉ. को ही धमकी दे डालेंगे। इनका दबाव और डर, जैसा कहा जाएगा वैसा करना पड़ेगा। कीचड़ में पत्थर मारा जाएगा तो कीचड़ हमारे ऊपर ही गिरेगा इसलिए सब बातें हाँ है, न नहीं। सुबह उठना एक कैदी साबुन, तौलिया लेकर आएगा। पानी, बाल्टी की व्यवस्था। पूरी शानोशौकत इस जेल की सलाखों में अक्सर देखने को मिलती है। इस बदमाश के लिए आज गार्ड आयी है। एम्स अस्पताल जाना है। एक बड़ी गाड़ी जिसमें दस पन्द्रह पुलिसकर्मी डॉ. साहब ने कागज बनाये और दिल्ली के लिए इस गैगस्टर को कड़ी सुरक्षा के बीच भेजा गया। दिल्ली में पूरा ईलाज होने के बाद पता चला कि इस गैंगस्टर को कैंसर की बीमारी है। यह तो बहुत चिंता का विषय था। लेकिन वह खुश था। वह कह रहा था कि अब मेडिकल के आधार पर मेरी जमानत हो जाएगी। समझ में नहीं आ रहा था कि इतनी बड़ी बीमारी और यह गैंगस्टर खुश था। शायद वकील ने कहा था कि तुम्हारी मेडिकल के आधार पर जमानत करवा दूँगा।

शायद यह कैदी भी इस चार दीवारियों से डरने लग गया था। पिंजरा तो पिंजरा ही होता है चाहे उसमें कितनी ही व्यवस्थाएं क्यों न हों। आज उसे जेलर ने हर व्यवस्था दी है। फोन से लेकर नशे की हर व्यवस्था और खाने पीने की अच्छी व्यवस्था। अब उसकी आस तो बंध चुकी थी। कई बार और एम्स अस्पताल गया। घूमा-फिरा उसने अपनी पूरी पैरोगारी जेल से ही की। यहाँ तक कि एक दिन वह किसी मंत्री से भी बात कर रहा था। मेरे सामने उसने मंत्री से बात की। कई मंत्रियों और नेताओं का उसे सपोर्ट भी था। अभी शायद सुप्रीम कोर्ट में उसकी जमानत लगी है। पता नहीं क्या होगा। उसके हाथ में फोन है। एक नहीं दो-दो जेल की अपनी गैलरी में शेर की तरह घूम रहा है और सामने सिपाही भी बैठा है। सिपाही क्या करेगा। यह सभी बिकाऊ है। यहाँ सब बिकता है बस खरीदने वाला चाहिए। गाँधी जी वाला एक नोट चाहिए सब हो जाएगा। दूसरे दिन सुबह नहा-धोकर मंदिर में बैठा यह गैंगस्टर पूजा में लीन है शायद वह भगवान से प्रार्थना कर रहा है कि हे! भगवान मेरी जमानत करवा दो ताकि मैं यहाँ से इस कैदखाने से बाहर जा सकूँ। फिर एक बार पूरी दुनिया में आतंक फैला सकूं। लेकिन शायद ऐसा नहीं होगा थोड़ी देर बाद पता चला कि उसकी सजा सुप्रीम कोर्ट से बरकरार हो चुकी है। वह बहुत गुस्से में है और परेशान भी। जाहिर सी बात है, दुख होगा। यह भी इंसान है। यहाँ से जाना चाहता है। फिर कुछ करना चाहता है लेकिन अब रास्ता बंद हो चुका है। अब इसके कैंसर का पूरा ईलाज यहीं जेल में चलेगा। अब इस कैदी के लिए प्राइवेट अस्पताल में इलाज के लिए आई जी से परमीशन माँगी है। जो आ चुकी है। शायद कल अस्पताल जाएगा। अभी रेफर रजिस्टर में डॉ. ने उसकी गार्ड लगाने के लिए कहा है। अब यह रजिस्टर सीधे अधीक्षक जेलर और कैदियाना जेलर के पास जाएगा। फिर वह हस्ताक्षर करेंगे उसके बाद यहाँ से गार्ड लगायेंगे फिर दूसरे दिन पुलिस लाईन से गार्ड आएगी।

यह बाहर जाने का तरीका है। दूसरे दिन सुबह दस बजे गार्ड आ चुकी है। गैंगस्टर का पर्चा आ चुका है। तैयार होकर यह गैंगस्टर जाने को तैयार है। आज अस्पताल में उसकी कुछ जाँचे हुईं। वहाँ से इसे अब दस दिन बाद बुलाया है ऐसे चलते-चलते पाँच छः महीने हो गये हैं। इन पाँच छः महीने में उसने जेल में सभी को परेशान किया है। कभी कहता है मेरे लिए चिकन लाओ तो कभी कहता है मेरे लिए चिकन सूप लाओ खैर अब वह समय आ चुका है। जब उसकी कीमोथैरेपी होनी है। यह थैरपी बहुत खतरनाक है। इंसान के अंदर इतनी क्षमता होनी चाहिए। जिससे कि वह इस थैरेपी से गुजर सके। कैंसर जैसी गंभीर जानलेवा बीमारी को दूर करने के लिए यह थैरेपी प्रयोग में लाई जाती है। इसमें पाँच छः बार में सेंक लगने है। भगवान के भरोसे है। आज वह अस्पताल में है। उसकी पहली थैरेपी हो चुकी है। वह चेहरे से थका हुआ और कुछ असहज महसूस कर रहा है। उसके मुंह की आवाज भी बंद है। शायद वह खाना भी नहीं खा सकेगा। डॉ. साहब आए और उसे ड्रिप के लिए कह गये। मैंने व मेरे साथी कैदी ने ड्रिप लगायी और कुछ दवाईयां दीं। मैंने इससे पहले ऐसे गम्भीर कैंसर रोगी को नहीं देखा था। शायद वह इतने सेंक झेल भी नहीं पायेगा क्योंकि वह नशा भी करता है। नशीली गोलियों का प्रयोग करता है और चरस भी पीता है। उसके पास हमेशा दो सौ नशे की गोलियां और करीब छः सात तोला चरस हमेशा रहती है। नशा इंसान को खत्म करता है। किसी भी नशीली चीज के प्रयोग से इंसान का जीवन समाप्त हो जाता है। दिन-प्रतिदिन उसकी सेहत गिरती जा रही थी। अब आज उसकी दूसरी सेंक है वह तैयार है। उसकी गार्ड आनी है। दस बजे रोज की तरह गार्ड आयी और वह आज भी चला गया। गैंगस्टर की दूसरी सेंक पूरी हुई। लेकिन उसकी हालत में कोई सुधार नहीं हुआ है। वह चल नहीं पा रहा है, खा पी नहीं रहा है। यहाँ पर वार्ड में बहुत दिक्कतें हैं इसके सिर और शरीर के बाल

अपने आप निकल रहे हैं। पूरे चेहरे और भौंह के बाल भी निकल चुके हैं मैं भी परेशान हूँ। सोच रहा हूँ। भगवान ऐसी बीमारी किसी को न दे। उससे पहले ही उठा ले शायद इतनी मौतों का बदला ईश्वर ले रहा है। ऐसे मरने से अच्छा कोई गोली मार दे वह अच्छा बोल नहीं सकता चल नहीं सकता क्या फायदा जीवन का अब शायद समझ आ रहा होगा कि क्यों इतना अत्याचार किया होगा। शायद अच्छे रास्ते पर चलता तो आज यह दिन नहीं देखना पड़ता। ईमानदार व्यक्ति का जीवन मुश्किल जरूर होता है मगर खराब नहीं होता। इसने गलत काम नहीं किया होता तो आज जेल की सलाखों में नहीं होता। सादा जीवन ताश के इक्के की तरह है जिसे हराना असम्भव है। अच्छा जीवन जीना चाहिए। ईमानदारी का जीवन जीना चाहिए। आज उसकी तीसरी सेंक है, वह चल फिर नहीं पा रहा था। बड़े संघर्षों से आगे बढ़ रहा था। जीवन की तड़पन से गुजर रहा था। शायद उसकी पीड़ा को मैं समझ सकता था। जिस तरह से चार-पाँच दिन पहले वह था। आज वह मरे के समान हो चुका है। कैंसर ने उसे खत्म कर दिया है। उसकी तीसरी सेंक पूरी हो चुकी है लेकिन अब मुझे नहीं लगता कि वह बच पायेगा। उसे मैं हमेशा ड्रिप लगा रहा हूँ हमेशा उसका ध्यान दे रहा हूँ अब खाने में सिर्फ तरल पदार्थ ले रहा है। वो भी हमारे जबरदस्ती करने पर क्या करें चाहे उसने कितने ही लोगों को मारा हो, सताया हो लेकिन आज हमारे लिए वह एक आम बीमार व्यक्ति की तरह है। जिस तरह से एक आदमी को, एक पेशेंट को देखते हैं। उसी तरह हम भी उसे देख रहे थे। अब वह बिल्कुल खत्म हालत में था। इसलिए अब जेल वाले भी उसे नहीं पूछ रहे थे शायद किसी ने सही कहा है। *''जिसकी लाठी उसकी भैंस''* अब जेल वाले उसे पूछने भी नहीं आ रहे हैं। अब वह जेल वालों से कुछ बोल नहीं सकता कुछ कह नहीं सकता क्योंकि उसकी आवाज बंद हो चुकी है और पाँच छः महीने पहले जेल के सभी अधिकारी उसके

पास आते थे क्योंकि डर था। आज वह जिंदा लाश है। उसे कोई पूछने वाला नहीं। एक दिन शाम को चार बजे मैं अपने बेड पर था। मेरे ही सामने वाले बेड में गैंगस्टर अपनी जीवन की अंतिम सांसे ले रहा था। वह मुझे बुला रहा था। लेकिन मैं थोड़ी नींद में था। अचानक उसने मुझे गिलास बजाकर उठाया, मैं उठा, देखा, उसकी हालत बहुत दयनीय थी। मैं समझ रहा था कि वह अब जिंदा नहीं रहेगा। मैंने उसकी नाड़ी देखी। अभी नाड़ी चल रही थी। मैंने रिपोर्ट लगाई थोड़ी देर बाद जेल फार्मासिस्ट आए। उन्होंने देखा और डॉ. को सूचित किया अब फार्मासिस्ट अपने ऑफिस में बैठ गया डॉ. अभी नहीं आए हैं। फिर पाँच मिनट बाद मैं वापस वार्ड में गया वह अपने बेड से उठकर सामने कुर्सी में बैठा था और उसकी निगाहें आसमान की तरफ। मैंने देखा मैं समझ गया अब समय आ चुका है। मैं तुरंत फार्मासिस्ट के पास गया। मैंने कहा कि साहब वह मरने वाला है उसे बाहर अस्पताल ले जाओ कुछ देर बाद जेल के समस्त अधिकारी मौके पर मौजूद थे लेकिन शायद अब वह मर चुका था। लेकिन डॉ. के अनुसार अभी वह जिंदा था। कैदी को कौन पूछने वाला एक गैंगस्टर की मृत्यु इस तरह जेल में हुई मेरी आँखों देखी घटना है। जेल वालों ने उसे एंबुलेंस में डलवाया और उसे बाहर अस्पताल भेजा लेकिन डॉ. ने उसे आधे रास्ते में मरा दिखा दिया। उसने मुझे भी गवाह बनाया अभी मैं मजबूर था। मैंने वही कहा जो जेल वालों ने मुझे बताया। उन्होंने कहा कि तुम्हे यह कहना है। कि उसकी तबियत खराब थी। उसे जेल से सही सलामत जेल से बाहर भेजा दूसरे दिन पता चला हमें वह मर चुका है। जेल वालों ने ऐसा लिखकर मेरा नाम लिख दिया था। जिसमें मजिस्ट्रेट की जाँच हुई मैंने वैसा ही कहा जैसा उसमें लिखा था। अगर नहीं कहता तो मुझे सलाखों के अन्दर परेशान किया जाता मेरे ऊपर जुल्म ढाए जाते ऐसे में मैं कुछ नहीं बोल सकता था। इसी गैंगस्टर की गवाही में मुझे कोर्ट ने बुलाया था। लेकिन मैं मजबूर

था। मैंने कहा वह जेल में नहीं मरा। ऐसे में जेल वालों का कोई कुछ नहीं बिगाड़ सकता था। आए दिन जेलों में ऐसी घटनाएं होती रहती थीं। ये चारदिवारें ही इनका बचाव थीं। ये लाल डरावनी दीवारें इनका बचाव थीं। आने वाले समय में भी ऐसा होता रहेगा। मुझे ऐसा लगता है।

शाम का समय करीब सात बजे पूरी जेल बन्द हो चुकी है। मैं अस्पताल वार्ड में हूँ। आज बीमार कैदी हमारे पास बीस-इक्कीस हैं। एक कैदी जिसे दस्त हैं। मैंने उसे ड्रिप लगाया है बाकी सभी अपने-अपने ख्यालों मे खोए हुए हैं। तभी अचानक एक आवाज आयी जीतू..... मुझे समझ में नहीं आया है कि आवाज कहाँ से आयी। सामने ही एक कैदी बैठा था उसने मुझे इशारों से बुलाया और कहा कि एक कैदी शौचालय में है। आपको बुला रहा है। वक्त का क्या भरोसा कब किसको क्या हो जाए। मैं अचानक उठा और शौचालय की तरफ को गया। उस कैदी ने मुझसे कहा बेटा मेरे टॉयलेट में खून निकल रहा है और मुझे चक्कर आ रहे हैं। मैंने उनको आश्वासन दिया कि आपको दवाई देते हैं। आप ठीक हो जाएंगे। लेकिन उन्होंने कहा बेटा नहीं मैं हार्ट का पेशेंट हूँ आप डॉ. साहब को बुलाओ मुझे चक्कर आ रहे हैं। खैर उन्होंने इशारा करते हुए मुझे कुछ दिखाने की कोशिश कर रहे थे। मैंने नीचे की तरफ को देखा तो पूरा शौचालय खून से सना था। मैं देखकर हक्का बक्का रह गया। मैंने तुरंत रिपोर्ट लगायी पूरे अस्पताल वार्ड में माहौल सामान्य चल रहा था। किसी को यह पता नहीं था कि रिपोर्ट भी लग चुकी है। यहाँ पर कुछ राइटर कैदी और हैं जो जेलर के आदमी हैं। यह कैदी इतने गंदे है। इनकी जितनी बुराई करें कम है। यह जेल के महान मुखबरों में से एक हैं। यह यहाँ की पूरी मुखबरी रोज जेलर को देता है। लेकिन अधिकतर मुखबरी झूठी देता है। ऐसे में दूसरे कैदी को बहुत मुश्किलों का सामना करना पड़ता है क्योंकि यहाँ के अधिकारी इतने गंदे है, भ्रष्टाचारी है। इनकी जितनी बुराई करो उतनी

कम है। यहाँ पर बड़े-बड़े लोग भी रहते हैं। जैसे पूर्व सांसद डी. पी. यादव और अन्य कई बड़ी हस्तियाँ भी, जिन्हें परसों यहाँ से दून अस्पताल इमरजेंसी में भेजा था। यह मुखबर झूठी मुखबरी कर यह कह देता है कि यहाँ पर डॉ. मरीजों से पैसे लेकर इमरजेंसी में बाहर भेजता है। ऐसे में जेलर विरोध करता है कि किसी को अस्पताल न भेजे लेकिन दुख तो तब होता है। जब यह मुखबर अपनी हदें पार कर देता है और इन अधिकारियों पर तो तब गुस्सा आता है। जब किसी कैदी की जिंदगी से खिलवाड़ करते हैं। बहुत बुरा हाल है इस जेल का। थोड़ी देर बाद गेट पर आवाज आती है। अरे भई! किसने रिपोर्ट लगाई है। किसकी तबियत खराब है। पता नहीं कहाँ से आ जाते हैं। (गाली देते हुए) अभी तो जेल बंद हुई है। पहले नहीं बता सकते थे कि तबियत खराब हैं। मैंने अंदर से कहा कि साहब एक कैदी के टॉयलेट मे खून निकल रहा है, उसका स्वास्थ बहुत खराब है। वह कह रहे हैं किसने देखा खून किसी भी कैदी ने जवाब नहीं दिया। मैंने कहा, हाँ सर मैंने देखा शायद उनको लग रहा था कि वह झूठी रिपोर्ट लगा रहे हैं। यह जेल खाना है कोई पूछने वाला नहीं। यहाँ हर कैदी ऐसे ही मरता है जब तक जेल अधिकारी आते हैं तब तक कैदी अपने प्राण छोड़ चुका होता है। इतनी दयनीय हालत इन जेलों की। भारत सरकार को सभी कैदियों को गोली मार देनी चाहिए। कैदी हैं तो क्या हुआ वह भी तो इंसान हैं। किसी को इतना मत सताओ कि वह जीते जी इन सलाखों के अंदर मर जाए। वैसे तो अभी यहाँ पर तीन फार्मासिस्ट और एक डॉ. की टीम है लेकिन टाईम पर ईलाज नहीं तो क्या फायदा। इन डॉ. का और इन फार्मासिस्टों का और जेल की कुर्सी में बैठे ये जेलर पूरे जेल के माँ भी यही हैं और बाप भी, लेकिन यह किसी यमराज से कम नहीं। ऐसे शासन-प्रशासन चलाने वालों को तो गोलियों से छलनी कर देना चाहिए। जिन्हें एक इंसान की देखभाल के लिए रखा गया है न कि किसी कैदी

को मारने के लिए। अभी अस्पताल का गेट खुल गया है। मैंने कमीज भी नहीं पहनी है। चाभी ली और बाहर डिस्पेंसरी की ओर गया। सामने डॉ. साहब और जेलर साहब खड़े थे वह पूछ रहे थे क्या हो गया और बड़ी-बड़ी आँखों से देख रहे हैं। मैंने उन्हें बताया कि उस कैदी का बी.पी. 70/50 है। ऐसी दशा में जेलर सीधे वार्ड की तरफ को चला गया और मैंने अस्पताल ओ.पी.डी. खोल दिया। डॉ. साहब को पूरी बात बतायी उन्होंने कहा कि उस कैदी को तुरंत ग्लूकोज चढ़ाओ ठीक हो जाएगा। एक हार्ट पेशेंट की इतनी बुरी दशा शायद अभी भी इन अधिकारियों को लग रहा है जैसे वह झूठा नाटक कर रहा है। जेल के फार्मासिस्ट शराब के नशे में हैं और बोल रहे हैं डॉ. साहब कह रहे हैं कि आधे घंटे बाद बता देना तबियत कैसी है। लेकिन डॉ. साहब को इतना भी नहीं सूझा कि एक बार अंदर जाकर उस कैदी को देख लें। कहते हैं डॉ. भगवान का रूप होता है लेकिन नहीं, ऐसा कहना गलत है सौ मे से साठ प्रतिशत डॉ. ऐसे है जो डॉ. के नाम पर कलंक और फर्जी हैं। लेकिन क्या करें? किससे कहें, यह चार दीवारी हम जैसे कैदियों की आवाज को बंद कर देती हैं। हमारी बातें न तो कोई सुनता है और न ही यह आँसू देखता है। जीवन इतना खतरनाक और भयानक हो सकता है। यह आज पता चल रहा है। मैंने इस बुजुर्ग कैदी को ड्रिप लगायी और अपने बिस्तर पर जाकर बैठ गया। सामने जेलर का मुखबर बैठा था। बी.पी. मशीन लेकर मैं उसके पास गया और उसे दे दिया। मैंने उसे यह कहकर वापस आया कि उस कैदी का बी.पी. नाप लेना। इस मुखबर कैदी को लगता है कि मेरी डॉ. से सेटिंग है और सेटिंग करके मैं इसको बाहर भेजना चाहता हूँ। वह तो ईश्वर ही जान सकता है या हम ही जानते हैं कि हम किसे भेज रहे हैं। यह कैदी यह नहीं सोच रहा है कि किसी कैदी की जिंदगी का सवाल है। नहीं यह कैदी चमचागिरी में लगे रहता है। बस थोड़ी अच्छी व्यवस्था के लिए किसी

की जान पर खेलना यह कहाँ का खेल है। मैं भी एक आम कैदी हूँ लेकिन मेरी भावना अलग है। ऐसे कैदियों को कौन समझाएगा। थोड़ी देर बाद एक आवाज आती है। जीतू बेटा... मैंने मेरे सहयोगी राइटर को कहा जाकर उस बुजुर्ग कैदी को देखो क्या कह रहें है। शायद वह फिर टॉयलेट जाना चाहते हैं। मैंने उस सहयोगी राइटर कैदी को इसलिए भेजा कि वो राइटर कैदी भी थोड़ा मुखबर किस्म का है। इसलिए मैं उसे भेज रहा हूँ। खैर वह बुजुर्ग कैदी टॉयलेट में आए और बैठ गये। थोड़ी देर पहले मैं उनके पास गया था यह कहने कि कुछ कैदी यहाँ पर ऐसे हैं। जो यह सोच रहे हैं कि आप बाहर अस्पताल जाने के लिए यह सब बहाना कर रहे हैं। बेटा नहीं, मैं बहुत दूसरे प्रकार का व्यक्ति हूँ। मैं बाहर जाकर क्या करूँगा। मुझे सही कर दो बस मुझे कहीं नहीं जाना है। खैर मैंने उन्हें यह भी बताया कि यहाँ कुछ मुखबर हैं। जो जेलर को गलत सूचना देते हैं। जिससे कि अधिकारियों तक गलत सूचना पहुंचती है। खैर कुछ देर बार टॉयलेट से आवाज आयी। चमौली... चमौली... जैसे ही उस कैदी ने अपना नाम सुना वह भाग कर टॉयलेट में गया। वहाँ पर वह बुजुर्ग कैदी बेहोशी की हालत में गिरा पड़ा था। जैसे ही मैंने देखा। टॉयलेट में फिर से खून ही खून सना था। ऐसा लग रहा था। मानो किसी की गर्दन काट दी हो। अब समस्या इस बात की थी कि उन्हें बाहर कैसे निकाला जाए। छोटा सा टॉयलेट दरवाजा बंद, उसके अंदर दूसरा व्यक्ति जा तो सकता था। लेकिन बाहर नहीं निकल सकता था। एक साथी कैदी ने जल्दी उसके अंदर एक कैदी को भेजा उसके हाथ-पाँव काँप रहे थे यह सब देखकर सभी का दिल थर्रा रहा है। हो सकता है उसकी जान भी चली जाए हार्ट का मरीज। मैं गुस्से से लाल हो चुका था। मैंने उस मुखबर राइटर को बुलाया। यह दो मुखबर कैदी हैं। जो यहाँ पर रहते हैं। इन दोनों की जोड़ी है। कहते है। एक अंधा तो दूसरा कोढ़ी दोनों की जोड़ी थी। शरीर भारी भरकम कैसे बाथरूम

से बाहर निकालें समझ में नहीं आ रहा है। दो मिनट बहुत मशक्कत करने के बाद भी हम उस कैदी को बाहर नहीं निकाल पाए क्योंकि उस बाथरूम की बनावट ही कुछ ऐसी थी। उस कैदी को थोड़ा सा होश आया वह थोड़ा अपने बल बैठने की कोशिश कर रहा है। मैंने उनसे जल्दी में पूछा कैसे है आप, उन्होंने कहा मैं मर गया..... मैं मर गया... बेटा, मुझे बचा लो। मैंने जोर से हल्ला करते हुए उन कैदी मुखबरों को बुलाया, कहा, जाओ देखो उस खून को जिसे तुम झूठा ठहराते हो तुम यहाँ किसी को मारने आए हो। आओ तुम, मैंने गाली देते हुए उन कैदियों को बुलाया। मैं अपने आप को सम्भाल नहीं पा रहा था। वह सब चुप थे। बस मेरी बात सुन रहे थे। शायद वह डर रहे थे। अगर कुछ कहेंगे तो कोई घटना ना हो जाए यह जेल खाना है। यहाँ कब क्या हो जाए किसी को नहीं पता। पूरे वार्ड में सन्नाटा छा गया है लेकिन यहाँ पर कोई ड्यूटी वाला सिपाही भी नहीं है। कुछ देर पहले ड्यूटी वाला सिपाही आया था। लेकिन अभी वह कहाँ गया। कुछ पता नहीं शायद कहीं घूमने निकल गया हो मैं जोर-जोर से चीख रहा था और ड्यूटी वाले सिपाही को बुला रहा था। इन चार दीवारों की गूंज पूरे जेल में गूंज उठी। बहुत बड़ी जेल है। शायद मेरी आवाज इस कम्पाउंड से बाहर नहीं गयी हो। अभी दस मिनट हो चुके है यहाँ पर ड्यूटी वाला सिपाही नहीं है। कैसे होगा। ऐसी जगह जहाँ पर पूरे जेल का अस्पताल है। जहाँ पर कड़ी ड्यूटी होनी चाहिए। वहाँ पर कोई ड्यूटी वाला सिपाही मौजूद नहीं है जो एक कैदी के जीवन से खिलवाड़ है। भारत सरकार इनको ड्यूटी का पैसा देती है। न कि घूमने-फिरने का, न कि ड्यूटी से गायब रहने का। खैर यह जेल-खाना है। यहाँ कौन देख रहा है कि कोई ड्यूटी कर रहा है या नहीं सब राम-भरोसे है। अभी तक बाहर से सिपाही नहीं आया है। ऐसे ही यहाँ कैदी आए दिन जेलों में घुटते हैं। उस कैदी को टॉयलेट से निकालकर और व्हीलचेयर पर बिठाकर उसके बेड पर

लाया गया है। उसकी याददाश्त खत्म की कगार पर है। बी.पी. नापा बिल्कुल लो आ रहा था। मैं ड्रिप लगा रहा था। उसके हाथ से कैनोला निकल चुका था। अब क्या करता। मैंने साथी कैदी से सिरिंज मँगाया और डायरेक्ट चला दिया। क्या किया जाए सिपाही भी ड्यूटी पर नहीं है। वह कैदी रो रहा है, कह रहा है कि मैं मर गया। मुझे बचाओ सामने पूर्व सांसद डी.पी. यादव जी हैं। वह कैदी उनसे कह रहा है कि मंत्री जी किसी को बुला दो, मैं मर रहा हूँ, यह गेट खुलवा दो शायद इंसान को अपनी जिंदगी बहुत प्यारी होती है। यह बुजुर्ग कैदी यही सोच रहा होगा। क्या पता गेट खुल जाए। खुलेगा कहाँ से, यह जेल की सलाखें हैं। इन तालों को खोल पाना बहुत मुश्किल ही नहीं नामुमकिन है। खैर थोड़ी देर बाद सिपाही आया, मैंने उसे गुस्से में कहा कि रिपोर्ट लगाओ कहो कि उस कैदी की दोबारा रिपोर्ट है। तबियत बहुत खराब है। कुछ देर बाद मैंने सिपाही को कहा साहब कृपया आप ओ.पी.डी. से एमरजेंसी किट ले आओ जिसमें इन्जेक्शन रखे हैं। एक इन्जेक्शन इस कैदी को लगाना है। मैंने उस सिपाही को चाभी दी वो इमरजेंसी किट लेकर आया। मैंने उसमें से एक इन्जेक्शन निकालने को कहा उस सिपाही ने वह इन्जेक्शन निकाला। मैंने लगा दिया। अब मुझे थोड़ा विश्वास था कि आधा घंटा तो जिंदा रहेगा। बाकी अब इसकी किस्मत यहाँ कोई नहीं है। न जेलर न अधीक्षक और न ही डॉ.। इंसान की जिंदगी कितनी नाजुक होती है यह देखने से प्रत्यक्ष पता चलता है। खैर आधे घंटे बाद फार्मासिस्ट शराब के नशे में हल्ला करते हुए आए मैं गेट पर खड़ा था। मेरे हाथ में ग्लूकोज की बोतल थी। सामने तीन-चार कैदी खड़े हैं सभी के चेहरे उड़े-उड़े नजर आ रहे हैं। शायद यह सभी चिंतित हैं और व्हील चेयर पर यह बुजुर्ग कैदी अपनी जिंदगी की आखिरी साँसे ले रहा है। क्या पता जिंदा रहेगा या नहीं। फार्मासिस्ट को मैंने कहा, आप डॉ. साहब को बुलाओ, एंबुलेंस बुलाओ जल्दी, पेंशट

सीरियस है। कुछ भी हो सकता है और आप जल्दी आओ टॉयलेट में जाकर देखो कि कितना खून है। अभी-अभी सामने तीन-चार सिपाही खड़े हैं। ताला खोल रहे हैं लेकिन चाभी का पता नहीं कि कौन सी चाभी है। सिपाही ने तो पाँच मिनट चाभी खोलने में ही लगा दिये। अब भी चाभी नहीं मिली है। मेरे सामने बगल वाले बैरक से नम्बरदार कैदी ने आवाज दी कि साहब चाभी का गुच्छा इधर ले आओ मैं बताता हूँ कौन सी चाभी है। उस कैदी का काम यही था। चाभी खोलना और बंद करना। यहाँ जेल के सिपाही कर्मचारी अधिकारी का कोई काम नहीं। यह सिर्फ हस्ताक्षर करते हैं। बाकी पूरी जेल कैदी ही चलाते हैं। चाहे कोई काम हो हर डिपार्टमेंट मे कैदी ही हैं। लेकिन कुछ अच्छे तो कुछ बहुत बुरे। यह जेल खाना है। बड़ी मशक्कत के बाद अस्पताल बैरक का ताला खुला है। मैंने सीधे साथी राइटर कैदी को कहा तुम सीधे बाहर चलो। मैं उसे ओ.पी.डी. में भी नहीं ले गया सीधे बाहर ले गया। गेट खोला उसके बाद एक विशाल गेट से आगे एंबुलेंस खड़ी है। हम सभी कैदियों ने उसे एंबुलेंस में डाला। हालत अभी भी नाजुक है। डॉ. साहब आ चुके हैं। मैंने उन्हें पूरी रिपोर्ट बतायी उसका बी.पी., पल्स और जो उसे इंजेक्शन लगाया। हम सभी कैदी उसे एंबुलेंस में डालकर वापस अपनी बैरक में आ चुके हैं। जेल के हेडवार्डन ने हमें तालों के अंदर बंद कर दिया है। मुझे खुशी है कि वह ठीक है। भगवान करे कि वह स्वस्थ हो जाए। मेरी यही शुभकामनाएं हैं। जेल प्रशासन की इतनी लापरवाही को मद्देनजर रखते हुए मैं उन सर्वोच्च अधिकारियों को बताना चाहता हूँ कि ऐसे इंसानों के जीवन से खेलने वाले अधिकारी, कर्मचारियों को सबक सिखाएं। जिससे कि जेलों में कैदियों को कोई दिक्कत न हो सके आज बड़े दु:ख के साथ कहना पड़ रहा है कि हमारे समाज के रक्षक ही भक्षक नजर आ रहे हैं। बहुत दुख होता है। जब ऐसी घटनाएं अपनी आँखों से देखते है। शायद ईश्वर ने मुझे यहाँ पर

कुछ ऐसे कर्म करने के लिए भेजा है। शुक्र है। उस ईश्वर का जिसने मेरे द्वारा एक इन्सान की जिंदगी को बचाया है।

वह यादें बहुत रूलाती हैं। जब मैं जेल की कालकोठरी के अंदर खाना खाने बैठता हूँ। हालाँकि इस समय जेल का खाना कई हदों तक ठीक-ठाक है, जेल अधीक्षक के आदेशानुसार। लेकिन वह यादें वह पल-पल सताती हैं और रूलाती हैं। जब मैं अपनों के साथ खुशी, प्यार, मुहब्बतें एक-दूसरे से साझा करते हुए गुदगुदाते हुए वह सुख और दुख के क्षण मेरे लिए और दिल में आज भी कहीं न कहीं से हवा के झोंको की तरह आ ही जाते हैं। जब मैं इस कालकोठरी के अंदर खाना खाने बैठता हूँ। अपने आप को रोकता हूँ। अपने दिल को समझाता हूँ शायद यह सोचकर कि कोई दिन तो आएगा जिस दिन मैं भी इन मोटी-मोटी लंबी-लंबी दीवारों में लगे बड़े-बड़े लोहे के गेटों के बड़े-बड़े तालों के अंदर से आजाद हूँगा और अपनों से मिलूँगा। जो मुझसे दिलोजान से प्यार करते हैं। इंसान की प्यार की दीवारें बहुत मोटी होती हैं। चाहे जेल की सलाखें कितनी ही मोटी क्यों न हो लेकिन वह यादें वह प्यार... शायद अभी मुझे वह समय याद आ रहा है। जब मेरी उम्र 17 साल की थी और मैं घर से अनाथों की तरह बेसहारा था। लेकिन मैं चाहता था कि संघर्ष करूँ और जीवन में आगे बढ़ूँ। लेकिन मैंने उन 17 वर्ष की उम्र में अपने लायक तो था लेकिन फिर भी बेसहारा था साथ ही पैसे कमाने का जुनून। वह उन यार दोस्तों का साथ जो जीवन में अच्छे और बुरे की सूझ बूझ न होना और उस नाबालिग परिस्थिति में मैंने जिस कदर संघर्ष किया चाहे मैंने गलत काम को अंजाम दिया मैंने अच्छे काम भी किये थे। अपने पैरों पर खड़ा होना चाहता था। खैर मैं काफी अफसोस और उस गलत कार्य का प्रायश्चित कर रहा हूँ। उस उम्र के जुनून ने मुझे एक तरफ तो प्यार में डाल दिया था। शायद जीवन में क्या होगा। वो तो वक्त ही बताएगा। लेकिन उस प्यार में जो जीवन का

आनन्द था। उस खाने में जो मजा था। सर्वप्रथम जो उसमें प्यार था। शायद किसी चीज में नहीं। उन हाथों का प्यार जो अपने आप में एक बहुत बड़ा प्यार था। उस दिल में उस मन में जो मेरे लिए इतना प्यार था कि शायद वह प्यार मेरे लिए ही बना था। लेकिन वह यादें कैसे भुला सकता हूँ। वह क्षण कैसे भुला सकता हूँ अंदर से तड़पता हूँ और प्रभु से प्रार्थना करता हूँ। कि हे ईश्वर मेरे द्वारा किये गये गलत कार्यो को क्षमा करना और मुझे सद्मार्ग पर ले चलना और अपने परिवार के बीच में ले चलना अब मैं इतना नहीं तड़प सकता। मेरे जीवन में ईश्वर ने सुधार और सामाजिक कार्य में आगे बढ़ने का मेरे दिल में ऐसा विचार डाला है। मेरे साथ कई कैदी हैं। जो आर्थिक रूप से बहुत कमजोर हैं। जिनके जेल में मिलने आने वाले नहीं हैं क्योंकि हमारे समाज में गरीबी एक मुख्य कारण है जो इंसान को गलत कार्यों की तरफ ले जाता है। लेकिन उन गलत कार्यों की वजह से इंसान जेल की सलाखों में होता है तड़पता है और पछतावा होता है। लेकिन आज समय बदल चुका है। हमारे देश के मुख्यमंत्री मण्डलों की सोच अच्छी हो चुकी है लेकिन अभी थोड़ा वक्त लगेगा। हमारे समाज में शान्ति आएगी और धीरे-धीरे अपराध भी कम होगा और जिस तरह से कैदी यहाँ उन यादों में तड़पता है। मैं आपको यही दिल की बातें साझा कर रहा हूँ कि समाज में अपराध कम हो। कई कैदी यहाँ पर हैं जो दो महीने पहले शादी हुई थी वो भी लव मैरिज और अब वो किसी अन्य केस में जेल आ गये। साथ ही ऐसे कैदी जिनके दो तीन बच्चे हैं और वह परिवार जो अपने घर वालों से अलग नहीं होते है। वह सुबह की चाय-नाश्ता दोपहर का खाना और शाम का भोजन अपने परिवार वालों के अलावा बाहर न खाना ऐसे में जेल और जेल का खाना चाहे खाने में चिकन ही क्यों न हो वो भी बेकार है। वो खाना मुँह के अंदर डालने से पहले ही बाहर निकल आता है। उन बच्चों की याद पत्नी की याद, माँ बहन की याद ऐसे में जेल

और जेल की दीवारों के अंदर खाना खाते समय मानो दिल टूट के बिखर जाता है। ऐसे अनुभव मेरे जहन में हर वक्त आते हैं। मैंने उन कैदियों को देखा है जिन्होंने कई रातें बिना खाना खाये। अपनों की तड़पन में बिता दिये। ऐसे में दूसरा कैदी उस कैदी को साँत्वना देता है कि चिंता मत कर खाना खाले, घर वाले आ जाएंगें मुलाकात में सब ठीक हो जाएगा और छूट जाएगा। चाहे दूसरा कैदी फाँसी की सजा ही क्यों न काट रहा हो लेकिन दिल में यह दर्द लिए हुए कि कब अपनों से मिलूंगा। कब अपनों के हाथों से खाना खाऊँगा। यही हर कैदी की सोच रहती है और आशा भी। जीवन को चलाने के लिए खाना तो खाना ही पड़ता है। लेकिन वह खुशी वह प्यार इस कैदखाने में कहां। दिल के एक कोने में घर की याद, एक हाथ में खाने का निवाला और यह जेल की चार दीवारी और तरह-तरह के कैदी। हर कैदी की एक अपनी जिंदगी होती है। उसका भी कोई न कोई होता ही है। यहाँ पर कोई अपराध करके आता है तो कोई झूठा फंसा दिया जाता है। इसमें एक ऐसा कैदी जो अपराध करके आता है, उसे भी दुख होता है। लेकिन ऐसा कैदी जिसने कभी गलत कार्य नहीं किया लेकिन आज जेल की सलाखों के पीछे। ऐसे में कोई भी कैदी कैसे शान्ति से उस थाली को ग्रहण कर सकता है। यहाँ पर साठ प्रतिशत कैदी जीवन को सिर्फ आगे धकेलने के लिए ही भोजन करते होंगे क्योंकि दुख, चिंता, अपनों का प्यार उन बच्चों की किलकारियां, वह अपनों से बिछड़ने का गम इन जेल की चारदीवारियों के अंदर ही घुटती जाती है इसलिए कोई भी गलत कार्य करने से पहले इंसान को अपने परिवार को देखना अति आवश्यक है। अगर ये बातें नहीं सोची तो फिर इन चारदीवारियों के अंदर घुट-घुट कर रोना पड़ेगा।

हर कैदी को यही चाह रहती है। यही आशा रहती है। कि कोई तो आएगा। जो मुझसे लगाव और प्यार रखता होगा और इस लगाव में कोई

भी जब यहाँ मिलने आता है। तो दिल को बहुत सुकून मिलता है। क्योंकि इंसान अपने ही आप में खो जाता है अपनी बातों में डूब जाता है। अपनों की यादों में खो जाता है और ऐसे वक्त जब इंसान अपनों से दूर इस काल कोठरी में कोई पूछने वाला नहीं होता ऐसे में मुलाकात एक महत्वपूर्ण भूमिका अदा करती है। जब इंसान दीवारों के अंदर कैद रहता है तो वह इंसान आसमान के अलावा कुछ नहीं देख पाता, कुछ नहीं सुन पाता इसलिए वह सिर्फ चिंता में डूबा रहता है। लेकिन एक मुलाकात इस कैदखाने में एक कैदी में जान डालती है तो वहीं दूसरी तरफ बहुत सारी परेशानियों या संकट एवं मानसिक तनाव का भी होना लाजमी हो जाता है। कई कैदी ऐसे भी थे जो अपनों की यादों में अपने को खत्म करने में भी नहीं चूके। अपने आप को ही चोट पहुंचा देते शायद उसकी आत्मा को शांति मिलती हो। खैर मेरे साथ कभी ऐसा नहीं हुआ। लेकिन शोक-चिंता में डूबना लाजमी है। क्योंकि बाहर की जब कोई परेशानी यहाँ पता चलती हैं तो बहुत दुख होता है। कैदी यहाँ बहुत परेशान रहता है। मैं भी काफी परेशान रहता हूँ। जब मुझसे मिलने कोई आता है तो जब मैं जेल में नया-नया आया था तो मुझे उस समय अच्छा लगता था। जब लोग सांत्वना और छूटने की आशा देकर जाते थे कि तुम कोई चोरी करके नहीं आए और न ही बलात्कार करके लेकिन जब सजा पड़ी तो मुलाकात एक बहुत बड़ी मानसिक परेशानी बनकर आयी क्योंकि अब जल्दी घर जाने का समय नहीं बल्कि जेल की सलाखों के अंदर रहने का समय था। जेल की दीवारों के साथ लड़ने का समय था। अब इंसान यहाँ के समाज में रहता है तो इंसान इसी के अंदर सीमित हो जाता है। अगर लंबे समय तक इंसान कैद मे रहेगा तो उसकी मानसिक स्थिति अत्यंत दयनीय एवं चिंताजनक हो जाती है। जो हमारे कैदी जीवन के सामने देखने को मिलता है। इस मुलाकात में कैदी सुख-शांति और चिंता परेशानियों से घिरा हुआ रहता है। इसमें एक तरफ

खुशी तो दूसरी तरफ बिछड़ने का डर रहता है या दूसरे से दूर होने का दुःख यही कैदी की कहानी है। यही कैदी की दास्तां है। यही वह यादें है जेल की काल कोठरी की जिनमें वर्षों बिताये हैं। तरह-तरह की जेलें तरह-तरह के कानून और तरह तरह के जेलर और कर्मचारी लेकिन हर जगह की अपनी एक अलग कहानी। यहाँ की तलाशी यहाँ के नियम-कायदे काफी दुखों से भरे होते हैं। गलती मैंने की लेकिन उसका भुगतान घर वाले क्यों करें। जिस तरह से यहाँ पर मुलाकातियों की तलाशी खासकर महिला की तलाशी देखकर बहुत दुख होता है। तलाशी इसलिए भी कड़ी होती है क्योंकि एक मछली सारे तालाब को गंदा करती है। कुछ महिलाएं लड़कियां यहाँ पर कई बार हथियार एवं अन्य अवैध सामान, नशीले पदार्थ लेकर आती रहती हैं। जिस से सभी को दिक्कतों का सामना करना पड़ता है। यहाँ इसलिए नियम कायदे-कानून लगभग सभी के लिए 70 प्रतिशत बराबर हैं। बाकी 30 प्रतिशत वी.आई.पी. या ऊपर से सिफारिश वालों के लिए छूट है। लेकिन गरीब और मध्यम वर्ग के लोगों को बड़ी कठिनाइयों का सामना करना पड़ता है। मुझे एक दिन की याद आ रही है। मैं उस समय ऑफिस में राइटर था। मुलाकातियों की दो बड़ी-बड़ी लाईन लगी थीं। जिसमें एक महिला और दो लड़कियाँ मेरी परिचित थी। मैं काफी समय से उन्हें देख रहा था। उनकी आँखों से आँसू निकल रहे थे। उन्होंने मुझे नहीं देखा था। वह बहुत परेशान थी। लेकिन मैं उनकी परेशानी को समझ सकता था और महसूस भी कर रहा था। इतनी परेशानियों का सामना करते हुए और इतनी गंदी तलाशी। वहाँ पर कम से कम चालीस-पचास महिलाओं की लाइन थी और वे तीस-पैतीसवें नं. पर खड़ी थी। मैं जेल में महिला स्टॉफ को अच्छी तरह जानता था। मैं उनके पास गया और मिला। मैंने महिला कांस्टेबल से सिफारिश की और उन्हें आगे बुलाकर तलाशी करवा के मुलाकात में भिजवाया। कुछ लोग मुझे गलत निगाहों से देख

रहे थे तो कुछ अच्छी निगाहों से। खैर यह दुनिया है। हर इंसान की सोच अलग-अलग होती है। मुझे उनकी परेशानी नहीं देखी गयी और मैंने उनकी सहायता की। लेकिन इतनी परेशानियों के बाद मुलाकात... आखिर हम गलत काम क्यों करते हैं और ये हमारी पुलिस क्यों झूठे मुकदमों में लोगों को अंदर करती है। जिसका खामियाजा कुछ गरीब-शरीफ और इज्जतदार लोगों को भुगतना पड़ता है। इतनी परेशानियों में आगे बढ़कर हम मुलाकात करते हैं। आज यहाँ पर कई कैदी ऐसे हैं। जिनसे कई सालों से कोई मुलाकात करने नहीं आता। कभी-कभी भूले-भटके अगर कोई आ गया तो उसको इतनी खुशी हो जाती है कि मानो दुनिया की सारी खुशी मिल गयी होगी। लेकिन उसके बाद का गम, वह यादें, वह सोच शायद उसे पागल भी बना सकती हैं। इंसान चाहे अमीर हो या गरीब लेकिन घर तो घर ही होता है। चाहे एक झोपड़ी ही क्यों न हो और वो आजादी वो अपनी दिली चाहत...जब जेल की काल-कोठरी में हजारों कैदियों के बीच में तरह-तरह के कैदी जब नहाने-धोने के लिए नल के सामने आते है। तो... एक किस्सा है। जिस घर में दस बर्तन होंगे वो जरूर खड़केंगे तो यहाँ पर खड़कने का मतलब है लड़ाई और झगड़ा। पहले मैं-पहले मैं... कोई किसी से कम नहीं चाहे वह दूसरों के बर्तन और कपड़े धोता हो लेकिन यहाँ हजारों की संख्या में खूँखार कैदी। यहाँ पर हर कैदी की अपनी एक इज्जत है। चाहे किसी दूसरे की नजर में हो या न हो अपने आप में वह बहुत बड़ा है। लेकिन यहाँ पर तो जेल है और जेल में इंसान की मानसिकता बहुत छोटी हो जाती है और वह लड़ने-झगड़ने लगता है। यहाँ तक की एक छोटी सी बात में खून-खराबे में उतरने में भी नहीं चूकते लेकिन घर में तो हमें गर्म पानी चाहिए। जेल में तो ठण्डे पानी से नहाना पड़ेगा। अगर आप थोड़ा ठीक-ठाक या अधिक पैसे वाले है तो शायद पानी खरीद भी सकते है। यानी जुगाड़ करके, फिर आप को गर्म पानी मिल जाएगा।

लेकिन रोज मिल पाना उसमें भी बड़ी मुश्किल हो जाती है। मुझे सन् 2010 की याद आ रही है। मैं उस समय अल्मोड़ा जेल में जिला नैनीताल से स्थानान्तरण हुआ था। वहाँ पर इतनी बुरी व्यवस्था, चाहे रहने की हो या चाहे खाने की हो, चाहे नहाने की हो, चाहे पीने के पानी की बहुत बुरी व्यवस्था। वहाँ पर रोज लड़ाई-झगड़े। कभी किसी का दाँत टूट गया तो कभी सिर। खैर मेरे साथ चार-पाँच कैदी और थे। हमारे लिए अलग से कनस्तर में पानी भर के आ जाता था। लेकिन वहाँ पर उस समय पानी की इतनी बुरी व्यवस्था थी कि सिर्फ दो घण्टे पानी चलता था। उसी में दो सौ कैदियों का खाना-पीना नहाना, शौचालय जाना आदि न साफ-सफाई। मैं जहाँ पर सोता था, अधिकतर समय ऐसा होता था कि मेरे बिस्तर में छत से खटमल गिरते थे। बहुत परेशानियों का सामना करना पड़ा। हमारे द्वारा कई बार अधीक्षक को अपनी परेशानी बताई गई लेकिन उसका कोई हल नहीं निकल पाया। कई बार तो कैदियों को पीने का पानी भी नहीं मिल पाता था। नहाने की बात तो दूर की है। खैर मैं रोज नहाता था। क्योंकि बिना नहाये मैं नहीं रह सकता था। मैं थोड़ा पुराना कैदी था। इसलिए मुझे यहाँ पर सभी कैदी जानते थे। पहाड़ों की जेलें बेगुनाहों की संख्या अधिक और पापियों की संख्या कम। जिसमें से मैं भी पाप का भागीदार था। जो अपना अपराध करके आया था। घर और जेल में तो जमीन-आसमान का अंतर है। लेकिन अब मैं पूरी तरह से समझ गया था। मैंने जो भी किया गलत किया। खैर वह यादें, वह प्यार से बाथरूम में शावर के नीचे नहाना, अपनी मनमर्जी से किसी भी समय नहाना और कपड़े निकालकर फेंक देना। चाहे धुलें या नहीं कोई परवाह नहीं, लेकिन यहाँ पर शावर नहीं, नल के नीचे बैठकर नहाना पड़ेगा। वह भी जल्दी-जल्दी क्योंकि अगला कैदी बाल्टी लिए नं. पर खड़ा है। उसको भी नहाना होता है और कपड़े अपने आप धोना पड़ेगा। नहीं तो पैसे खर्च करने पड़ेंगे तो कैदी मिल जाएगा।

जो कपड़े धो के सुखा देगा और आप के पास पहुँचा देगा। बहुत समय पहले जेलों में पानी की कमी थी। उस वक्त मैंने एक लोटे पानी से जूठी थाली धोयी, हाथ धोये, पानी पिया है। ऐसा भी समय मैंने इस काल कोठरी में बिताया है। शाम होते ही चारों तरफ से शोरगुल, हल्ला, चीफ साहब की कड़क आवाज और नंबरदार की अकड़। समय होते ही सीधे अपनी-अपनी जगहों पर बंद होना पड़ेगा नहीं तो लाठी और डण्डों से मानसिक प्रताणना से अंदर किया जाएगा। जेल का समय खुलने का, बंद होने का समय एक होता है लेकिन जेल में जेलर की मर्जी है। वह कब बंद कराये। अगर बाहर होते तो कहीं घूम रहे होते। अपनों के बीच में मौज-मस्ती कर रहे होते लेकिन यह जेल है। यहाँ पर दो चीजों की कदर नहीं है एक कैदी की दूसरा रोटी। यहाँ पर ये दो चीजें कोई किसी को नहीं पूछता चाहें वह छोटा हो या बड़ा फिर बुजुर्ग कैदी हो या फिर कोई और। जैसे ही सभी कैदी अपनी-अपनी बैरकों में आ जाते हैं तो वहाँ पर एक बार सभी कैदियों की गिनती होती है। जहाँ पर एक राईटर कैदी जो गिनती करवाता है लिखित रूप से और चीफ साहब भी गिनती करते हैं। उसके बाद बैरक को पक्का किया जाता है। यानी की सभी कैदियों को तालों के अंदर बंद कर दिया जाता है। हर बैरक में कम से कम बैरक के हिसाब से कैदी होते है। हल्ला-गुल्ला चारों तरफ कोई गाली बकता है तो कोई लड़ाई-झगड़े यह सब आए दिन होता रहता है। लेकिन यहाँ पर 80 प्रतिशत कैदी तो अपनों के गम में खोए रहते हैं। सोचते हैं कि कब इस कोठरी से मुक्ति मिलेगी लेकिन कानून के हाथ बहुत लंबे हैं। किन्तु इसका दुरुपयोग आज हमारे समाज में विद्धमान है। अब इस कोठरी से तो बाहर निकल पाना बड़ा मुश्किल है। कल सुबह ही निकल पाएंगे। अगर कोई दिक्कत हो तो इन गेटों के बाहर जेल सिपाही होंगे वह भी मिलते हैं या नहीं कोई नहीं पता। लेकिन यह बहुत दु:ख का क्षण होता है, जब कैदी को इन सारे परेशानियों का सामना

करना पड़ता है। एक ऐसा दुःख जिसे जितना लिखें जितना व्यक्त करें उतना ही कम है। यह अपनों का बिछड़ना, अपनों से दूर होना और जंजीरों से जकड़ना, पिंजरे में कैद शायद मुझसे ज्यादा कोई नहीं जान सकता। क्योंकि मैं स्वयं भुक्तभोगी हूँ। इतनी दिक्कतें, मानो पहाड़ टूट गया हो, यहाँ पर सोने के लिए बेड नहीं बल्कि जमीन में फर्श पर सोना पड़ेगा। दो काले बालों वाले कम्बल मिलेंगे। बस इसी के सहारे यहाँ रात कटेगी। अगर ठण्डा लग गया तो सिकुड़ के सोना पड़ेगा। नींद आ गयी तो ठीक है, नहीं तो पूरी रात जाग कर काटनी पड़ेगी। यह कैद की दुनियां बहुत भयानक और दुखःदायक है। यहाँ पर रोज वही चेहरे, वही कैदी दिखायी पड़ते हैं। हर कैदी की सोच अलग-अलग। कोई किसी की बात लेकर बैठ जाता है तो कोई अपने दुःखों को लेकर तो कोई अपनी बीवी बच्चों की बातों को लेकर। जो पुराने कैदी होते है। उनके पास अपनी व्यवस्था यहाँ पर होती है। जैसे कपड़े-कंबल अन्य समान। कई ऐसे भी कैदी होते हैं, जो दयावान होते हैं। अगर किसी को कोई दिक्कत हो तो वो कैदी सहायता कर देता है। यहाँ पर दो-दो घण्टे का पहरा होता है। एक कैदी रात को दो घण्टे जागेगा। ऐसे ही चार-पाँच कैदियों की ड्यूटी रात भर लगी रहती है। यह जेल के अपने नियम हैं। हर महीने ड्यूटी बदलती रहती है। यह ड्यूटी उसी बैरक का राइटर कैदी लगाता है।

यह कैदखाना वाकई कितना खतरनाक और भयानक है। यहाँ की खाकी वर्दी की बेरहमी से, दादागिरी समझ में नहीं आता। कुछ ऐसे खाकी वर्दी वाले है जो साधारण सिपाही की वर्दी पहनकर एक सुप्रीटेंण्डेंट का रौब एक साधारण बेसहारा कैदियों के ऊपर दिखाते हैं। आखिर क्यों नहीं ये समझते हैं कि यह तो लाचार कैदी हैं, क्यों इनके साथ ऐसा व्यवहार किया जाए। आखिर क्यों ये अपनी गरजती आवाज निकालकर एक बेसहारा कैदियों को डराते हैं....। शाम का समय मैं

ओ.पी.डी. की तरफ को गया। जैसे ही मैं ओ.पी.डी. में पहुंचा तो कुछ बीमार कैदी आए थे। कुछ फटे-पुराने कपड़े पहने थे तो कोई ठण्ड में एक ही कमीज पहने ठण्ड से कँपकँपाते हुए बैठा था। मेरे पास फार्मासिस्ट बैठे थे और उनके बगल में ड्यूटी पर जेल का सिपाही कुछ बातें कर रहा था और दवाई लेने की बात कर रहा था। कुछ ही देर बाद एक कैदी आया जो कहने लगा। भईया मेरे घर से मुलाकात में कुछ दवाईयां आई हैं। कृप्या दे दीजिए। मैंने साथी कैदी राइटर को आवाज दी और मुलाकात से आई दवाई देने को कहा। कुछ सामने एक-दो पेशेंट खड़े थे। एक पेशेंट मैंने उसका नाम पूछा उसने अपना नाम बताया और बीमारी भी। सामने बैठे फार्मासिस्ट ने मुझे कुछ दवाईयां बताई और मैंने सामने से ट्रे से दवाई निकालकर उस कैदी को दी। ऐसे ही जितने कैदी खड़े थे सभी को दवाई दी आखिर दो बीमार कैदी जिसमें एक लेटा था और दूसरा बैठा। था। एक तो वह कैदी था। जिसको कई दिनों से बुखार-खांसी हो रही है। उसे फार्मासिस्ट द्वारा तीन दिन इंजेक्शन लगाने के लिए कहा गया है। अभी उसे इंजेक्शन लगाना है। वहीं दूसरी तरफ एक कैदी लेटा है। मैं उसके पास गया और मैंने पूछा क्या हो गया भई, मैंने पूछते हुए उसका हाथ देखा। वह कह रहा था कि मुझे बुखार है और मेरे पेशाब और मुँह से खून निकल रहा है। मैंने जैसे ही उसका हाथ पकड़ा तो वाकई बहुत गर्म हो रहा था। मैं टेम्प्रेचर मशीन ले आया तो उसने बताया कि उसका टेम्प्रेचर ले चुके हैं। मैंने जोर-जोर से आवाज दी अपने साथी कैदी को। उसने जवाब दिया कि उसका बुखार नाप चुके हैं। उसने बताया कि उसको 102 बुखार है। मैंने फार्मासिस्ट को बताया। वे हीटर के सामने बैठे सिपाही से बात कर रहे थे। जैसे ही मैंने उस बीमार कैदी के बारे में बताया तो उन्होंने कहा कि उस कैदी का बी.पी. ले लो मैंने मशीन उठायी और बीपी लेने उस बीमार कैदी के पास गया तो मैं क्या देख रहा हूँ। यह चौंकाने वाला था। उसका बीपी

70/60 आ रहा था। फार्मासिस्ट ने कहा कि उसे एक ड्रिप में इंजेक्शन डालकर लगाओ। मैंने उस कैदी को ओ.पी.डी. के अंदर वाले कमरे में बुलाया। वह मजबूर कैदी अंदर आया। जैसे ही स्प्रिट से उसके स्किन को साफ किया उसकी नस मुझे साफ दिखायी दे रही थी। मैंने कैनोला को पैकेट के अंदर से निकाला और जैसे ही मैं उसे कैनोला लगा रहा था। वह कहने लगा। बिष्ट जी मैंने इससे पहले कभी इंजेक्शन नहीं लगाया है। मैंने उससे कहा आप चिंता मत करिये। आपको दर्द भी नहीं होगा मैंने जैसे ही कैनोला की सुई उसकी नस के अंदर डाली ही थी कि उसके माथे से पसीना आना शुरू हो गया और वह बेहोशी की हालत में जाने लगा। मैंने उसे पकड़ रखा था। उसकी आँखे बंद हो रही थीं। सिर पीछे की तरफ को जा रहा था। मेरा साथी कैदी घबरा रहा था। यह घबराने जैसी ही कंडीशन थी। वह बेसुध होकर बेहोशी की हालत में चला गया मैंने उससे बात करने की कोशिश की थी। लेकिन वह मेरी बातों को सुन नहीं रहा था। वह बेहोश था। मैंने सामने से व्हीलचेयर मंगायी और उस कैदी को उठाकर बिठाया और तुरंत उसे ड्रिप लगायी अब वह कुछ अपने होशोहवास में आ रहा है। उस कैदी को मेरे साथी कैदी द्वारा अंदर अस्पताल बेड में बिठाया गया। मैंने उस बीमार बेसुध कैदी से जानकारी चाही तो वह कह रहा था मुझे घबराहट हो रही है। लेकिन पहले से आराम है। मैं वापस डिस्पेंसरी में चला गया। कुछ देर बाद अब जेल बंद होने का समय आया। मैं वापस अपनी बैरक में चला गया। मैं सबसे पहले नहाने गया नहाने के बाद मैंने माँ सरस्वती को चरण वन्दना किया उसके बाद थोड़ी खबर सुनी अचानक ही एक कैदी मेरे पास आया और कहने लगा कि वह चार नं. वाले कैदी को घबराहट हो रही है। कह रहा है और उसका गेट बंद हो गया बहुत ठण्डा मौसम है। मैं अपने कंबल के अंदर था और द ह्यूमन बॉडी नाम की किताब मेरी गोद में थी मैंने अपने कंबल को हटाया और उस कैदी के पास

पहुंचा वह कैदी अपना सिर हिला रहा था और कह रहा था कि मुझे घबराहट हो रही है। मैंने उसका हाथ पकड़ा उसके हाथ ठण्डे हो गये हैं। समझ में नहीं आ रहा है। लेकिन मैं समझ गया कि इसका बी.पी. लो हो गया है। मैंने साथी कैदी से बी.पी. स्ट्रूमेंट मंगाया लेकिन पता चला की बीपी स्ट्रूमेंट अंदर नहीं है। मैंने दोबारा उस कैदी के हाथ को पकड़ा। उसके हाथ ठण्डे थे और पल्सरेट भी कम थी। लेकिन अचानक ही वह बीमार कैदी कहने लगा कि लग रहा है मेरा बीपी लो हो चुका है। उसका बीपी लो हो गया है। मैंने ओ आर एस का पैकेट देखा बदकिस्मती से अभी ओ आर एस का घोल भी नहीं है। मैंने कोशिश किया कि ड्रिप चल जाए। ईश्वर की कृपा से ड्रिप चल गयी थी और मैंने उस कैदी को सांत्वना दी कि तुम परेशान न हो, मैंने डॉ. साहब को रिपोर्ट लगा दी है। उस कैदी के पास से पन्द्रह कदम आगे की तरफ गेट है। वहां पर ड्यूटी पर तैनात सिपाही बैठा था। वह सिपाही बहुत अच्छा है। कम से कम वह अपनी ड्यूटी के प्रति प्रतिबद्ध तो है। मैंने उस सिपाही को बुलाया चीफ साहब सुनिये सिपाही- हाँ जीतू बोलो क्या बात हो गयी? मैं- चीफ साहब अभी शाम को एक कैदी भर्ती किया है। उसकी हालत खराब है। आप डॉ. साहब को बुला दीजिए (अनुरोध करते हुए) चीफ- कमर में हाथ लगाये कहने लगा कौन है वो? सामने बेड वाला जिसे ग्लूकोज चढ़ रहा है। मैं- हाँ जी वही। चीफ-क्या हो गया। मैं- चीफ साहब उसे घबराहट हो रही है वह परेशान हो रहा है। आप डॉ. साहब की रिपोर्ट आगे बढ़ा दीजिए। वह सिपाही गया और जेल के हेड वार्डन को यह खबर दे आया कि एक कैदी की तबियत खराब है, अस्पताल में भर्ती है, डॉ. साहब की रिपोर्ट लगानी है। वह हेड वार्डन डॉ. साहब को न बुला के सीधे अस्पताल में आया लगता है। अभी-अभी वह अपनी बीवी से पिटकर आया है शायद। वह झल्लाते हुए सीधे गेट पर खड़ा हो गया और उसने सीधे

मुझे बुलाया और कहने लगा क्या बात है? अभी तो जेल बंद हुई और तुमने अभी-अभी रिपोर्ट लगा दी क्या हो गया। कोई मर गया क्या? मैं समझ नहीं पाया कि वह क्या कह रहा था। क्यों ऐसे झल्ला रहा है। इसलिए कि अभी हम इन सलाखों के अंदर कैद हैं। कैदी भेड़-बकरियों से कम नहीं, हम कैदी जानवरों से कम नहीं, ऐसा ये साहब समझ रहे हैं। ऐसे तो वो बेरहम भी किसी पशु के साथ अन्याय नहीं करते यह तो फिर इंसान हैं। किसी इंसान की जिंदगी का सवाल है। अगर अभी वह कैदी मर गया तो कौन इसका जिम्मेदार होगा। उस समय इस मौत का जिम्मेदार कोई नहीं रहता। हर कर्मचारी यही कहता है। कि यह तो यहाँ मरा ही नहीं ऐसा क्यों? कैदी भी तो इंसान ही होता है। इनके साथ ऐसा अत्याचार क्यों? वह हेडवार्डन चिल्लाते जा रहा था। मैं चुपचाप उसकी बात सुन रहा था। मुझे पता था अगर मैं बोलूँगा। तो मेरा बी.पी. हाई हो जाएगा। इसलिए मैं बस उसके सवाल का प्रेम से जवाब दे रहा था। वह हेड वार्डन कहने लगा। शाम को क्यों नहीं देखा तुम लोगों ने। मैं- सर यह कैदी शाम को ही अस्पताल में भर्ती हुआ है। उसने अपनी समस्या बताई है। उसे दवाई दे दी गई थी फिर भी आराम नहीं है। हेड वार्डन- अरे भई मैं अभी घर ही पहुंचा था। अचानक रिपोर्ट लगी मुझे यहाँ आना पड़ा। तुम लोग भी... (झल्लाते हुए) मैं-सर देखिए हमारा काम है, आगे रिपोर्ट देना। बाकी आप जो कार्यवाही करनी है करिए नहीं तो रहने दीजिए। हेड वार्डन- दूसरे कैदी की तरफ को मुंह फेरते हुए कह रहे हैं। डॉ. ने देख लिया तो अब क्यों दोबारा बुला रहे हो मर जाएगा तो हम जवाब देंगे। मैं- मैंने मजबूरी में हंसते हुए उस हेडवॉर्डन से अनुरोध किया, चीफ साहब बुला दीजिए डॉ. साहब को... वह चार बातें करते हुए यहाँ से चला गया। मैं वापस अपने बेड पर आया और सोचने लगा क्या जिंदगी है एक कैदी की। अब इस रात के अंधेरे में बाहर से ताले लग चुके है और हम लाचार कैदी इस कैदखाने के अंदर।

आज जिस तरीके से वह सिपाही बात कर रहा था। अगर मैं सुप्रीटेंडेंट को बताऊँ तो उस सिपाही को जवाब देना भारी पड़ जाएगा। परंतु हमें रहना तो इन्हीं के बीच में है। मजबूरी है। वापस आकर मैं अपने हाथ में कलम और किताब लिए काम करने लगा। कुछ ही क्षणों के अंदर कुछ आवाजें मेरे कान में बजने लगी व आवाज चाभियों के गुच्छे की आवाज थी। मैं अपने बेड पर कंबल ओढ़े किताब लिए बैठा था। मैं समझ गया था कि फार्मासिस्ट आ चुके होंगे तीन-चार सिपाही व दो फार्मासिस्ट मेरे सामने वाले लोहे के गेट के बाहर खड़े थे सभी जोर-जोर से चिल्लाने लगे क्या बात हो गई रे...? तुमने रिपोर्ट लगा दी? मैंने कहा- सर, वही कैदी है जिसकी तबियत खराब थी। वह घबराहट व बेचैनी बता रहा है। अभी-अभी अचानक इसकी ड्रिप बंद हो गयी थी। फिर दोबारा मैंने लगायी वह कहने लगे कि इसे दवाई दे दी। मैंने कहा सर दवाई तो हम इसे पहले ही दे चुके हैं। बी.पी. नापो इसका। मैंने कहा सर मशीन नहीं है। फार्मासिस्ट- अरे यार मशीन रख लिया करो दूसरा फार्मासिस्ट कहने लगा। अरे यार ये लोग कहते हैं कि अगर मशीन अंदर रहती है तो सभी कैदी कहते हैं कि मेरा बी.पी. नापो, मेरा बी.पी. नापो। इसलिए नहीं रखते हैं। सामने एक कैदी खड़ा था। वह कहने लगा। कौन परेशान करता है। (चिल्लाते हुए) बीपी नहीं नापोगे तो क्या करोगे उससे बीपी ही तो नापा जाता है। लेकिन सच्चाई यह है कि यहाँ पर मशीन देखी नहीं हर कैदी कहता है कि मेरा बीपी नाप दो जो बहुत समस्या वाली बात है। मेरा साथी कैदी चाभी लिए डिस्पेंसरी के अंदर गया और बीपी मशीन ले आया। मैंने साथी कैदी से बीपी मशीन ली और उसके हाथ में बाँधा देखा तो उस कैदी का बीपी 60/50 था। ऐसे में कोई यकीन नहीं कर सकता है कि एक आदमी इस बीपी में कैसे जिंदा रह सकता है। लेकिन वह जिंदा था। ड्रिप चल रहा था। फार्मासिस्ट ने उसमें एक इंजेक्शन डाला उसका यह बी.पी. देखकर

सभी चौंक गये थे क्योंकि यह चौंकाने वाली ही घटना थी। वह कैसे जिंदा था। यह बहुत ही रहस्यमयी था। वह हेडवॉर्डन भी सीधा खड़ा देख रहा था। तुरंत ही एक बार बीपी और लिया तो ज्यादा फर्क नहीं था। दो चार प्वाइंट ही ऊपर हुआ था। फार्मासिस्ट ने डॉ. को फोन लगाया और उस कैदी के बारे में बताया कि उस कैदी की हालत बहुत खराब है। उसे बाहर भेजना पड़ सकता है। डॉ. साहब ने आदेश दिया। उसे तुरंत बाहर अस्पताल में शिफ्ट करने के लिए गार्ड मांगे किसी भी कैदी को ऐसी परिस्थिति में बाहर भेजा जाता है। उसे तुरंत ही यहाँ से बाहर भेजने की कार्यवाही की गयी। दो सिपाही ड्यूटी के लिए तैयार कर दिये थे। वह हेड वार्डन उन सिपाहियों से भी चिल्ला-चिल्ला के बात कर रहा था। पता नहीं क्यों, वह ऐसा करता है। अभी डॉ. साहब भी पहुंच चुके हैं। डॉ. अपने सूट बूट में सिगरेट हाथ में लिए खड़े हैं। मुझे देखकर हंस रहे थे कि क्या कर दिये हो भईया। मैनें साथी कैदी राईटर को व्हीलचेयर लाने के लिए कहा वह कैदी सफेद कुर्ता पायजामा पहने तुरंत व्हील चेयर लेने गया और ले आया। मैंने ड्रिप की बोतल अपने हाथ में पकड़ी और व्हील चेयर में बिठाया साथ ही एक कम्बल भी दिया। ठण्ड का समय है। मैंने इनरवेयर पहना है और ऊपर से कुछ नहीं सिर्फ एक सफेद कलर का ऊनी शॉल मैंने उससे अपने आप को लपेटा है। मैं ड्रिप की बोतल लिए उसे यहाँ से बाहर ले गया। मेरे साथ मेरा साथी राईटर कैदी है। वह व्हीलचेयर को चला रहा था। मैं उससे कह रहा था, आराम से चला, मेरे पैर फिसल रहे हैं। मैंने मोजे पहने थे और पैर में सैंडल। सामने अस्पताल का गेट खुला एक जेल का सिपाही अंदर आ रहा था। वह कहने लगा रूको-रूको क्या नाम है तेरा। उस बीमार कैदी ने अपना नाम बताया। सिपाही कहने लगा कि कहाँ का रहने वाला है। उस कैदी ने अपना पता बताया। फिर उस सिपाही ने पूछा क्या केस है तेरे ऊपर। उस कैदी ने अपना केस बताया। वह सिपाही

फालतू उससे प्रश्न कर रहा था। जिसका अभी कोई औचित्य नहीं था। खैर मेरे साथी कैदी ने व्हीलचेयर को आगे बढ़ाया सामने बड़ा गेट जिसमें ताला लगा था। लेकिन उसी के साथ एक छोटा गेट था। जो हमेशा इमरजेंसी में खुला रहता है मैंने उस बीमार कैदी को उठाया और उससे कहा कि एक कदम गेट के आगे रख लो वह कैदी हिम्मत दिखाते हुए आगे बढ़ा क्योंकि व्हीलचेयर उस गेट से नहीं निकल सकती है। साथी राईटर कैदी ने व्हील चेयर को फोल्ड किया और उस गेट से निकाला और उस कैदी को बिठाया। आगे बढ़े वैसे गाड़ी यहाँ तक आ जाती है। लेकिन पता नहीं क्यों एंबुलेंस अभी तक यहाँ पर नहीं पहुंची मैंने साथी कैदी राईटर से कहा कि तू सीधे मेन गेट पर ले चल। वह सीधे मेन गेट पर ले गया। सामने लोहे से बना यह विशाल लोहे का काला गेट जिसमें एक छोटा से गेट उस विशाल गेट के नीचे था। सामने एक और बड़ा गेट बीच में ऑफिस जहाँ पर डॉ. साहब और अन्य कर्मचारी थे। डॉ. ने मुझे देख लिया था। वह कह रहे थे कि उसे ले आओ हमने उसे उठाया और अंदर बिठा दिया। मैं भी कुछ सेकेंण्ड वहीं खड़ा रहा और डॉ. साहब से कहा कि सर बच गया। नहीं तो यह कैदी आज इन्हीं सलाखों के अंदर मर जाता। लेकिन भगवान ने उसे बचा लिया था। मैं अपनी आँखों से बाहर की दुनिया का नजारा देख रहा था। मैं था तो इन सलाखों के अंदर लेकिन मुझे बाहर का दृश्य इस लोहे के विशाल गेट से दिखाई दे रहा था। इतना खूबसूरत नजारा मैं अपनी आँखों से देख रहा था। मैंने डॉ. साहब से कहा कि सर हम जाएं। वह कहने लगे चले जाओ। मैंने अपने शॉल को अपने हाथ से अपने आप को ढका और हल्की सी चहलकदमी करते हुए वापस आया सामने मुलाकात घर था। लाईटें जल रहीं थी। सुंदर-सुंदर फूलों के बाग थे। ये लम्बी-लम्बी ऊँची-ऊँची दीवारों में लाईट का उजाला जा रहा था। आसमान में तारे चमक रहे थे और ठण्डी ठण्डी हवा चल रही थी हम

दोनों जोर-जोर से हंसते हुए बातें करते हुए अपनी बैरक की तरफ को आ रहे थे। मेरा साथी कैदी व्हीलचेयर ले आ रहा था और गप्पें मारते हुए हम दोनों यह अहसास करते आ रहे थे। काश! कब इस कैदखाने से खुली हवा में सैर करेंगे यह तो आने वाला वक्त ही बताएगा। कुछ देर बाद हम दोनों अस्पताल वार्ड में आए और हाथ धोकर खाने के लिए बैठ गये। प्रभु इस बीमार कैदियों की रक्षा करे। यही मैं प्रार्थना करता हूँ और आज ऐसे लोगों को सद्‌बुद्धि दे जो दूसरों को कीड़े-मकोड़ों के समान समझते हैं। मैंने खाना खाया और माँ का नाम लेकर बिस्तर में लेट गया। ये जेल, यहाँ की ये लोहे की सलाखें और ऊपर से ये लाईटें जीने नहीं देती हैं। मैं पिछले कई वर्षों से इन लाईटों से बहुत दुखी हूँ सोचता हूँ। काश! मैं अन्धेरे में रहता आप सोच रहे होंगे कि मैं क्या कह रहा हूँ। एक बार आप अपने आप को इस जगह पर रखकर सोचिए कि आप हमेशा लाईटों के नीचे इतने वर्षों से रहेंगे तो क्या असर होगा। मेरी आँखे उस आसमान के तारों को देखने के लिए तरस गयी हैं। अंधेरी रात को देखने के लिए तरस गयी हैं। कभी-कभी सोचता हूँ। काश! ये लाईटें चली जाती और जनरेटर खराब हो जाता तो कितना अच्छा होता कई बार ऐसा हो जाता है। वाकई मुझे बहुत शांति मिलती है। रात का अंधेरा हो और कैण्डल लाईट हो, वाकई यह कितना अच्छा सपना था। मेरे लिए इस कैद-खाने के अंदर यह सपना मेरे लिए सपना ही रह गया। मैं जब बाहर था तो कभी-कभी लाईट चली जाती थी तो बहुत गंदा लगता था। लेकिन इस कैदखाने में अंधेरा शायद सपना है। इन सलाखों की लाल दीवारें और लाईटों ने मेरी आँखों की रोशनी को खत्म कर दिया है और यहाँ के मानसिक उत्पीड़न ने मेरे बीपी को हाई कर दिया है। खैर, दूसरे दिन रोज की तरह हल्ला-गुल्ला के साथ दिन शुरू हुआ। 10:30 बजे डॉ. साहब अपने ऑफिस में बैठे थे रोज की तरह कोट-पैंट और सिगरेट हाथ में पकड़े। मैं उनके पास पहुंचा और रोजमर्रा

की तरह नमस्ते की। डॉ साहब ने भर्ती मरीजों को देखना शुरू कर दिया था। सारे बीमार कैदी डॉ. साहब के पास खड़े थे। किसी के बाल इधर-उधर हुए थे। बालों में कंघा नहीं किया था तो किसी के कपड़े गंदे थे। कुछ कैदी वर्दी में बैठे थे। चेहरा उखड़ा-उखड़ा और फीका नजर आ रहा था तो कोई कमजोर। ऐसा लगता है कि दस दिन से खाना नहीं खाया है। सभी कैदी डॉ. साहब के ऑफिस के बाहर लगी बेंच में बैठे थे। सभी कैदियों को देखने के बाद एक कैदी जिसकी तबियत बहुत ही खराब है। गंदे कपड़े, शरीर दुबला-पतला हड्डी दिखायी देती हुई। मैं सोच रहा हूँ, इससे अच्छा तो जीवन ही खत्म हो जाए तो अच्छा है। वह साँस भी ऐसे लेता है मानों उसकी आखिरी साँस होगी। एक राईटर कैदी आया डॉ. साहब ने पूछा कि उस कैदी के क्या हालचाल हैं। उसने बताया कि सर, उसकी अस्पताल के लिए गार्ड लगी थी। लेकिन गार्ड नहीं आयी। डॉ. साहब ने उसे देखा और इमरजेंसी में भेजने को कहा। मेरा साथी कैदी हेड वॉर्डन के पास गया और उन्हें बताया कि साहब एक कैदी इंमरजेंसी में बाहर अस्पताल जाएगा। वह हेड वॉर्डन कल रात की बात लिए अड़ गया। वह चिल्लाने लगा उस राईटर कैदी के ऊपर कहने लगा। कल रात फर्जी रिपोर्ट लगा दी थी। हमारे पास गार्ड नहीं है। बताओ कहाँ से दें गार्ड, कहाँ से व्यवस्था करें। शरीफ राईटर कैदी बिना कुछ कहे वापस आया, क्या कहता। एक कैदी जो इस कैदखाने में कैद है। उसी समय डॉ. साहब के पास मैं गया डॉ. साहब ने मुझे भी भेज दिया कि जल्दी जाओ हेड वॉर्डन के पास, उससे कहो कि एक कैदी बाहर जाएगा। गार्ड जल्दी भेजो। मैं अस्पताल गेट से बाहर निकल ही रहा था। अचानक सामने नम्बरदार कैदी खड़ा था। मैंने उससे पूछा कि हेड वॉर्डन कहाँ बैठे हैं। उसने कहा कि वह मेन गेट की तरफ गये हैं। मैं सीधे गेट की तरफ को जा ही रहा था। सामने मुलाकात घर जहाँ पर जिन कैदियों की मुलाकात है वह मुलाकात कर रहे थे। मेरी नजर

वहीं थी। अचानक मेरा साथी राईटर कैदी आगे से मेरी तरफ को आ रहा था। मेरे कदम वहीं पर रूक गये जैसे ही वह मेरे सामने था। मैंने उससे पूछा हेड साहब कहाँ हैं। वह कहने लगा। मैं उनके पास ही गया था। वह चिल्ला रहा है। कह रहा है कि तुम लोग झूठी रिपोर्ट लगाते हो मैंने उससे कहा कि डॉ. साहब ने कहा है। गार्ड तैयार करो मैं वापस आ गया। जैसे ही मेरे साथी राईटर कैदी ने मुझसे ये बात कहीं मुझे गुस्सा आया और मैं कहने लगा। भई चित्त भी इनकी पट भी इनकी। एक कैदी चाहे कैसा ही काम करे उसके काम से संतुष्टि नहीं है। मैं सीधे वापस आया और डॉ. साहब के ऑफिस में गया और वहाँ पर डॉ और फार्मासिस्ट मौजूद थे। मैंने सबसे पहले डॉ. साहब को यही बात बोली कि आप उस हेडवॉर्डन को समझा दीजिए। हम रात को किसी कैदी की तबियत खराब होती है। रिपोर्ट लगाते हैं। वह हेड वॉर्डन झल्ला उठता है कहता है। कि फर्जी रिपोर्ट लगाते हैं। ऐसी बात कर रहा है। अभी भी साथी राईटर कैदी को कह रहा था कि तुमने कल फर्जी रिपोर्ट लगायी थी। बताओ सर! बेचारा मर गया था। अगर रात को उसे जेल से बाहर अस्पताल नहीं करते तो वह यहीं मर जाता। डॉ. साहब ने कहा कि चिंता मत करो अभी बताता हूँ उसे। कुछ देर बाद वह हेडवार्डन जेल में आया और डॉ. साहब के सामने खड़ा था। डॉ. साहब ने कहा हाँ चीफ साहब गार्ड तुरंत दो। एक बीमार कैदी इमरजेंसी में बाहर जाएगा। वह हेडवॉर्डन कहने लगा साहब, गार्ड तो है नहीं क्या होगा। जैसे ही उसने यह शब्द कहे डॉ. साहब ने उसे खरी-खोटी सुना डालीं। डॉ. गुस्से में लाल हो चुके थे, कहने लगे भगवान करे तुम्हे कभी कोई बीमारी न हो। अगर हो गयी न तो समझ लेना उस दिन मैं बताऊँगा तुम्हें कि बीमारी, दु:ख क्या चीज होती है। अरे यार कम से कम इंसानियत रखो। अपने अंदर यह भी एक इंसान है कैदी है तो क्या हुआ। अपने गुनाहों की सजा भुगत रहे हैं। वह हेडवार्डन का सिर नीचे

हो गया। करीब पन्द्रह मिनट के इस दौर में मैं वही पर खड़ा हुआ था और सामने एक साथी राईटर कैदी और फार्मासिस्ट। वह वहाँ से सीधे बाहर गया और गार्ड की व्यवस्था कर गुमटी में सिपाहियों के साथ बैठ गया। कुछ देर बाद वह मुझे मिला कह रहा था उस राईटर कैदी साले ने मेरी शिकायत कर दी डॉ. को अब मैं बताऊँगा कि मेरी शिकायत करने का अंजाम क्या होता है। अस्पताल में ड्यूटी पर तैनात सिपाही को कह दिया है कि इन कैदी को परेशान करना है। अब भई हम तो हैं यहाँ के कैदी। हमारी इस कैदखाने में कोई औकात नहीं। यहाँ तो सिर्फ खाकी वर्दी वाले ही गुंडे हैं। बस खाकी वर्दी ऐसे कुछ ही हैं। जो पूरे तालाब को गंदा करते हैं। यहाँ परेशान करने के तो कई तरीके हैं। अगर किसी कैदी को परेशान करना है तो बस उसके बारे में झूठ ही सही चाहे कुछ भी हो कह दो। लेकिन उसने हमारे साथ ऐसा नहीं किया। उसने परेशान करने के लिए रात को पहरा ड्यूटी लगा दिया। जिन कैदियों का पहरा था। वह कैदी इस लोहे के गेट के सामने बैठा दिया गया हर दो घण्टे में एक अलग कैदी की ड्यूटी लगती। ड्यूटी वाला सिपाही आता और रात में जोर-जोर से चिल्लाता। पहरेदार कौन है। गिनती करो वह गरीब कैदी ठण्ड से काँपते-काँपते उठता और गिनती करता चाहे कैदी पूरे हैं लेकिन उसकी मजाल क्या कि कहना न माने नहीं तो गालियों और डण्डों की बरसात हो जाती। उसी चक्कर में मुझे रात भर नींद नहीं आयी क्योंकि जैसे ही आँखे बंद होती तो अचानक ही सिपाही जोर-जोर से आवाज मारना शुरू कर देता। मेरी समझ में नहीं आ रहा था कि आज यह क्या हो गया। आज अचानक से पहरा लगा दिया और पहरा भी उन कैदियों का था। जो गरीब थे। जो असहाय थे जो कुछ कह नहीं सकते थे ऐसे कैदियों को परेशान करके क्या मिलेगा। समझ में नहीं आता मैं तो कहता हूँ हमेशा अच्छा करो। तीन बजे वही हेडवॉर्डन रात के दौरे में था वह जोर से चिल्लाते हुए आया और कहने

लगा। क्या चल रहा है। दूसरा सिपाही कहने लगा सब बढ़िया चल रहा है। हेड साहब तुम चिंता मत करो मैंने ड्यूटी लगा रखी है और देखो पहरेदार को गेट में ही बिठाकर रखा हुआ है। वह हेड वॉर्डन कहने लगा। ठीक है, ठीक है। सालों को सोने मत देना। वह सिपाही कहने लगा। ठीक है। हेड साहब आप चिंता मत करो। उसी समय मैं समझ गया कि वह सिपाही उसी शिकायत का बदला ले रहा था। जो उस बीमार कैदी के बारे मे हमने डॉ. साहब से अपनी समस्या बताई थी। खैर क्या फर्क पड़ता है। हम तो हैं यहाँ के कैदी इस तरह से हमें परेशान करके क्या मिलेगा। एक परेशान आत्मा को और परेशान करना शायद यह सबसे बड़ा पाप है। अपने बच्चों का भला चाहते हो तो हमेशा अच्छे कर्म करो, भविष्य हमेशा उज्जवल रहेगा। दूसरे दिन वह दोनों कैदी बाहर के बड़े अस्पताल में भर्ती हैं। आप समझ सकते है। अगर फर्जी बीमार होता तो क्या बाहर के विशेषज्ञ यूँ ही कैदी को भर्ती करते जिसके हाथ में हथकड़ी होती है। लेकिन हकीकत बयाँ करूँ तो दोनों की हालत मैं बता चुका हूँ। यह जेलखाना बहुत ही कष्टदायक है। यह हमारी सभी आजादियों को छीनता है। जिससे हमारी जिंदगी वीरान होती चली जाती है और हमारे जीवन में अशान्ति आती है। साथ ही कई बीमारियां अपना घर बना लेती हैं। तीसरा दिन यह घटना क्रम जिस तरह से आगे बढ़ा है। अब यह नई दिशा को मुड़ चुका है। आज हेडवॉर्डन जेल अधीक्षक के पास गया है। उसे इस बात का बुरा लगा कि एक कैदी के कहने पर डॉ. ने मेरी सबके सामने बेइज्जती की है। यह हेडवॉर्डन के लिए शर्मनाक बात है। मुझे पता चला कि हेडवॉर्डन सीधे अधीक्षक के दरवाजे पर पहुंचा जहाँ पर अधीक्षक का राईटर कैदी व अधीक्षक साहब थे। राईटर कैदी अपनी वर्दी में अपने हाथ को पीछे बाँधे खड़ा था और अधीक्षक साहब अपनी आलीशान चेयर पर विराजमान थे। बाहर से हेड वॉर्डन- साहब जय हिन्द। अधीक्षक की

नजर उस हेड वॉर्डन के ऊपर गयी। हेड वॉर्डन सीधे ऑफिस में प्रवेश करता है और कहने लगता है। सर, मैं कुछ कहना चाहता हूँ। अधीक्षक- हाँ कहो (सर हिलाते हुए) हेड वॉर्डन अपने हाथों को सीधे नीचे की तरफ को खड़ा करते हुए अपनी बात को गलत व साजिश के तहत अधीक्षक को कहने लगा। सर परसों रात की बात है। अस्पताल राईटर कैदी ने व उसके साथी राईटर कैदी ने एक अन्य कैदी को इमरजेंसी में बाहर भिजवाया जिसे कोई भी समस्या नहीं थी। साथ ही इन्होंने जुगाड़ करके बाहर अस्पताल भेजा है। अधीक्षक- कौन है वह कैदी। हेड वॉर्डन- सर वह एक दो के अहाते में था और वह हमारे जेल के ही किसी कर्मचारी का जानने वाला है। इन लोगों ने आपस में लेन-देन करके उसे यहाँ से भेजा है। अधीक्षक ईमानदार है। हेड वॉर्डन ने उन्हें यह बात इसलिए कही है कि अधीक्षक इन राईटर कैदियों को फटकारेंगे और मारेंगे लेकिन वह ईमानदार ऑफिसर था। उसने मामले की जाँच की। पता चला कि वह हकीकत में बहुत बीमार था। इस तरह से इन सलाखों के अंदर की रहस्यमयी नेतागिरी बहुत दर्दनाक और भयानक है। अब यह हेड वॉर्डन चाहता है कि किसी तरह से मैं इन कैदियों से अपने दिल की भड़ास मिटाऊँ लेकिन हम भी कई वर्षों से सलाखों में जी रहे है हमें सब पता था कि वह क्या कर सकता है और जो वह कर रहा था। इस चीज के बारे में मैं पहले ही जानता था। खैर ऐसे ही खाकी वर्दी उन खाकी वर्दी वालों को भी बदनाम करते हैं जो ईमानदार और सच्चे होते हैं।

इतने वर्ष इन सलाखों में कैद होने के बाद अब रिहाई का समय आ गया है। जीवन के इतने महत्वपूर्ण पल इतने कीमती वक्त को इन सलाखों के अंदर गुजार कर पल-पल तड़पकर हाथ पैर इधर-उधर मारकर छटपटा कर अंत में वह दिन जब एक कैदी अपने जीवन के प्रोग्रामों को सजाता है और एक सेकेंण्ड भी उसकी छूटने की लालसा

रखता है। शायद यह पल मेरे लिए बहुत कष्टदायक था। आप लोगों को यह लगता होगा कि एक कैदी जब छूटने वाला होता है। जब छूटने के कुछ ही माह उसके बचे होते हैं कैदी खुश रहता होगा। कैदी आराम से जी रहा होगा। उसके दिल मे चिंता नहीं होगी आप बताइये एक बार इस गहराई में डूबकर सोचिए कि आपको क्या अहसास होता है। मैं समझ गया कि आप के दिल में क्या चल रहा होगा। आप यही सोच रहे हैं न कि एक कैदी जब इस भयानक कैद से छूटने वाला होता है। तो जरूर खुशी-खुशी आराम से जीता होगा। जी, जरूर खुश तो होता है। लेकिन आराम से जी नहीं पाता। एक कैदी इन सलाखों में एक-एक पल साँसों को कठिनाई भरी आहों से जीता है। मैं बहुत परेशान हूँ दिन नहीं कट रहे हैं। रातें नहीं कट रहीं है। ऐसा नहीं कि ये सब मेरे साथ ही हो रहा है। ऐसा नहीं है यह सभी के साथ होता है। कैदी चाहे घर से कितना ही मजबूत क्यों न हो हर कैदी दु:खी है। परेशान है। एक गरीब कैदी जब यहाँ से रिहा होने वाला होता है तो उसके सामने एक पहाड़ खड़ा होता है कि वह कहाँ जाएगा। क्या करेगा। कौन उसे अपनाएगा। कौन उसे सहारा देगा। उस कैदी का दिल डर से काँपता है। यह सोचकर कि मैं क्या करूँगा और दूसरी तरफ वह कैदी जो घर परिवार से सम्पन्न होता है। धनी होता है। उसकी सबसे बड़ी समस्या यह होती है कि मैं कैसे लोगों को मिलूँगा। क्या कहूँगा कि वह जेल में था। इसी के साथ वह ऐसे-ऐसे ख्यालों में डूब जाता है कि उसकी नींद हराम हो जाती है। यह एक चिंता है। यह एक मानसिक तनाव है। जो एक इंसान को तोड़ती है और साथ ही यह दु:ख यह पीड़ा एक कैदी को जड़ से खत्म कर देती है। जैसा कि कहा गया है चिंता, चिता एक ही समान है। जेल की यह सलाखें बहुत मजबूत हैं लेकिन एक कैदी की आत्मा की दीवार अनन्त है। जिसकी कोई सीमा नहीं है। यह चिंता दुनिया का सामना करने की चिंता है। यह चिंता उस माहौल की चिंता

है जब इंसान वर्षों कालकोठरी के अंदर रहकर एक खुले आसमान के नीचे जीने के लिए तैयार है। मैं इतने वर्षों के बाद अब रिहा होने वाला हूँ। इतने वर्ष अंधेरे में रहकर अब जीवन में परिवर्तन। मतलब समझ में नहीं आ रहा हैं। क्या करूँ क्या सोचू कितना सोचूं मैं अब तक की बात बताना चाहता हूँ। जब मुझे तारीख नहीं मालूम। कई बार मैंने इस काल कोठरी में देखा है कि एक समय ऐसा आता है कि कैदी की सोच बढ़ जाती है। वह समय तब आता है। जब एक कैदी छूटने वाला होता है। आज तक ऐसे कई केस मैंने देखे हैं। मैं आपके साथ शेयर करना चाहता हूँ। एक कैदी जो हत्या के जुर्म में कल ही रिहा होने वाला था। उस कैदी को पता था। कि कल सुबह मैं इस काल कोठरी से रिहा हो जाऊँगा। इन विकराल दीवारों से इन लोहे की सलाखों से मुक्त हो जाऊँगा। वह अपने दिमाग में सोच रहा था कि मैं क्या करूँगा। किसके पास जाऊँगा। कैसे दुनिया का सामना करूँगा। दूसरी तरफ वह सपनों की दुनिया में तैर रहा था। कि मैं जाऊँगा उससे मिलूंगा। उधर ये करूँगा। वह करूँगा। दिमाग में सौ बातें चलते-चलते अचानक उसकी दिल की धड़कनें इस कदर तेज हो गयी थीं कि उसका दिमाग काम नहीं कर रहा था। नसों में खून इस कदर तेजी से दौड़ रहा था मानो बाँध टूटने की कगार पर हो। वह सोचते-सोचते अचानक उसके सीने में तेजी से दर्द उठा वह सीने को हाथ में पकड़ते हुए एक तरफ को लेट गया। उसकी सांस जहाँ की तहाँ रूक गयी थी। उसके सामने उसके सपने, उसके वह सुनहरे दिन, उसकी सोच, उसकी धड़कन एकदम से जहाँ की तहाँ रूक गयी। एक जवान लड़का जिसकी उम्र तकरीब तीस वर्ष थी। यह रिहाई का अंतिम समय वाकई बहुत कष्टदायक है। मैं खुद इन घटनाओं को देखकर कभी-कभी घबरा जाता हूँ। सोचता हूँ हे! भगवान मेरे साथ ऐसा अनर्थ मत करना। सोचिए इतने वर्ष जेल की सजा को भुगतकर जब कोई कैदी घर जाने के बजाय मृत्यु को प्राप्त हो जाता है

तो यह एक दु:ख की घड़ी है। मैं मानता हूँ इंसान का जन्म, मृत्यु के लिए हुआ है। आखिर उसको मरना ही है। लेकिन जब एक ऐसा समय, अपनी सजा वर्षों से भुगतने के बाद अन्तिम समय, अगर इन सलाखों में कोई अगर अंतिम सांस लेता है तो वह दुर्भाग्यपूर्ण है। कानूनी कार्यवाही के हिसाब से उसने अपने गुनाहों की सजा भुगत ली होती है लेकिन यहां अंतिम कुछ घंटो ने उसकी जान ले ली। उस कैदी के घर वालों को खुशी होती कि उनका भाई, बेटा घर वापस आ रहा है। हकीकत बयाँ करूँ तो जेल में कैदी जितना दु:खी है। उससे कई गुना ज्यादा उसके परिवार वाले दुखी रहते हैं। यह दु:ख, यह पीड़ा शायद मैंने होते हुए देखा है। इतने वर्षों में करीब लाखों कैदियों से मुलाकात हो गई लेकिन जब मैं महसूस करता हूँ उनके परिजन कितने दु:खी होते है इधर से उधर भटकते रहते हैं। यहाँ से वहाँ भटकते रहते हैं। रोज कभी पुलिस थाने के चक्कर काटते हैं तो रोज कोर्ट के फिर ऊपर से काला कोट का लफड़ा ऐसी दुखद जिंदगी बहुत पीड़ा है। समझ लीजिए कि आप जेल के अंदर कई वर्षों से अपनी सजा भुगत रहे हैं। आपके घर वाले आपके चक्कर में बहुत परेशान हैं। वह चाहते हैं कि आप कितनी जल्दी घर वापस आएंगे और मिलेंगे। अन्तत: होता यह है कि आप कल छूटने वाले हैं। आज रात को हार्टअटैक से आपकी मृत्यू हो जाती है। तो सोचिए आप तो चले गए लेकिन वह आपका परिवार जो आपके इंतजार में है। जब वह आपको दूसरे दिन खुशी–खुशी लेने आते है और उन्हें आपकी लाश मिलती है तो कैसा महसूस होगा... यह कैदखाना है। अंतिम पल इन सलाखों में रहना बहुत मश्किल है। जो आए दिन हादसे का शिकार होते रहते हैं। हे! ईश्वर मुझे इन समस्याओं से न गुजरना पडे। मैं ईश्वर से यही प्रार्थना करता हूँ।

आज जेलों में हजारों कैदी दोस्ती के चक्कर में इन सलाखों में कैद हैं। इस दोस्ती का पता चलता है। जब इंसान गलत कदम उठाकर इन

सलाखों में कैद हो चुका होता है। तब उसे समझ में आता है कि शायद वह गलत था। आज इस मुसीबत में जब इंसान चारों तरफ नजर दौड़ाता है तो पाता है। अब उसके साथ कोई नहीं है। इस कैदखाने के अंदर अपने, परायों का व दोस्ती की परख होती है। जो अपना होगा जो दिल से चाहता होगा। जो सच्चा दोस्त होगा। वह मुसीबत में साथ देगा। हालाँकि दुनिया मतलबी होती है। कहते हैं न कि उगते सूरज को हर कोई नमस्कार करता है न कि डूबते सूरज को। आज इस कैदखाने में पता चल रहा है। कौन अपना है और कौन पराया मुसीबत जब आती है तो इंसान का साया भी साथ छोड़ देता है। कहाँ दोस्ती, कहाँ रिश्तेदारी और कहाँ अपनापन। खैर! ऐसी मुसीबत ऐसी गंभीर परिस्थिति में जो आपका साथ दे वही आपका अपना है। इसलिए कहते हैं *मुसीबत में ही दोस्ती की परख होती है।*

इन चारदीवारियों के अंदर आज हर जगह अशांति ही अशांति है। चाहे किसी भी कोठरी में चले जाओ हर कोठरी खाने को आती है। शायद हमारा लगाव किसी से है। जो यहाँ रहने में हमें असहज अनुभव होता है। वो अपनापन वो प्यार हमें इस सलाखों में रूलाता है। अगर ऐसा व्यक्ति जो अपनेपन, प्यार से अलग है। शायद वह व्यक्ति थोड़ी शांति महसूस करे लेकिन मनुष्य जीवन ऐसी चीज है। हर जगह इंसान को संतुष्टि नहीं, शायद योग में ऐसी शक्ति है। जो इंसान को शांति की तरफ को ले जाती है। इंसान को जीना सिखाती है। इंसान इस काल कोठरी में रहकर अगर योग करे तो शायद वह शांति की तरफ को जाए। कहते हैं। शांत जगह जाने से इंसान का मन शांत होता है लेकिन यह जेल की सलाखें, शांत नहीं बल्कि काटने को दौड़ती हैं।

आज हर इंसान जल्दबाजी के फैसलों से इन सलाखों तक पहुंचते रहते हैं। इंसान को चाहे कोई काम हो, शांति, धैर्य से करना अति आवश्यक होता है। आज जेलों की इन सलाखों में हजारों कैदी ऐसे हैं

जो जल्दबाजी के फैसलों से एक अच्छा समाज एवं संस्कृति को खो बैठे हैं। आखिर हम जल्दबाजी में कोई भी फैसला ले लेते हैं। ऐसा करने से हमें लाभ नहीं बल्कि हानि ही होती है। आज हजारों-लाखों कैदी जेलों में सड़ रहे हैं। इन सभी को अगर देखा जाए और परखा जाए तो कई कैदी ऐसे मिलेंगे जिन्होंने जल्दबाजी में फैसला लिया। कहीं लूट कर दी कहीं किसी को मार दिया। कहीं डकैती कर ली तो किसी ने कुछ अपराध कर लिया लेकिन शायद यह फैसले जल्दबाजी में होते हैं। जल्दबाजी न होती तो कोई भी ऐसा गलत काम नहीं करता। हर सेकेण्ड में इंसान का दिमाग बदलता है। ऐसा मेरा मानना है। इसलिए मेरा सभी से आग्रह है कि कोई भी काम जल्दबाजी में न करें जिससे आपके जीवन में कई बाधाएं आएंगी। उससे आपके जीवन में उजाला नहीं, अंधकार छा जाएगा।

कहते हैं झगड़ा हो तो एक आदमी चुप हो जाए, झगड़ा अपने आप खत्म हो जाता है। लेकिन हम ऐसा करते नहीं हैं। हम झगड़े को और बढ़ा देते हैं। जिससे हमें बहुत बड़ा नुकसान उठाना पड़ता है। यहाँ तक कि इन सलाखों में आज कई कैदी आजीवन कारावास की सजा भुगत रहे हैं। जिनसे झगड़े में किसी व्यक्ति को गलत जगह चोट लगने से किसी व्यक्ति की मौत हो जाती है और दूसरा व्यक्ति जेलों की सलाखों में खत्म हो जाता है। यहाँ घुट-घुट कर मर जाता है। मेरे प्यारे भाईयों-बहनों, झगड़ा करने से किसी चीज का हल नहीं होता बल्कि जीवन नर्क बन जाता है। मैं सभी से अनुरोध करना चाहूँगा कि कोई भी व्यक्ति चाहे वह छोटा हो या बड़ा, भाई हो या बहन, झगड़ा करना एक कैंसर जैसी बीमारी को उत्पन्न करने जैसा है। आज मैं अपनी आँखों से देख रहा हूँ। मैं बहुत अफसोस करता हूँ जब कई कैदी कहते हैं कि झगड़े में आदमी मर गया और हम जेल की सलाखों में कैद हैं। यह जेलखाना कैंसर से भी बड़ा है। यह एक रोग है। यह एक ऐसा रोग है जो जीवन

भर जकड़े रहता है और इंसान इसी सोच में घुट-घुट कर खत्म हो जाता है। इसलिए मेरा संदेश है कि झगड़ा हो तो एक आदमी चुप हो जाए झगड़ा खत्म हो जाएगा।

इंसान एक ऐसा व्यक्ति है। जो अपने दुख-दर्द को बयाँ कर सकता है। चाहे वह कैद में हो या फिर आजाद। हर व्यक्ति अपने दुख-दर्द अपनी पीड़ा को एक-दूसरे से बयाँ कर सकता है। लेकिन हमारे समाज में हमारी प्रकृति में आज इंसान को छोड़कर हर प्राणी बोल नहीं सकते लेकिन फिर भी इंसान कितना अत्याचारी है। मैं उस समय जब दिल्ली में देखता था कि भैंसे और घोड़े और ऊँट आदि को गाड़ी बनाकर उनके ऊपर कितना अत्याचार होता है। मैं काफी भावुक हो जाता था। यह सोचकर कि इंसान कितना अत्याचार करता है। वह बोल नहीं सकते कि उन्हें दर्द होता है। वह बोल नहीं सकते, तबियत खराब है और किसी प्रकार की परेशानी व आत्मपीड़ा बयाँ नहीं कर सकते। ऐसे पशुओं पर अत्याचार नहीं होना चाहिए। इंसान अपने दुख बयाँ कर सकता है। परंतु अन्य जीव प्राणी अपनी पीड़ा को बयाँ नहीं कर सकते। इसलिए बेजुबान प्राणी पर अत्याचार नहीं करना चाहिए।

आगे इंसान के दिल से गलत विचार हट जाए तो इंसान अपराध ही न करें। आज जिस प्रकार से हमारे दिलों में, हमारे दिमाग में जो गलत विचार धारणा है। हमें उसको हटाना पड़ेगा। आज जेलों में कई कैदी ऐसे हैं। जो गलत विचारों से इन सलाखों तक पहुंच जाते हैं। यही गलत विचार हैं जो इंसान को इस कैदखाने तक पहुंचाते हैं। मन में अच्छी सोच कैसे आए? इसका एक उपाय है। अपने दिल से गलत विचार निकाल दें और योग करें जिससे इंसान के अंदर जितनी गलत विचार शक्ति है। वह नष्ट होगी। मैं कई वर्षों से योग करते आ रहा हूँ। मुझे बहुत अच्छा अनुभव होता है और दिमाग में भी शांति आती है।

आज जेलों में हजारों कैदियों के बीच में चंद कैदी जिनकी भावना बदला लेने की रहती है। वे कहते हैं कि फलाने ने मुझे अंदर करवाया या फिर फलाने के चक्कर में आज मेरी जिंदगी बर्बाद हुई है। मैं जब भी इस चार दीवारी से आजाद हूँगा तो जरूर उसे बताऊँगा उसे मारूंगा। या फिर उसके जीवन को नर्क बना दूँगा। दुनिया में हर आदमी एक जैसी सोच का नहीं हो सकता है। हर आदमी की सोच, उसकी दिली भावना अलग होती है। इसी प्रकार इस कैद खाने में भी कई कैदी ऐसे हैं। जो अपने दिल में बदले की भावना लिए बैठे है। मैं हकीकत बताऊँ तो जब मैं जेल में आया तो मेरे अंदर भी थोड़ी बदले की भावना थी। लेकिन आज समझ गया। कोई फायदा नहीं, चार दिन की चाँदनी फिर अंधेरी रात। इस भावना, इसी सोच को मद्दे नजर रखते हुए मेरी दिली बदले लेने की भावना बदल गयी है। जीवन अमूल्य है। खुल के जियो, खुश रहो, प्यार दो और प्यार लो। किसी के प्रति गलत भावना मत रखो मेरा तो यही कहना है। आज जेलों में कई कैदी आजीवन कारावास या फाँसी की सजा भुगत रहे हैं। क्यों? मैं आपको बताऊँ वह सिर्फ एक भावना जो बदले की भावना है उसने आज उन्हें इन सलाखों तक पहुंचाया है। एक छोटी गलती इंसान को कहाँ से कहाँ ले जाती है। शायद इस कैदखाने में मुझसे ज्यादा कौन जान सकता है। इस जेल की चारदिवारियों के अंदर जीवन नर्क है। इसलिए जियो खुल के, खुश रहो और किसी के प्रति बदले की भावना न रखो। मैंने एक किताब में पढ़ा उसमें लिखा था कि लोग धरती पर थूकते हैं। क्या धरती बदला लेती है। जिस धरती पर हम जी रहे है पल रहे हैं।

आज इन सलाखों के अंदर तरह-तरह के कैदी हैं। लेकिन एक कैदी के लिए अपने आप को कैसे रखना है। यह निर्णय स्वयं को लेना होता है। यहाँ पर तरह-तरह के कैदी चोर-डकैत हत्यारे-लुटेरे, तस्कर अनेक प्रकार के कैदी यहाँ पर रहते हैं। यहीं इंसान सुधरता है, यहीं

बिगड़ भी जाता है। हमेशा अपने आप को अच्छे लोगों से मिलकर उनसे अच्छे विचार ले लेने चाहिए। गंदे लोगों से किनारा करना ही एक हल है। इसलिए यहाँ इतने तरह-तरह कैदियों के बीच में रहकर भी अपने आप को अच्छा रखना अपने आप में बड़ी उपलब्धि है। जीवन में हमेशा अच्छे इंसान से अच्छी सीख लेनी चाहिए।

इंसान गलती का पुतला होता है। यही कुछ गलतियाँ इंसान को इस कैदखाने तक पहुंचाती है। अगर इंसान इस कैदखाने में कुछ गलतियों को करके यहाँ आता है और अगर इन गलतियों पर ध्यान दिया जाए तो शायद कैदियों का भविष्य उज्जवल हो सकता है। हमेशा इंसान को हर गलती से सीख लेनी चाहिए। आज जेलों में जितने भी कैदी यहाँ सलाखों में कैद हैं। अधिकतर कैदी अपनी गलतियों से कैद हैं। गलत कदम इंसान को गलत रास्ते पर ले जाता है जिससे हर इंसान का जीवन अंधकारमय होता है। हम जो भी काम करके इन सलाखों में कैद हैं। हमें उस गलती से सीख लेनी होगी।

कहते है हल्का जीवन सरल होता है। हल्के जीवन का मतलब यह है कि सादा जीवन जीना और ऊँचे विचार रखना यही हल्के जीवन की निशानी है। आज हमारे कैदियों के बीच में कई कैदी ऐसे हैं, जो लोभ-लालच, धन, पैसा कमाने के चक्कर में इन सलाखों तक पहुंच चुके हैं। हर गलत कार्य का नतीजा हमेशा गलत होता है। इसलिए हमेशा हल्का जीवन जीना चाहिए। यह दुनिया रंग-बिरंगी है। दूसरों की चकाचौंध जीवन को नजर अंदाज कर अपना अच्छा जीवन जियो, खुश रहो, समाज में अच्छे कार्य करो इसलिए अगर मैं भी लोभ-लालच के चक्कर में नहीं आता तो शायद आज खुले आसमान के नीचे खुल के जीवनयापन करता। आज इस कैदखाने में इंसान जिल्लत भरी जिंदगी जी रहा है। रो-रोकर अपना जीवन घसीट रहा है। शायद अपने जीवन में ज्यादा लोभ-लालच नहीं होता और हमेशा हल्का जीवन जीता तो आज

खुशी से समाज में जी रहा होता। आज इस कठिन परिस्थितियों का सामना कर रहा हूँ। जिससे कोई फायदा नहीं इसलिए हल्का जीवन सरल जीवन होता है।

जीवन में अच्छा सोचो, अच्छा करो, कुछ न कुछ ऐसा करते रहो जिससे कि समाज में अच्छा कार्य हो और हम भी खाली न बैठे रहें। अगर कोई भी इंसान खाली होता है तो उसके दिमाग में कुछ न कुछ चलता रहता है। कभी-कभी तो इंसान इस कदर शैतानी सोच की दुनिया में चला जाता है और स्वयं उस सोच को अपने जीवन में ढालता है। जिससे वह एक सामाजिक इंसान, समाज में अराजकता फैलाता है और उसे इन सलाखों में फेंक दिया जाता है। हमेशा अच्छा सोचें, अच्छा करें इंसानियत के लिए जियें, जीवन में ज्यादा कुछ नहीं बस अपने मन में अच्छा सोचो, अच्छा करो, अपने दिमाग को खाली मत होने दो क्योंकि खाली दिमाग, खाली इंसान, शैतान बन जाता है। दूसरी तरफ देखा जाए तो खाली दिमाग चिंता का घर है। जिससे इंसान शारीरिक, मानसिक रूप से अस्वस्थ हो जाता है। इसलिए मेरा मानना है कि खाली समय कुछ न कुछ अच्छा कार्य करते रहना चाहिए।

इंसान के अच्छे कर्म ही उसे अच्छे मार्ग पर ले जाते हैं। हमेशा अच्छे कर्म करें। आज जब इंसान इन सलाखों में कैद है तब उसे पता चल रहा है कि जीवन क्या है। अगर कोई भी अच्छे कर्म करे तो उसका जीवन सफलता की तरफ को जाएगा। लेकिन मेरे हिसाब से अति हर चीज की अच्छी नहीं आज दुनिया में अगर किसी की अधिक भलाई करेंगे तो आपको नुकसान ही होगा और अंत में बुरे का बुरा होना तो तय है। इंसान को अच्छे कार्य करने चाहिए। चाहे वह कहीं भी क्यों न हो। आज इस कैदखाने में हर कैदी दु:खी व परेशान है। फिर भी कर्म ही इंसान को सद्मार्ग पर ले जाते हैं और कर्म ही इंसान की पूजा, कर्म बिना इंसान का जीवन अधूरा, कर्म बिना इंसान का शरीर मिट्टी और

कर्म बिना सांसरिक जीवन अधूरा। अतः कर्म करना ही सबसे उत्तम कार्य है।

आज मैं इस कैदखाने में जब कभी त्यौहार व कुछ अन्य पल होते हैं तो जेलों की सलाखों में बंद वो गुनहगार जिन्होंने दूसरे की थाली से छीनकर अपनी थाली में डाल लिया। वो कैदी जिन्होंने दूसरों को मौत के घाट उतारकर अपना घर भर लिया और वह कैदी आज इन सलाखों के अंदर दूसरे गरीब कैदियों को दान करते हैं। क्या फायदा उस दान का? मैं अपने दिल में सोचता हूँ कि दान देने से कहीं अच्छा है कि गन्दी कमाई न करें। आज जेलों में बंद कुछ नशे में लिप्त कैदी उन्हें देखकर दुःख होता है। उनकी यह दयनीय हालत देखकर रोना आता है। जो लोग समाज में नशा बाँटकर पैसा कमाते हैं और फिर दान कर यह सोचते हैं कि हमने जो पाप किये है वह पाप-पुण्य में बदल गये। ऐसा सोचना मूर्खतापूर्ण है। मैं उन भाईयों से अनुरोध करना चाहूँगा। जो गन्दी कमाई करके समाज में चार पैसे देकर दान करने की बात करते हैं। उस दान का कोई फायदा नहीं क्योंकि जो पैसा आपने कमाया है वह पैसा गंदी कमाई का है। वह पैसा गलत तरीके का है। वह पैसा धोखे का है। आज जो दान कर रहे हैं वह भी धोखा है। मेरा मानना है। कि किसी को अगर आप दान नहीं कर सकते तो कोई बात नहीं। आप समाज में अच्छे काम करें। गलत मत करें जिससे समाज में आपका नाम होगा कि वह ईमानदार हैं। गंदी व गलत कमाई से बचें।

ज्ञान का अभाव और गलत कर्म से इंसान इस कैदखाने में अपना जीवन अंधकार में डुबा रहा है। इंसान को ज्ञान और अच्छा कर्म, सद्मार्ग पर ले जाता है। यह जेलखाना है। यहाँ इंसान गलत कर्म और ज्ञान के अभाव से इस कैदखाने में कैद है। अच्छा ज्ञान लेना और अच्छे कर्म करना हर इंसान का जीवन ऊँचे शिखर पर ले जाने वाला हथियार है। इसलिए हमेशा अच्छा सोचें अच्छा कर्म करें।

यूँ तो आज जेलों में हजारों बेगुनाह कैदी जेलों में कैद हैं लेकिन उनमें से कई कैदी ऐसे हैं। जो उस अपराध में कुछ न कुछ वजह जरूर रही होती है। चाहे एक छोटी सी वजह क्यों न हो जैसे दोस्त किसी का मोबाईल इस्तेमाल करना, साथ में रहना, किसी को अपनी गाड़ी दे देना ऐसे कई छोटे-छोटे कारण एक इंसान को गहरी खाई में धकेल देते हैं। जिनके चक्कर में आज कई बेगुनाह कैदी इस कैदखाने में कैद हैं। आखिर ऐसे कई केस हैं जिनमें आज हजारों की संख्या में कैदी इन सलाखों में कैद हैं आज जेल में एक महिला कैदी व दो पुरुष कैदी जेल में आए हैं। असल में तीनों एक ही परिवार के सदस्य हैं। जिनमें माँ, बेटा व पति इन तीनों का केस इस प्रकार से है। थोड़ी सी जमीन का विवाद था। लड़का मजदूरी करता है। पिता घर पर ही रहते हैं और माँ अपने परिवार का काम संभालती है। एक दिन इत्तफाक से लड़के ने पिता को अपना फोन दिया यह कहकर कि पिताजी मेरे मोबाइल के स्पीकर में थोड़ी खराबी है। मैं मजदूरी पर जा रहा हूँ। आप बाजार जाएंगे तो बनवा देना। शाम को उसी दिन पिता बाजार गये। आधे रास्ते में वह आदमी मिल गया। जिससे जमीन का विवाद था। पिता व जमीन वाला दूसरा व्यक्ति दोनो मिले और बातचीत करने लगे। दोनों खुशी-खुशी शराब पीने गये और शराब के नशे में दोनों के बीच जमीन का विवाद इस कदर जाग उठा कि दोनों में हाथापाई हो गई अचानक उस लड़ाई में एक व्यक्ति गिर गया और मौके पर ही उस व्यक्ति की मौत हो गई दूसरे व्यक्ति ने उसे उठाकर दूसरी जगह छुपा दिया और वहाँ से वह व्यक्ति घर आ गया। शाम को लड़के ने पूछा पिताजी मेरा फोन ले गये थे आपने बनवा दिया पिता ने कहा बेटा मैंने दिया है। दो दिन में मिल जाएगा इत्तेफाक से तीसरे दिन लाश पुलिस को मिली जाँच में मौके पर फोन बरामद हुआ। उस फोन के शक पर उस बेटे को जो मजदूरी करने गया था। उसे पुलिस ने उठा लिया। उस माँ को भी पुलिस ने अंदर कर

दिया जो घर में बर्तन माँज रही थी और पुलिस ने उस बेगुनाह लड़के को इतना मारा–पीटा कि उस कैदी का हाथ ही फैक्चर हो गया। इस कदर उसे मारा कि जैसे वह अपराध उसी ने किया होगा। लेकिन उसने तो यह अपराध नहीं किया था। वह क्यों कहता कि यह खून उसने किया है। उसके पिता ने अपराध कबूल लिया था। फिर भी माँ व बेटे को जबरन पुलिस ने जेल की सलाखों में पहुंचा दिया। उस लड़के की इतनी गलती थी कि उसने फोन बनवाने अपने पापा को दिया और वहीं माँ की गलती तो थी ही नहीं। उसका अपने पापा को फोन देना आज उसकी जिंदगी जेल की सलाखों के अंदर कट रही है। यह फोन आज उसको जेल की सलाखों तक पहुंचने का सबब बना।

आज हमारे घरों में अक्सर तू–तू मैं–मैं देखने को मिलती है। कभी–कभी तो हालात इस कदर पहुंच जाते है कि इंसान को जेल की सलाखों तक पहुंचना पड़ता है। यहाँ इंसान जब आता है तो सोचता है कि आखिर मैंने क्यों ऐसी गलती की। इसी के साथ–साथ खुद अपनी जिंदगी को बर्बाद तो करता ही है। साथ में घर में छोटे बच्चों पर भी बहुत बुरा प्रभाव पड़ता है। क्या आपने कभी सोचा है कि हम अपने बच्चों के सामने लड़ते हैं। झगड़ते हैं। आखिर इस नतीजे का असर क्या पड़ेगा। वह बहुत खतरनाक है। मेरे प्यारे भाईयों! अपने घर में ऐसा माहौल न बनाये, जिससे कि बच्चों पर बुरा प्रभाव पड़े बल्कि ऐसा माहौल बनाये कि प्यार, हिम्मत, ज्ञान आदि का भाव आए यह हमें कोशिश करते रहना चाहिए। इसलिए कहते हैं कि जिस घर में कलह नहीं होती वहाँ बच्चे होनहार होते हैं।

इस कैदखाने में इंसान इस कदर कैद हो जाता है कि वह इस चारदीवारी के अलावा कहीं न तो जा सकता है और न ही सोच सकता है। ऐसे में यह कैदी क्या करेगा। कुछ नहीं, वह सिर्फ सोच सकता है। बस उस सोच के समुद्र में डूबे रहता है। इंसान इस कैदखाने में न जाने

क्या-क्या सोचता है। बस सोचता रहता है। बस सोचता रहता है......। आखिर कोई भी इंसान कितना सोचेगा। अंत में इंसान मानसिक रोग से ग्रस्त हो जाएगा। हमेशा ज्यादा सोचने वाला व्यक्ति या तो बुद्धिमान होता है या फिर पागल। लेकिन इस कैदखानें में ज्यादा सोचना अच्छा नहीं। ये सलाखें बहुत मजबूत हैं। कोई कैदी यहाँ कुछ नहीं कर सकता ज्यादा तड़पन यहाँ खतरनाक है। यहाँ कैदी बर्बाद हो जाता है या फिर आबाद।

वह दिन, जिस दिन मैं कानून की हिरासत में था शायद मेरे लिए वह काला दिन था क्योंकि वह दिन मेरे जीवन के उन सुनहरों पलों को खत्म कर एक कैदखाने में प्रारम्भ होने वाला दिन था। एक गलती इंसान के जीवन को किस कदर अंधेरे में धकेलती है। शायद उसका अहसास और उसके दुख-दर्द को मैं भँली-भाँति महसूस करता हूँ। भगवान करे, ऐसे दिन किसी को न दिखाए। अपनों से दूर एक अनोखी दुनिया में रहकर अब दिल करता है। समाज से कहीं इतनी दूर चला जाऊँ जहाँ कोई न हो। शायद एक छोटी सी गलती ने मेरे जीवन को खत्म कर दिया है। क्या है यह कैदखाना शायद मैं जानता हूँ। आज मैं समझ चुका हूँ कि कोई भी कार्य करने से पहले एक क्षण रूके और उसके परिणाम के बारे में सोचें और उस काम को करें। मैं आपको हकीकत बताऊँ तो मैंने यह सब सोच समझकर किया था क्योंकि मेरी हालत इतनी अच्छी नहीं थी। मैं पैसे कमाना चाहता था और एक गलत कदम ने मुझे आज मेरी आजादी को छीन लिया है। मेरे उन पलों को छीन लिया है। मैं गलत था। आज यह सब सोचकर दिल ही दिल रोता हूँ। यह आँसू इस कैदखाने में किसी को दिखा नहीं सकता क्योंकि इस कैदखाने में आँसू आने का मतलब मजाक उड़ाने जैसी बात है। मेरे प्यारे दोस्तों! जीवन बहुत अनमोल है इसे खुल के जियो जिंदगी में कुछ नहीं रखा है। बस ऐसा काम मत करो जिससे हमारी-आपकी जिंदगी इस कदर तबाह हो जाए, जिससे कि समाज में अशांति फैले।

'मैं' इंसान को इस कदर खाई में धकेलती है। वह जीवन में कभी खड़ा नहीं हो सकता। यह शब्द एक इंसान के अंदर जब जाता है तो इंसान अहंकारी हो जाता है। वह किसी को पूछता ही नहीं, जिस कारण इंसान इन सलाखों में कैद हो जाता है। इंसान की इंसानियत उसका स्वभाव इंसान को सद्मार्ग पर ले जाता है। आज इन सलाखों में कई ऐसे कैदी हैं। जो उम्र कैद की सजा भुगत रहे हैं। उस उम्र कैद की सजा के पीछे एक ही कारण है। 'मैं' इस शब्द ने तो रावण को भी खत्म कर दिया था। शायद अज्ञानता इसका प्रमुख कारण है। कैदी जब इन सलाखों में सोचता है। मनन करता है। तो तब वह 'मैं' पन वो घमंड वो बदमाशी इन्ही सलाखों तक सीमित रह जाती है। तब वह देखता है अब चारों तरफ दीवारें ही दीवारें सिर्फ देखने को आसमान ही आसमान इंसान का जीवन एक समाज से टूट जाता है। उस 'मैं' पन से ये उम्र कैद ये फाँसी ये दस साल इन काल कोठरी में कैद हर कैदी यही सोचकर अब बैठा है। काश! वह दिन कौन सा दिन होगा। जिस दिन मैं इस रहस्यमयी दीवारों से, इस कैदखाने से आजाद होकर अपना जीवन खुली धरती पर गुजारूँगा। इंसान का जीवन इतना लंबा नहीं। आज इंसान की उम्र साठ से सत्तर वर्ष के बीच है। इन सत्तर वर्षों में इंसान अगर अपना जीवन 'मैं' पन का त्याग करके सभी से मेल-जोल करके रहेगा तो शायद इंसान अपना कीमती जीवन अच्छे से जी पाएगा। अन्यथा यह जेल की सलाखें इंसान को खोखला करने में देर नहीं करेंगी।

यूँ तो आज इन सलाखों में कई हजारों कैदी हैं। आखिर बहुत नहीं तो कुछ कैदी ऐसे है जो अपने कर्मों से आज इन सलाखों तक पहुंचे है लेकिन मनुष्य का जन्म ऐसे गलत कर्म करने के लिए नहीं बल्कि संघर्ष कर अच्छे कार्य करने के लिए हुआ है। इसलिए हमें अच्छे कर्म करने चाहिए।

इंसान के अंदर का गुस्सा, अंदर की आग वाली भावना न तो उसके लिए अच्छी है और न ही उसके अपने स्वास्थ्य के लिए। इन सलाखों के अंदर आज अधिकतर कैदी कैद हैं। कुछ प्रतिशत ऐसे हैं जो जानबूझ कर दूसरों से टकराव लेकर जेल तक पहुंचे हैं। लेकिन अंत में क्या फायदा इस टकराव का क्या मिला? ये जेल। बुद्धिमान व्यक्ति उस इंसान को मानता हूँ जो सरल शांत स्वभाव का हो और उसके साथ-साथ अपने को टकराव से झुकाकर आगे बढ़े। वही व्यक्ति जीवन में सफल हो सकता है। ऐसा मेरा मानना है। मैं आए दिन इस कैदखाने में देखता हूँ कि इंसान के जीवन में टकराव क्या चीज है। टकराव इंसान के जीवन को बिखरा देता है। अन्ततः यह सलाखें। आज इन सलाखों में कई कैदी ऐसे हैं जो दूसरे कैदियों के प्रति टकराव, घृणा, राग-द्वेष आदि भावना रखते हैं। शायद कहीं ऐसा तो नहीं कि इन सलाखों का प्रभाव तो नहीं इंसान जैसे माहौल में रहेगा उसी तरह बन जाता है। लेकिन इंसान के अंदर इतनी इच्छा शक्ति भी है कि वह गंदे लोगों में रहकर भी अच्छी सोच का बन सकता है। ये सलाखें एक इंसान को बना देती हैं तो एक इंसान को बिगाड़ भी देती हैं। बाकी हर इंसान के ऊपर यह निर्भर करता है कि वह कैसे आगे बढ़े। कैसी सोच अपने अंदर उत्पन्न करे दुनिया की सुनो, बस जो आपको अच्छा लगता है। उसे अपने अंदर ले लो और जो आपको खराब लगे उसे फेंक दो। बस जीवन में खुश रहो न कि किसी को कष्ट दो न खुद को। जीवन में आनंद लेते रहो बस लेते रहो आगे बढ़ो, बस आगे बढ़ो।

आज हजारों लोग इस कैदखाने में अज्ञानता के कारण कैद हैं। अगर हमें कानून के बारे में थोड़ा भी ज्ञान होता तो शायद आज हम इस कैदखाने में नहीं होते। इसलिए आज सलाखों में यह अहसास हो रहा है। कि अज्ञानता से बड़ा शत्रु इंसान का दूसरा कोई हो ही नहीं सकता। आज जब मैं इस कैदखाने को देखता हूँ। कई कैदियों से मिलता हूँ।

तो वह यही कहते हैं। हमें कानून के बारे में पता नहीं था। इसलिए आज इस मोड़ पर खड़ें हैं। जीवन खत्म की कगार पर पहुंच चुके हैं। आज हर कैदी यही कहता है कि काश उस वक्त ऐसा हो सकता था या फिर मुझे ऐसा करना चाहिए था या फिर मैं यह कर सकता था या फिर काश मैंने ऐसा किया होता। अगर मैं थोड़ी कोशिश करता तो शायद ऐसा हो सकता था। लेकिन यह इंसान के सबसे बुरे शब्दों में से एक है। कानून के ज्ञान का अभाव ने आज करीब हर कैदी को अंधेरे में धकेला है। वह समय था। जब मैं इस कैद से अलग था। समाज में घूम रहा था। मौज-मस्ती कर रहा था। मैं हमेशा अपने काम को कल करके टाल देता था। कल का दिन काल से है। इंसान को हमेशा यह ध्यान रखना चाहिए कि अगर मैं जो काम आज कर सकता हूँ। उसे कल पर नहीं टालूँ जिस काम को टाल दिया समझ लीजिए कि वह काम होगा ही नहीं। कोई न कोई विघ्न उस काम में आ ही जाएगा। हमेशा यह सोचना चाहिए कि जो काम आज हो सकता है। उसे तत्काल कर दें।

जेल के हर कमरे के एक किनारे से हर क्षण, हर पल, कुछ न कुछ अपशब्द, गाली-गलौच आदि बुरे शब्द सुनने को मिलते हैं। आखिर कुछ ऐसे असामाजिक तत्व जो समाज में अराजकता फैलाते हैं। ऐसे कैदी अपनी सोच और अपनी पारिवारिक व्यवस्था को दर्शाते हैं। यह जेल-खाने के हर खाने में कोई न कोई मिल ही जाता है। आखिर ऐसी सोच ऐसी, हरकतें इंसान के अंदर कैसे आयीं। शायद समाज में कुछ ऐसे तत्वों में रहकर उनके साथ उठ-बैठ कर एक इंसान इस कदर ऐसी गंदी नाली में जानबूझ कर बह रहा है। आज मैं इस जेलखाने में रोज ऐसे कैदियों से मिलता हूँ जो बदतमीजी से बात करते हैं। शायद उनकी शिक्षा वहीं तक सीमित है। न उन्हें बोलने का तरीका आता है और न ही समाज में उठने व बैठने का तरीका। शायद ऐसी हरकतें करते हुए वह अपने आप को शक्तिशाली साबित करना चाहते हैं। लेकिन यह

दुनिया है। यहाँ हर तीसरा–चौथा व्यक्ति बुद्धिमान है। वह हर चौथा व्यक्ति जानता है कि वह किस आचरण व किस परिवार से ताल्लुक रखता होगा। इंसान को हमेशा चाहे वह छोटा हो यह बड़ा दूसरों का आदर सम्मान करके जीना चाहिए। आज जेलों में हजारों कैदी ऐसे है जिनका स्वभाव, जिनका आचरण, जिनकी मन की भावना इतनी सरल और निर्मल है। वाकई मैं भी सोचता हूँ कि ऐसे लोगों को क्यों इन कैदखाने में डाला है। वैसे इंसान गलती का पुतला है। यह सभी जानते हैं लेकिन इन सलाखों में रहते हुए भी उनके स्वभाव, परवरिश और आचरण व जुबान से निकला हुआ हर शब्द उनके अपने आचरण को दर्शाता है।

आज जेलों में जितने भी कैदी कैद हैं। उनमें से कुछ प्रतिशत छोड़कर बाकी सारे कैदी अपने कर्मों से या तो जेल की सलाखों में है या फिर मौज से। अपनी जिंदगी खुली दुनिया में जी रहे हैं। मनुष्य जीवन में जो भी कर्म करता है। उसका फल उसे अवश्य ही भोगना पड़ता है चाहे अच्छा या बुरा चाहे इन सलाखों के अंदर अगर मैं अपनी बात करूँ तो मैं आज अपने कर्मों की सजा भुगत रहा हूँ। क्योंकि मैंने जो गलती की थी। शायद दुनिया की सबसे बड़ी गलती में से एक थी। ऐसा मैं मानता हूँ। मैं समझता हूँ कि आज जिस तरह से मैं उन नौजवानों को देख रहा हूँ जो नशे के आदी हैं। जो जेल में कैद हैं। जिनकी हालत ऐसी हो चुकी है कि वह जीते जी मर चुके है क्योंकि नशे ने उन्हें अंदर से खोखला कर दिया है। मैं अपने आप को बहुत बड़ा मुजरिम मानता हूँ। क्योंकि मैंने जो अपराध किया वह अब मेरी नजर में बहुत बड़ा अपराध है। ऐसा मुझे, लगता है। माननीय न्यायालय ने मुझे दस वर्ष के सश्रम कारावास से दंण्डित किया था और एक लाख रुपये जुर्माना। मैं अपने किये की सजा भुगत चुका हूँ। समाज को यह संदेश देना चाहता हूँ कि नशा न तो बेचें और न ही करें और न ही किसी को करने दे। यह सभी का दायित्व बनता है। मैंने यह अपराध किया था। इसका फल

मुझे मिला। अब मैं समाज में अपने इस लेख से यह संदेश देना चाहता हूँ कि हमारे प्यारे भारत को नशा-मुक्त भारत बनाने में सहयोग दें मैं भारत का नागरिक हूँ। मैं यह चाहता हूँ कि हमारा भारत नशा-मुक्त भारत बने यही मेरी दिली तमन्ना है और मैं गर्व से कहना चाहता हूँ कि मैं नशा-मुक्त भारत बनाने में अपना पूरा सहयोग दूँगा।

अधीक्षक, जिला कारागार, देहरादून (उत्तराखण्ड)।

प्रमाण – पत्र **दिनांक : 01.06.2017**

प्रमाणित किया जाता है कि सिद्धदोष बंदी जितेन्द्र सिंह पुत्र कल्याण सिंह, निवासी– मल्ली खुमती, थाना–बलुवाकोट, जनपद–पिथौरागढ़ जो कि S.S.T. No. 08//2007, Cr. No. 185/2007, U/S 20 N.D.P.S. Act चालानी थाना–धारचूला, जनपद–पिथौरागढ़ के अन्तर्गत, माननीय विशेष सत्र न्यायाधीश, पिथौरागढ़ (उत्तराखण्ड) द्वारा **दिनांक–30.01.2010** को निर्गत **U/S 20 N.D.P.S. Act में दस (10) वर्ष का कारावास** एवं ₹ 1,00,000/- अर्थदण्ड, अर्थदण्ड अदा न करने पर दो (02) वर्ष का अतिरिक्त साधारण कारावास की सजा से दण्डित सजायावी वारण्ट के साथ **दिनांक–03.05.2010** को जिला कारागार, अल्मोड़ा से स्थानान्तरित होकर इस कारागार में निरुद्ध हुआ।

कारागार अभिलेखों के अनुसार उक्त बंदी उपरोक्त वाद में **दिनांक 02.06.2007** से **दिनांक 11.05.2008** तक विचाराधीन बंदी के रुप में न्यायिक बंदी गृह, पिथौरागढ़ में व **दिनांक 11.05.2008** से **दिनांक 24.01.2010** तक विचाराधीन बंदी के रुप में जिला कारागार, नैनीताल में व **दिनांक 24.01.2010** से **30.01.2010** तक पुनः विचाराधीन बंदी के रुप में न्यायिक बंदी गृह, पिथौरागढ़ में निरुद्ध रहा। तथा **दिनांक 31.01.2010** से **दिनांक 02.05.2010** तक सिद्धदोष बंदी के रूप में जिला कारागार, अल्मोड़ा में निरुद्ध रहा। और **दिनांक 03.05.2010** से लगातार सिद्धदोष बंदी के रूप में इस कारागार में निरुद्ध रहने उपरान्त **दिनांक 01.06.2017** को कारागार से रिहा हुआ है। बंदी का इस कारागार में निरुद्ध रहने के दौरान **आचरण अच्छा** रहा है।

यह प्रमाण पत्र बंदी जितेन्द्र सिंह पुत्र कल्याण सिंह के प्रस्तुत प्रार्थना पत्र के आधार पर आज **दिनांक–01.06.2017** को जारी किया गया है।

अधीक्षक
जिला कारागार, देहरादून

अधीक्षक, जिला कारागार, देहरादून (उत्तराखण्ड)

प्रमाण – पत्र दिनांक : – 09.07.2013

प्रमाणित किया जाता है कि सिद्धदोष बंदी जितेन्द्र सिंह पुत्र श्री कल्याण सिंह निवासी मल्ली खुमती, थाना बलुवाकोट, जनपद पिथौरागढ़ जो कि, S.T. No. 08//2007, Cr. No. 185/2007, U/S 20 N.D.P.S. Act, P.S. धारचूला, जनपद पिथौरागढ़ के अन्तर्गत माननीय न्यायालय, विशेष सत्र न्यायाधीश, पिथौरागढ़ द्वारा दिनांक 30–01–2010 को निर्गत **U/S 20 N.D.P.S. Act में दस (10) वर्ष के सश्रम कारावास** एवं रु0 1,00,000/– अर्थदण्ड, अर्थदण्ड अदा न करने पर दो (02) वर्ष के अतिरिक्त कारावास की सजा से दण्डित सजायाबी वारण्ट के साथ दिनांक 03–05–2010 को जिला कारागार, अल्मोड़ा से स्थानान्तरण के पश्चात लगातार इस कारागार में निरुद्ध है।

कारागार अभिलेखों के अनुसार यह भी प्रमाणित किया जाता है कि उक्त बन्दी उपरोक्त वाद में दिनांक दिनांक 31–01–2010 से 02–05–2010 तक सिद्धदोष बंदी के रूप में, जिला कारागार, अल्मोड़ा में निरुद्ध रहा है तथा दिनांक 03–05–2010 से लगातार सिद्धदोष बंदी के रूप में इस कारागार में निरुद्ध है। बंदी का इस कारागार में निरुद्ध रहने के दौरान आचरण अच्छा है।

② यह प्रमाण–पत्र उक्त सिद्धदोष बंदी जितेन्द्र सिंह सिंह पुत्र श्री कल्याण सिंह के अनुरोध पर दिनांक 09–07–2013 को प्रस्तुत प्रार्थना पत्र के आधार पर जारी किया गया है।

अधीक्षक
जिला कारागार, देहरादून

OFFICE OF MEDICAL OFFICER, DISTT. JAIL, DEHRADUN
SUDDHOWALA, UTTARAKHAND

Phone: 0135-2102272, 2775980 Fax: 0135-2771488 E-Mail: sdjdoon@gmail.com

CERTIFICATE

This is hereby certified that Jitendra Singh S/o Late Kalyan Singh had Worked in Distt. Jail Hospital, Dehradun form Jan. 2011 to May 2017. During the work period, besides general work, Jitendra Singh **mainly dealt with Management of Hospital's Pharma Sections as Assistant.**

Overall work assigned to him was received better than expected.

I wish him bright career ahead.

Dated:- May 31, 2017
Place :- Distt. Jail Hospital, Dehradun (UK.)

MEDICAL OFFICER
DISTRICT JAIL
DEHRADUN

(Dr. Md. Shah Hassan)
Medical Officer, Jail Hospital
Distt. Jail, Dehradun
Uttarakhand.

MEDICAL OFFICER
DISTRICT JAIL
DEHRADUN.

Prison Ministry India

National Office, Providence Home, No.52, Near Ivy Rossa Resort, Thomas Layout
Sarjapur Road, Carmelaram, Bangalore - 560 035
E-mail : pmi2005@rediffmail.com Web: www.prisonministryindia.org

FANTASY 2013

National Pencil Drawing Contest

Excellence Certificate

This is to certify that Jitendra Bisht

has secured Grade A.

in Fantasy 2013 the National Pencil Drawing Contest, conducted by PMI on the theme "My childhood."

The future belongs to those who believe in the beauty of their dreams

April 2013 National Co-ordinator National Secretary

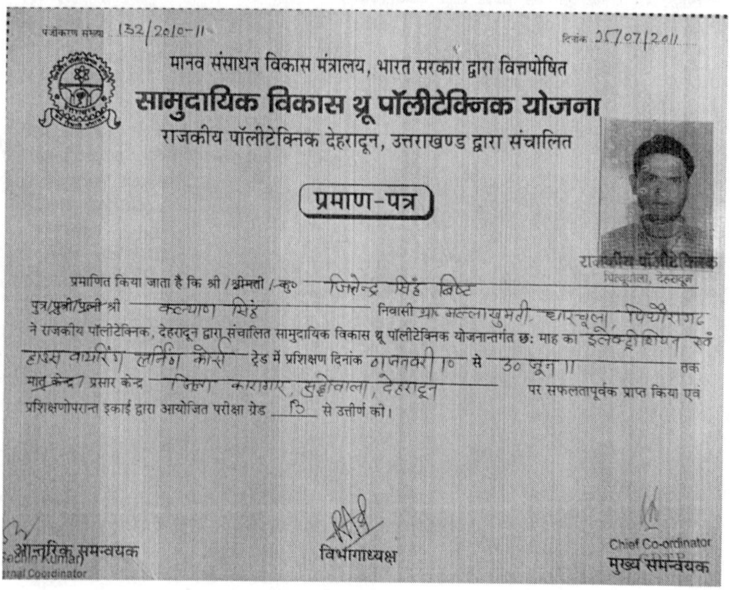

पंजीकरण संख्या 132/2010-11 दिनांक 25/07/2011

मानव संसाधन विकास मंत्रालय, भारत सरकार द्वारा वित्तपोषित

सामुदायिक विकास थ्रू पॉलीटेक्निक योजना

राजकीय पॉलीटेक्निक देहरादून, उत्तराखण्ड द्वारा संचालित

प्रमाण-पत्र

राजकीय पॉलीटेक्निक
पित्थूवाला, देहरादून

प्रमाणित किया जाता है कि श्री /श्रीमती /कु० जितेन्द्र सिंह बिष्ट पुत्र/पुत्री/पत्नी श्री कल्याण सिंह निवासी ग्रा० मल्लाखुमती, धारचूला, पिथौरागढ ने राजकीय पॉलीटेक्निक, देहरादून द्वारा संचालित सामुदायिक विकास थ्रू पॉलीटेक्निक योजनान्तर्गत छः माह का इलेक्ट्रीशियन एवं हाउस वायरिंग लर्निंग कोर्स ट्रेड में प्रशिक्षण दिनांक जनवरी 10 से 30 जून 11 तक मातृ केन्द्र / प्रसार केन्द्र जिला कारागार, सुद्दोवाला, देहरादून पर सफलतापूर्वक प्राप्त किया एवं प्रशिक्षणोपरान्त इकाई द्वारा आयोजित परीक्षा ग्रेड B से उत्तीर्ण की।

आन्तरिक समन्वयक (Sachin Kumar) Internal Coordinator — विभागाध्यक्ष — Chief Co-ordinator मुख्य समन्वयक